*Songes,
la révélation*

Canada Nous reconnaissons l'aide financière du gouvernement du Canada par l'entremise du Programme d'aide au développement de l'industrie de l'édition (PADIÉ) pour nos activités d'édition.

Programme de crédit d'impôt pour l'édition de livres — Gestion SODEC pour nos activités d'éditions.

Conception de la couverture : Fabio Verdone

Infographie :
    Infographie InfoDi, Saint-Nicolas

ISBN : 2-89441-075-1

Dépôt légal – 2e trimestre 2003
Bibliothèque nationale du Québec
Bibliothèque nationale du Canada

Imprimé au Canada

Note : le masculin est utilisé dans le seul but d'alléger le texte.

Paul-Dominique Gagnon

Songes,
la révélation

2003
Les Presses Inter Universitaires
C.P. 36, Cap-Rouge
(Québec) Canada G1Y 3C6

Partie 1 : Le départ

– 1 –

Juillet 1924, Montréal, gare Windsor

Les coudes appuyés sur ses genoux, les mains supportant sa tête, le jeune homme ne dit mot, trop occupé par ses pensées... «... dans quelques minutes, il partira au loin, vers l'inconnu, vers un lieu qu'il ne connaît pas, chez des gens qui lui sont étrangers... Pourtant tout allait bien ici! Des amis, un travail... et une ville qui n'arrête pas de grandir, d'apporter mille et une nouveautés...».

«Dring, dring, dring!». Ce son résonna pour la enième fois et, immanquablement, de nombreuses têtes se levèrent à la recherche de sa provenance.

– «Départ vers Trois-Rivières, Québec, Chicoutimi, quai d'embarquement 8, départ dans 15 minutes», lance une voix que le système de communication rend méconnaissable.

Bien que l'horloge indique huit heures quarante-cinq en ce 15 juillet 1924, la gare Windsor bourdonne d'activité. Cette gare, aux plafonds richement décorés et aux vastes salles, a une allure de cathédrale. Les hommes et les femmes qui s'y affairent sont à l'image de la société. Jupons, hauts-de-forme, pantalons de travail, chemises à carreaux, froufrous, souliers de gala, bottes d'agriculteur se côtoient dans le va-et-vient incessant de la gare. Ainsi, un observateur installé au deuxième niveau surplombant la salle principale peut apercevoir des centaines d'individus tels des fourmis qui s'affairent dans toutes les directions.

⋰

– William! Toi pis ton frère, prenez les valises!, ordonne Flora.

Ceux qui connaissent cette femme la disent attachante et surtout spontanée, capable de répondre du tac au tac, et dont le courage peut faire rougir n'importe quel homme. N'a-t-elle pas accouché seule de sa dernière pendant que l'aîné des garçons courait avertir son père au travail? Courageuse femme qui, au péril de sa vie, avait sauvé celle de son enfant... avec la conséquence que son corps ne pouvait plus donner la vie. Oui, curieuse femme qui ne connaissait de son homme que son présent...

Flora appréhendait ce voyage, il serait long: vingt-quatre heures en train, dans un espace clos, des bancs durs et droits et le pire, aucun endroit pour dormir, manger ou faire ses besoins. Enfin, rien de confortable pour un long voyage. Aussi faudrait-il profiter des arrêts dans les gares dont certaines, les plus modernes, offrent parfois du café et des biscuits du pays.

– Hé! Maman, est-on vraiment obligés de partir? Moi, j'aime Montréal! J'ai plein d'amis, un emploi et...

– William! William! Arrête de te lamenter. Je te l'ai déjà expliqué de long en large! Pis, pour ton emploi d'apprenti, tu en auras un bien meilleur là-bas.

Attentif à la conversation, Henri enchaîne:

– Allez, on se dépêche: le train part dans trente minutes. On reparlera de tout ça dans le train.

Les bras chargés de valises, Henri Desbiens, sa femme Flora et les trois enfants, William, Benjamin et Angella, se dirigent vers le quai 8. Les pas sont lourds, chargés d'émotions contradictoires. Cette famille typiquement québécoise du début du XXᵉ siècle vivait sur la rue Saint-Clément dans le quartier Rosemont surnommé « la petite côte », dans un cinq-pièces modeste mais décoré avec goût.

Propriété du père de Flora, un commerçant de la rue Sainte-Catherine, ce logement était confortable, possédant les commodités du temps comme l'eau, une salle de toilette et l'éclairage. Sa situation le préservait du brouhaha de la vie nocturne.

Grand blond aux yeux d'un bleu azur, Henri Desbiens et son fils aîné, William, 17 ans, travaillaient à la boutique «Smith Forge», une petite entreprise spécialisée dans la production de voitures à chevaux : des calèches noires, brunes, grises, à une place, à deux places. Travailleur méticuleux et extrêmement patient, Henri s'occupait du système de conduite et du calibrage du roulement des roues. Quiconque questionnait le patron d'Henri sur son travail recevait la réponse suivante : «La qualité d'une voiture à chevaux dépend du système de conduite, et Henri, lui y connaît ça. C'est le meilleur!»

Mais en ces années 1920, il faut dire que l'arrivée de l'automobile commençait à changer le portrait de la circulation. Les rues de Montréal étaient de plus en plus encombrées par ces bestioles géantes à quatre et six pattes. Par conséquent, le monde de la voiture à chevaux, du transport, allait connaître de grands changements, tout comme l'entreprise du vieux Smith Forge.

Cette incertitude pesa lourdement dans la décision de Henri et de sa femme de quitter Montréal. Assurer un avenir à toute la famille et surtout aux enfants, c'est ce qui importe pour des parents responsables, se disaient-ils.

— Je veux m'asseoir sur le bord de la fenêtre, dit la fillette de 13 ans aux yeux verts qui, d'ici deux ou trois ans, sera le portrait tout craché de sa mère. Élancée, sur ses cinq pieds deux ou trois pouces, elle fera assurément fureur avec ses longs cheveux bruns bouclés.

— Non, Angella, c'est à moi cette place, répliqua Benjamin, le second de la famille.

— Voyons les enfants, d'ici à notre arrivée au Saguenay, vous aurez amplement le temps de changer de place pis de tout voir, nous en avons pour vingt-quatre heures, trancha Flora.

– Votre mère a bien raison. Au lieu de vous chicaner, aidez donc votre frère à placer les valises!

Instantanément, le silence s'installa et les deux jeunes s'échangèrent un regard coupable. Telle une volée d'oiseaux, ils se lèvent à contrecœur pour aller aider William.

– Pas besoin les petits, j'ai fini, s'exclame William à son frère et à sa sœur sur un ton moqueur.

.'.

Entré en fonction le 21 juillet 1836, le chemin de fer révolutionna le transport par sa vitesse et sa sécurité, mais surtout par son respect du temps: partir à une heure fixe pour arriver à une heure fixe tout en étant tributaire du climat, du vent et des marées. Le contact du métal sur le métal dans un mouvement circulaire et continu assure le passage du temps, garantit la ponctualité.

John Molson et la compagnie *Champlain & St-Lawrence* introduisirent le train au Canada, plus précisément à Montréal, entre La Prairie et Saint-Jean. Cette machine qu'on surnomma un engin, tel un char d'assaut, bouscula tout sur son passage. «Construire à bras d'hommes un chemin qui relierait par un ruban d'acier, les diverses villes du grand Canada, la folie du rail était partie.»

En cette année 1924, la ligne de chemin de fer Montréal – Québec accueille de nombreux voyageurs, qui se tournent vers ce moyen de transport plutôt que l'automobile qui en est encore à ses débuts. Son plus grand avantage est sa sécurité. En effet, le train peut facilement se moquer des changements climatiques auxquels un trajet comme Montréal – Québec – Chicoutimi se trouve si souvent soumis: «Un ciel ensoleillé à Montréal et 80°F, à Québec un ciel couvert avec 70°F et au Saguenay, pluie et 65°F est chose courante.» Trancher les quatre saisons, semblable à un couteau qui s'attaque à un morceau de pain quelque peu rassis, est le lot de celui qui voyage.

Debout dans l'allée du wagon numéro 4, William s'est laissé prendre par l'effervescence qui règne dans le wagon. En face des deux sièges désignés aux membres de sa famille, un monsieur corpulent au chapeau dur est assis paisiblement. Sa barbe noire et son teint blême lui donnent un air fragile. Sa compagne, probablement sa femme, est d'une minceur qui frise la maigreur! Non loin, il aperçoit une jeune fille qui doit avoir son âge, environ 18 ans. Ses lèvres charnues attirent son regard qui, au même moment, croise celui de l'objet de sa contemplation. Troublé, il détourne son regard vers le devant du wagon où il aperçoit un homme portant une casquette rigide, habillé de noir et qui discute avec un groupe de voyageurs. Il a l'impression qu'ils sont inquiets et que l'homme essaie de les rassurer, particulièrement la femme au chapeau gris et au menton avancé. La discussion terminée, d'un pas décidé, l'homme fait quelques pas et dit d'une voix forte et grasse:

– Départ dans dix minutes! Assurez-vous que vos bagages sont bien rangés. Pour ceux qui vont à Québec, vous devrez changer de wagon à Trois-Rivières. Préparez vos billets, je passerai les vérifier après le départ. Bon voyage!

Une fois l'homme parti, Flora sort les billets de la poche de son chandail et vérifie si les numéros qui y sont inscrits correspondent bien aux bancs 36 et 38. Rassurée, elle prend une profonde respiration et observant ses trois enfants assis en face d'elle, elle se met à penser qu'ils sont maintenant en âge de se débrouiller seuls, qu'Henri et elle ont fait jusque-là un bon travail. Oui, ils sont beaux ses enfants! Elle sourit intérieurement et se dit à elle-même: «... C'est parti pour une nouvelle vie!»

Mariée à Henri Desbiens depuis près de vingt ans, pour Flora Rivard, parler de la famille de son mari ou de l'endroit où ils vont maintenant vivre n'est pas chose facile! En effet, comment parler d'une famille qu'on n'a jamais vue, même pas à l'occasion du plus beau jour de sa vie! Une famille dont son mari n'a jamais voulu prononcer un seul mot, et ce, même après de multiples questions de sa part.

Ils s'étaient mariés à l'église Saint-Christophe, dans le quartier Mont-Royal. Cette journée-là, le 19 août 1905, il faisait un temps splendide, aucun nuage à l'horizon, comme la journée où ils s'étaient rencontrés, six mois avant leur mariage. Quel bel homme que cet Henri: six pieds et plus, les cheveux dorés, les yeux d'un bleu indéfinissable, un air enjoué et cette façon de marcher qui dénote une assurance, une certaine indépendance, bref de quoi faire flancher bien des cœurs.

Tom Béliveau, un compagnon de travail, avait servi de témoin pour Henri car aucun parent proche de celui-ci n'avait assisté au mariage ni à la réception qui avait suivi. D'ailleurs, comme le dira Flora quelques années plus tard à l'une de ses amies: « Henri n'avait invité personne de sa famille. »

Bien qu'en ce début du XXe siècle, l'économie de Montréal fût volatile, les premières années de leur mariage s'étaient déroulées sans grand problème. Un couple qui s'aime, un logement adéquat, deux petits nouveaux, William et Benjamin; en somme, une petite vie tranquille mais heureuse et sans grande surprise, si ce n'est...

Vers la mi-juin 1909, Flora seule à la maison, entendit frapper à la porte:

– Je suis bien chez Henri Desbiens? Est-ce qu'il est là?, demanda une femme, ni jolie, ni laide, avec des cheveux bruns, très longs et raides et de grands yeux verts de biche effrayée.

– Non, Henri n'est pas là! Il est au travail et sera de retour en soirée, vers huit heures, répondit Flora, surprise que quelqu'un demande à parler à son mari. Hormis ses compagnons de travail et son patron, jamais personne n'avait fait cela.

– Vous êtes sûre qu'il sera là à huit heures?

– Oui, certaine. S'il a du retard, il ne tardera pas beaucoup à rentrer à la maison.

– O.K., je reviendrai, sinon dites-lui que sa sœur est venue.

– Sa sœur, s'étonna Flora. Mais Henri ne m'a jamais dit qu'il avait une sœur!

La femme fixa Flora de ses grands yeux larmoyants. Sans dire un mot, elle se retourna et partit.

À huit heures trente, Henri rentra du travail.

– Une dame est venue pour toi, lança Flora à son mari.

– Quoi! Quelle dame? Je la connais?

– Sûrement, parce qu'elle t'a demandé par ton prénom. Elle a dit qu'elle était ta sœur.

– Ma sœur! Facile à dire, je n'ai que des sœurs, trancha Henri qui ajouta: je suis fatigué, on parlera de ça plus tard.

«Plus tard» signifia «jamais» car depuis ce jour-là, Henri ne reparla jamais de ce qui s'était passé et plus personne ne le redemanda jusqu'à la réception de ce fameux télégramme du 20 juin 1924.

«*Père* – stop – *gravement malade* – stop – *selon médecin* – stop – *environ 1 mois à vivre* – stop – *Arrive vite* – stop – *Germaine*»

Ces quelques mots suffirent à faire basculer la vie de la petite famille Desbiens qui, trois semaines plus tard, se retrouve dans le train en route vers leur nouvelle destinée.

Tel une chenille, le train, lentement, très lentement, s'ébranle; peu à peu son élan se fait plus prononcé, plus sûr et enfin plus rapide. Par les fenêtres défilent murs, bâtiments, murs, bâtiments. Puis, les bâtiments se font plus rares, des arbres apparaissent... des bâtiments... des arbres... et, de temps en temps, un bâtiment isolé!

2

Wagon numéro 4,
direction Trois-Rivières et Saguenay

Toc – Toc – Toc, c'est le bruit sourd et ponctuel qui résonne à l'oreille lorsque les roues entrent en contact avec l'embrasement des rails. Le train a quitté la gare depuis déjà deux heures. Forêts, éclaircies et campagnes semblent avoir définitivement remplacé maisons et hangars.

Angella, Benjamin et leur mère sommeillent, bien campés sur leur siège de bois rembourré et recouvert d'un mince tissu de cuir; des sièges tous semblables, alignés comme des soldats au garde-à-vous et teints d'une seule couleur: en brun. Un brun qui envahit ces wagons aux murs de bois percés de fenêtres qui, malgré un verre de qualité médiocre, permettent de se gaver de paysages, d'objets et même de gens qui, pour l'observateur, sont toujours en mouvement.

Il faut dire que depuis sa première lancée, le train a beaucoup évolué. Des machines plus rapides, des wagons fermés où l'on peut s'asseoir confortablement. Même que sur certaines lignes de voyages, les passagers ont droit à un bon repas, et ce, sans crainte du vent qui siffle, de la pluie qui vous lave ou de la neige qui durcit la peau.

∴

Debout près de la porte vitrée qui donne accès au wagon, William s'adresse à son père à ses côtés:

– Eh! Pa! Pourquoi qu'on connaît personne de ta famille?

Ces paroles sortant de la bouche de son fils, tel un détective à la recherche de la vérité, surprennent Henri. Depuis l'âge de 19 ans qu'il habite à Montréal et pas une fois, pas une seule fois, en dehors de Flora, on lui a demandé si clairement et directement ce pourquoi. Étonné, son regard se déplace vers William qui, à la façon d'un personnage pris à l'intérieur d'une image, fixe le paysage qui fuit au passage du train.

Lentement, Henri parcourt d'un œil vif le profil que celui-ci lui présente et s'arrête sur les points de beauté éparpillés en forme d'étoile sur son long cou. Cette vision du déjà vu le rend mal à l'aise et aussitôt son regard regagne le paysage qui défile sur la vitre du wagon.

Sortie de son sommeil, Flora qui a rejoint son époux et son fils a saisi la demande de ce dernier. Installée tout à côté d'Henri, tel un ange gardien, elle lui saisit le bras et lui glisse à l'oreille :

– Il faut parler. C'est important. Je sais que c'est difficile pour toi, mais nous ne pouvons pas arriver chez ton père sans que moi et les enfants sachions ! Jamais tu n'as voulu me parler de tes parents, de ce qui s'était passé avant de venir à Montréal. Maintenant que nous allons habiter chez-eux, tu dois parler !

Comme un oiseau pris en cage, Henri sent son cœur battre à plein régime. Quoi dire ? Quoi faire ? Se libérer de ce fardeau ? Tout dire ? Embarrasser ses enfants, sa femme, avec son passé ? Ne pas répondre, attendre... De toute façon, le temps arrange les choses... Tout ça devient si difficile, si complexe que tout s'entremêle dans sa tête.

– Henri, je t'aime et les enfants aussi. De toute façon, tu devras tout nous dire un jour ou l'autre !

Le regard triste, Henri réplique :

– Je sais Flora, moi aussi, je vous aime !

William, le regard toujours fixé sur le paysage, écoute en silence, attentif à ce qui se passe autour de lui. Les «je t'aime et, moi aussi, je vous aime» ne sont pas sans l'étonner, mais le rassurent. En effet, même s'il a souvent vu ses parents s'enlacer ou se donner un baiser, il est toujours surprenant de les entendre et de les voir exprimer publiquement leurs sentiments.

Toc – Toc – Toc, le train continue sa lancée.

Le gros monsieur a fermé les yeux, et sa tête, toujours coiffée de son chapeau dur, se balance au gré du train d'en avant en arrière et parfois de droite à gauche ou à l'inverse suivant la courbe. Cette scène, un fantastique spectacle d'attraction, laisse à celui qui le regarde un plaisir immense pourvu qu'il sache apprécier les miracles de la vie.

Henri s'est refermé sur lui-même, le pourquoi de William et les dernières paroles de Flora, la femme qu'il aime, l'ont frappé durement à la façon d'un boulet de canon fracassant un mur de briques pour ouvrir un passage. «Pourquoi? Un jour ou l'autre...», « Pourquoi ?... Un jour ou l'autre... », «Pourquoi... ».

Les jambes lourdes, Henri prend place sur la banquette. Flora comprend par ce geste qu'ils ont gagné et elle le rejoint. Connaissant son mari, elle sait qu'il faut sans attendre foncer dans le temps. Elle secoue de sa main droite les deux jeunes qui sommeillent et lance :

– William ! William ! Viens t'asseoir.

Celui-ci se retourne, fixe sa mère et aperçoit un sourire qui se dessine sur ses lèvres. Puis lisant dans les yeux de son père, il comprend que ce qu'il racontera sera rempli de surprises, comme lorsqu'il avait six ou sept ans. Il se souvient qu'à cet âge son père lui racontait des histoires avec un tel talent qu'il se sentait partie prenante de celles-ci. Aujourd'hui, même avec le vécu de ses dix-huit ans, cela pourrait être pareil.

De son côté, nerveuse, Flora regarde ses trois enfants et, avec un ton qui a le don d'embaumer l'air de grains de bonheur et de calme, elle dit :

– Les enfants, vous savez que rendus à destination, nous allons habiter chez votre grand-père Desbiens. Vous aimeriez sûrement en connaître davantage sur la famille Desbiens. J'ai demandé à votre père de nous en parler et il le veut bien. N'est-ce pas Henri ?

Après un court silence, celui-ci répond :

— Oui, je veux bien...

Aussitôt Angella s'exclame joyeusement :

— Ça va être le *fun* !

Celle-ci ne peut terminer sa phrase, étant interrompue par son frère Benjamin :

— Tu commences quand pa ?

«Ben, ouais», sont les deux premiers sons qui sortent de la bouche d'Henri. Un Henri qui ne sait pas par où commencer, quoi dire et surtout comment le dire devant tant d'attente de ses auditeurs! Mais qui malgré tout s'élance...

3

Wagon numéro 4

« C'est durant l'année 1845 que votre arrière-grand-père, Joseph Desbiens, jeune homme de vingt ans aux yeux bleus et aux cheveux noirs, arriva au Saguenay. À cette époque, cette contrée occupée par les Amérindiens et quelques trappeurs et aventuriers était connue pour l'immensité de son territoire et de ses montagnes, ses richesses en bois et sa rivière.

Votre arrière-grand-père était originaire d'un petit village situé sur la rive du Saint-Laurent du nom de Saint-Irénée. Menuisier de métier, il partit à la conquête du Saguenay avec un groupe composé d'une dizaine d'hommes. Ils avaient en tête de remonter la rivière Saguenay, une rivière aux eaux noires et aux falaises escarpées, jusqu'à son embouchure et, selon ce qu'ils trouveraient, de s'y installer.

Remonter ce cours d'eau à l'image d'un fleuve qu'on disait presque infranchissable avec ses 60 milles de longueur et ses 900 pieds de profondeur à certains endroits ne fut pas une mince tâche. En effet, s'agenouiller, s'accroupir dans une embarcation pouvant contenir au maximum quatre personnes et leurs bagages, ramer à contre-courant depuis la pointe du jour jusqu'au coucher du soleil, faire face à la hausse ou à la baisse journalière de 10 à 20 pieds de cette rivière : telle était la tâche que devait accomplir ce groupe d'hommes, ces aventuriers...

C'était le premier grand voyage de Joseph, qui ne connaissait que les alentours de son petit village natal. Aussi, tout lui sembla démesuré du haut de ses cinq pieds dix pouces au contact de ce territoire beaucoup plus sauvage et difficile que prévu.

Ce relief accidenté avec ses falaises abruptes surmontant le Saguenay de leurs 1500 pieds, résultat du passage des glaciers, obligea le groupe d'hommes à s'arrêter plus d'une fois. Le premier grand arrêt se fit à l'Anse-à-la-Tabatière où une dizaine de familles s'étaient établies. À cet endroit, la pêche et la chasse s'avéraient excellentes. Malgré ces facilités, le groupe décida de s'enfoncer encore plus à l'intérieur des terres toujours par la même voie par laquelle ils étaient arrivés, le Saguenay.

Partis au début de l'automne dans ce pays montagneux, l'hiver, avec sa neige immaculée, ses froids perçants qui font mal aux os, frappa tôt cette année-là. Le groupe dut s'arrêter afin de se préparer à affronter ces grands froids dans un lieu réputé pour sa forêt composée presque exclusivement de majestueux pins blancs et que l'on appelait «Saint-Alexis-de-la-Grande-Baie». Une cinquantaine d'hommes, recrutés par William Price, y résidaient avec leur famille depuis quelques années et y exploitaient cette richesse. On les appelait la Société des vingt-et-un. Votre arrière-grand-père connaissait plusieurs de ces hommes originaires, comme lui, de Saint-Irénée et put facilement trouver du travail.

L'hiver ne fut pas facile. Se lever avec ou avant le soleil, travailler jusqu'au coucher, manger, dormir, se lever, marcher dans la neige folle, parfois haute de trois à cinq pieds à la recherche des plus grands pins; les abattre à la petite hache, utiliser le sciotte, le godendart pour débiter leurs troncs en billes; transporter ces billes sur 100, 200, 500 pieds et les corder: voilà de quoi épuiser son homme!

Aux premiers jours du printemps, après cet hiver rigoureux, passé aux confins de la Grande-Baie dans les limites de la Rivière-à-Mars, cinq hommes décidèrent d'aller encore plus loin vers l'embouchure du Saguenay; Joseph se joignit au groupe.

Le territoire se faisait plus accueillant, les abords escarpés de la rivière Saguenay laissant maintenant place à des lieux clairsemés, résultat du grand feu des années 1840. Celui-ci avait laissé son empreinte, en ces clairières situées au gré du vent de l'ouest qui avait poussé ce dernier, d'arbres en arbres, de feuilles en feuilles, de brins d'herbe en brins d'herbe.

Le petit groupe arriva à un lieu très fréquenté par les Amérindiens pour des activités de commerce de peaux de fourrures avec la compagnie de la Baie d'Hudson. Ce lieu se nommait «Tchékoutimi», du même nom que le cours d'eau qui se jetait dans la grande rivière Saguenay que les Indiens appelaient «Chekotimiwo».

Henri arrête son récit et, après un court moment, poursuit comme s'il s'interrogeait à haute voix :

«J'espère ne pas trop me tromper dans la prononciation de ce mot qui veut dire «jusqu'où c'est profond»! Je continue...! C'est à partir des années 1838-1840 que William Price, le même qui amena les colons à Grande-Baie, installa des familles à Tchékoutimi. On y retrouvait en plus un poste de traite et plusieurs bâtiments commerciaux. Là aussi, l'industrie du bois de sciage commençait à s'implanter avec force.

Dès les premiers instants de son arrivée à Tchékoutimi, la vie de votre arrière-grand-père, Joseph, prit un tournant. Avant ce jour, il n'avait pas rencontré beaucoup d'Amérindiens facilement reconnaissables par leurs habits souvent colorés, leur peau d'un brun rougeâtre, leurs cheveux plus noirs que la nuit et leurs yeux en amande. Le poste de traite de Tchécoutimi était très fréquenté par eux et, en ces jours qui suivaient la chasse et le piégeage d'hiver, beaucoup s'y trouvaient et y avaient même installé leurs tipis.

Le soir venu, cherchant un lieu pour s'abriter votre arrière-grand-père fut troublé à la vue d'une jeune femme amérindienne aux yeux de biche et aux longs cheveux noirs. Elle était magnifique, d'une beauté remarquable et quelle démarche! Il se disait qu'elle devait certainement être la fille d'un grand chef, ce qui, quelques jours plus tard, s'avéra juste.

Elle se prénommait «Perle» et Joseph en était tombé amoureux à l'instant même où il l'avait aperçue pour la première fois. Dès lors, il sut que son voyage devait s'arrêter. Aussi, le soir même de son arrivée, il annonça à ses compagnons qu'il n'irait pas plus loin ; il allait faire le tour des lieux et se trouver un petit coin pour s'installer.

Comme le temps était incertain en cette période de l'année et qu'il ne voulait pas coucher sous la pluie, il alla demander au groupe d'Indiens s'il pouvait coucher à l'intérieur de l'un de leurs tipis.

Joseph resta avec les Amérindiens pendant quelques jours, le temps de faire connaissance avec la jolie Indienne et de développer des liens d'amitié avec sa famille. En guise de remerciement pour l'avoir abrité, il remit au père de celle qui allait devenir dans les mois suivants son épouse, des rames aux couleurs de sa famille amérindienne.

Dans les jours qui suivirent, Joseph partit à la recherche d'un endroit où il installerait sa future demeure. Il remonta en canoë la petite rivière Tchékoutimi «Chekotimiwo» qui se jetait dans le Saguenay et il découvrit un site qui l'emballa. La forêt était belle, les arbres sains et une éclaircie située aux abords de la rivière permettrait de faire les semences très rapidement. Au loin, à pas plus de un ou deux milles, les montagnes aux rondeurs prononcées annonçaient un accès pour l'abattage des arbres qui les couvraient. En parcourant les lieux, Joseph découvrit qu'un second cours d'eau prenant naissance dans les montagnes traversait le territoire qui l'intéressait. Ce cours d'eau s'écoulait parallèlement au premier en l'embrassant sur plusieurs milles.

Poursuivant son exploration, Joseph revint sur les rives de la rivière Tchékoutimi et découvrit non loin de la clairière où il prévoyait s'installer que celle-ci se cabrait; ces petites chutes lui permettraient d'avoir de l'eau à longueur d'année et cela était une grâce, car Dieu que les hivers sont longs dans ce pays! Il savait que le moindre endroit où l'eau dort était frappé par la froidure qui la solidifiait sur une épaisseur pouvant atteindre plus de trois pieds. Une chute, une cascade, voilà ce qui pouvait déjouer ce joueur sur l'échiquier des quatre saisons.

Joseph était fier de cette trouvaille, tout cela, toute cette splendeur et ce potentiel à moins d'une demi-journée de canotage de Tchékoutimi.

À l'automne de cette année-là, votre arrière-grand-père épousa sa jolie Amérindienne, qui portait fort bien son prénom: Perle. Ils eurent quatre enfants, un garçon et trois filles...»

– Mesdames et messieurs! Arrivée à Trois-Rivières dans dix minutes, lance une voix forte et grave, interrompant Henri dans son récit.

– Ceux et celles qui débarquent, préparez vos bagages. Le départ pour ceux qui se rendent à Québec se fera dans une heure au quai numéro 3. Pour les autres, via La Tuque, Chambord et Chicoutimi, départ dans deux heures, ajoute l'homme à la casquette, le «contrôleur», comme écrit sur cette fameuse casquette d'un bleu d'encre.

– Les enfants, je continuerai plus tard! Après notre départ de Trois-Rivières.

– Non, pa, continue, supplie Angella en quête du regard approbateur de sa mère.

– Les enfants, votre père a dit «plus tard». Profitez de l'arrêt pour vous dégourdir les jambes. Ça fait déjà un bon bout de temps que nous sommes partis.

Le plus jeune des garçons se lève et demande:

– Man, je peux-tu aller voir le monsieur à la casquette et lui demander si on peut débarquer.

– Fais ça, Benjamin, va voir, répond Flora. Pendant ce temps-là, je vais sortir quelques biscuits et toi, profites-en pour demander au monsieur où on pourrait trouver à boire.

Doucement, le train s'arrête le long d'un quai de bois aussi long, semble-t-il, que son cortège de wagons. De sa fenêtre, Henri aperçoit clairement la gare, ce lieu qui suit le train partout où il s'enfonce. Plutôt petite, comparée à celle de Montréal, la bâtisse recouverte de briques rougeâtres est faite toute en longueur sur un étage. Un long et large trottoir servant de quai y donne accès et permet aux voyageurs d'attendre debout ou assis sur les quelques bancs de bouleau qui s'y trouvent.

– 4 –

Juillet 1924, Canton Chicoutimi

C'est aux abords de la rivière Du Moulin, à Canton Chicoutimi, que réside Éliane Therrien, troisième d'une famille de quatre enfants, deux filles et deux garçons. Son père, Théodore, possède le plus grand lopin de terre du Canton couvrant près de dix milles sur cinq milles et dont le quart est en bois debout. Des pins blancs, des érables, des frênes, des bouleaux et même des ormes forment l'amalgame de fibres qui a fait de ces boisés la richesse de la famille Therrien. C'est sans compter l'apport des terres cultivables si fièrement entretenues et possédant un pouvoir d'irrigation naturel.

Théodore possède ces terres depuis plus de vingt ans. Son père, Arthur, les a défrichées, marchées et remarchées, semées et récoltées pendant trente ans avant de les lui céder.

Fils d'un commerçant de Québec, Cléophare Therrien et de France Savoie, Arthur arriva au Saguenay en 1869 à l'âge de 19 ans, près de vingt ans après Joseph Desbiens. Il acquit ce précieux coin de terre grâce aux 2000 dollars que son père, à son départ pour le Saguenay, lui légua en héritage. Deux mille dollars en 1869, cela représentait une véritable fortune. Assez pour acheter un troupeau de 20 têtes, une maison, un terrain bien boisé et encore... Arthur disposait du sens des affaires et de cette capacité de voir devant, de lire le futur. Jeune étudiant, il travaillait au magasin général de son père et souvent, très souvent, il savait que tel produit plairait, que tel autre serait fortement en demande. Il pensait de cette manière lorsque, en 1870, il acquit une terre voisine de celle de Joseph Desbiens.

Arthur sut développer et mettre en valeur les différents aspects de sa terre comme aujourd'hui, le troisième de ses fils, Théodore, considéré dans le Canton comme son portrait tout craché.

Depuis de nombreuses années, les habitants du Canton colportent que les Therrien possèdent les terres les plus rentables et les plus belles du coin. En contrepartie, les voisins et la très grande majorité des gens qui habitent le Canton craignent cette famille. Ne faut-il pas être membre de la famille Therrien pour être l'un de ses privilégiés et y avoir droit d'accès? Les mariages avec un membre de la famille Therrien sont difficiles, pour ne pas dire impossibles, et que penser de la période des fréquentations? Résultat: les commérages du coin diffusent partout que c'est à cause de leur mauvais caractère que trois des cinq enfants d'Arthur et de Melvira Laprise se sont retrouvés religieux: Bernadette, chez les sœurs du Bon Conseil, Wilfrid, prêtre dans une petite municipalité du haut du Lac-Saint-Jean, et Bernard, frère chez les Dominicains. Les deux autres sont mariés: Élizabeth à Lucien Thibeault, un cultivateur de La Baie, l'être le plus désagréable de ce coin de pays, et Théodore à Camille Desmeules, la fille de Thomas Desmeules.

D'origine américaine, Thomas Desmeules, s'installa dans le Canton au début des années 1870. Son ascendance amérindienne, mohawk, fit de lui beaucoup plus un coureur des bois qu'un colon, la chasse et la pêche occupant la majorité de son temps. Ces activités qu'il ne limitait pas à ses terres lui valurent d'ailleurs de sérieuses mésaventures avec ses voisins et, plus particulièrement, avec les Desbiens. Son épouse, Lynda Dufour, une petite femme de cinq pieds, cheveux blonds, native de la Grande Baie, enfanta sur le tard d'une fille qu'ils nommèrent Camille.

La famille Desmeules résidait à moins de cinq milles de la famille Therrien. En fait, les terres des deux familles s'entrecoupaient à différents endroits et se prolongeaient à d'autres. Aussi, quand Camille et Théodore se marièrent en 1902, on raconta dans tout le Canton que les familles

Desmeules et Therrien célébraient un mariage d'affaires. L'Amérindien, ce faux fermier n'ayant pas de successeur mâle, s'était arrangé pour... Sa fille Camille avait 20 ans, une jolie fille aux yeux bleus, aux longs cheveux noirs, une bonne monnaie d'échange...

∴

Assis dans son fauteuil favori, une chaise berçante achetée dans les premières années de son mariage, Théodore Therrien réfléchissait. «Éliane, la plus vieille de ses filles, venait d'avoir 16 ans. Finie l'école pour elle, il l'avait envoyée faire des études à Chicoutimi, dans la grande ville, chez les sœurs Notre-Dame du Bon Conseil, la communauté religieuse de sa sœur Bernadette. Deux longues années à financer ses études pour devenir institutrice. Avec son allure, son visage de madone et ses connaissances, Éliane réussirait assurément dans ce métier, se disait-t-il et, à défaut, il lui trouverait un mari. En attendant, si son plan fonctionnait, elle allait trouver une place à l'école du rang; sinon, il retournerait voir le maire et le curé, ces deux faiseurs! Le premier, le maire, un ami d'enfance qui ne cherchait qu'à s'enrichir derrière son allure de gardien de la justice et du partage social. Ah! Quel foutu gars! Et que dire du deuxième, ce curé qui se disait un grand ami de la famille et plus particulièrement de son frère Wilfrid luimême curé. Ce foutu curé, tout ce qui l'intéressait c'était le pouvoir, oui, le pouvoir de régner sur ses ouailles, de leur faire croire que le ciel les attendait, que la gourmandise les tuerait, que les anges les accompagnaient et combien d'autres balivernes. Mais celui-ci ne régnerait jamais sur les Therrien, il serait toujours leur serviteur, comme ses prédécesseurs. Son père n'avait-il pas fourni tout le bois nécessaire à l'agrandissement et à la finition de l'église?»

– 5 –

Gare de Trois-Rivières

Les deux heures d'attente filèrent à l'allure d'un cheval au trot. À plusieurs occasions, le train bougea, avançant et reculant afin soit de se délester ou au contraire, d'ajouter des wagons à son chapelet déjà bien garni. La gare de Trois-Rivières, comme bien d'autres, permet ces déplacements avec ses nombreuses voies d'évitement, de garages et de chargement. Ce manège ne se déroulait pas qu'à l'extérieur du train. Henri observa que plusieurs voyageurs avaient quitté, remplacés par d'autres. « Sûrement des voyageurs en direction du Saguenay », se dit-il.

Le train a tôt fait de reprendre son allure de conquérant des espaces verts et montagneux que Henri en fait autant avec son récit.

– Tout à l'heure, je vous disais que votre arrière-grand-père et sa femme Perle avaient eu quatre enfants, c'est bien ça ?

– Oui, c'est ça, quatre enfants, un garçon et trois filles, précise Flora.

– On a donné au plus vieux le nom d'Augustin, c'est votre grand-père. Ensuite sont nées Louisette, Marie-Ange et Jeanne la cadette.

Henri fait une pause et regarde un à un ses enfants, et d'un ton assuré poursuit :

– Les terres revendiquées par votre arrière-grand-père pour établir sa ferme s'étendaient sur trois cents arpents de largeur par huit cents arpents de profondeur. Considéré par le gouvernement, comme un colonisateur, un premier habitant, votre arrière-grand-père acquit le tout contre une redevance annuelle de douze dollars. Le commissaire des terres représentant le gouvernement précisa qu'en plus de la redevance il devait, dans les cinq ans suivant la prise de possession, bâtir une maison et défricher 5 % de ses terres par année. À première vue, cela représentait une occasion, comme on disait dans le temps.

Aussitôt le marché conclu, Joseph et Perle défrichèrent une parcelle de leur nouvelle terre et y semèrent du navet et des patates. Abattre les arbres, dessoucher, labourer, semer la terre, nourrir et entretenir les poules et le cochon, finir de construire leur première maison qui les abriterait pour leur premier hiver: tout cela fut très laborieux. Ils travaillaient du lever au coucher du soleil. La vie durant cette période ne fut pas toujours facile.

Mon grand-père passa son premier hiver dans les bois pour la compagnie de pulpe. Dix dollars par mois, c'était vraiment pas beaucoup, mais, comme il nous disait, c'était ça ou rien. Au printemps, il s'acheta un cheval et put ainsi y retourner l'hiver suivant pour quinze dollars par mois pendant que ma grand-mère hivernait seule. Elle se couchait de bonne heure et se levait tard pour économiser le plus de nourriture possible et ne prendre que deux repas par jour.

Lorsque le printemps s'installait et que mon grand-père revenait du chantier, la vie reprenait. Dans une partie du lopin de terre défrichée, ils semaient de l'orge et ensuite le moulaient pour faire leur pain. Ma grand-mère faisait son beurre à la manière des Amérindiens: elle battait à la main la crème dans un plat d'écorce, l'imprégnant de l'odeur du bois. Ses coutumes et ses connaissances des plantes sauvages lui permettaient d'agrémenter l'ordinaire.

Après quelques années, environ dix ans, la terre et la maison avaient pris une allure de domaine pendant qu'ils acquéraient le statut d'anciens du coin. Aussi toutes les nouvelles familles qui s'implantaient dans le Canton Tchékoutimi leur témoignaient du respect.

Vers 1865, la population du Canton comptait près d'un millier de personnes. Il était grand temps pour Joseph d'agrandir ses boisés beaucoup moins prometteurs qu'il ne l'avait prévu. Ainsi, la forêt aux abords de la rivière était gigantesque et saine, mais lorsqu'on s'éloignait de la rivière, elle montrait des signes d'un sous-sol pauvre avec ses arbres clairsemés aux troncs minces. Au contraire, les terres adjacentes aux siennes possédaient un sous-sol plus riche et le boisé se composait d'arbres beaucoup plus gros et majestueux.

Il faut savoir qu'à cette période le commerce et l'industrie du bois de sciage prenaient beaucoup d'ampleur dans la région, grâce à William Price et à Peter McLoeod. En contrepartie, cette expansion basée sur l'abattage des boisés aux grands pins blancs entraîna la disparition de ceux qui se trouvaient aux abords des rives, poussant les forestiers à pénétrer plus profondément à l'intérieur des terres.

Conscients de cette situation, Joseph et Perle voulaient, tout en protégeant leurs terres, s'assurer d'une possibilité de revenus supplémentaires dans la coupe de bois. Ils entreprirent des démarches pour acquérir de nouvelles terres auprès du représentant du gouvernement.

À trente-six cents l'acre, ceci représentait pour les mille acres visées un énorme déboursé. Comme Joseph éprouvait déjà de la difficulté à nourrir sa famille de six personnes, il décida, malgré l'insistance de Perle, de reporter à plus tard l'achat de ces terres. Sensible à la situation de votre arrière-grand-père, le commissaire des terres l'assura qu'il communiquerait avec lui si quelqu'un manifestait de l'intérêt pour les terres qu'il convoitait.

6

Perle et la famille Nepetta – 1600

Perle, nom qui lui a été donné par son père, «Corbeau dans le Vent» avait un visage au teint curieusement pâle pour une Amérindienne, encadré d'une chevelure d'un noir charbon de la même couleur que ses yeux. Cela lui procurait une richesse, un effet de grandeur et de profondeur que l'on retrouve seulement au contact d'une perle. Perle descendait d'une lignée de grands chefs montagnais louangés par plusieurs des siens à travers le temps.

Celui qui ne connaît pas l'histoire de cette grande lignée, la famille «Nepetta», peut rester surpris qu'au passage de Perle, de cette jeune femme timide et effacée, les siens lui témoignent un grand respect. Ce respect s'exprime de diverses façons : paupières baissées, révérences, arrêts spontanés pour lui laisser le passage, murmures élogieux, etc. Mais, ce qu'il y a de plus remarquable, ce sont les jeunes enfants qui accourent près d'elle afin de simplement l'effleurer, la toucher.

La présence amérindienne en Amérique du Nord n'est pas récente. Les Innus, les «humains», habitent le nordest du Québec depuis au moins six mille ans et ils ont donné le nom de Nitassinan à ce territoire, terme signifiant «notre terre». Ce peuple de chasseurs, de pêcheurs, composé de bandes, de familles distinctes, respectait la règle du moment opportun pour le choix d'un chef ou la reconnaissance de l'autorité d'un des leurs particulièrement influent.

Nomades durant l'été, ils installaient leurs tipis le long des rivières riches en poissons de toutes sortes et, l'hiver, ils regagnaient l'intérieur des terres pour se protéger des froids glaciaux et des vents violents.

Lors de l'arrivée des Européens, les Innus étaient divisés en plusieurs communautés situées le long de la rive nord du grand fleuve. On raconte qu'en voyant ces hommes à la peau blanche pour la première fois, les membres de l'une de ces communautés, surpris de voir des maisons en bois flottant sur l'eau et des Blancs leur offrant à boire du sang (vin rouge) et à manger du bois (biscuits secs), éclatèrent de rire. Cette démonstration valut à cette communauté le surnom de Papinachois : personnes qui aiment ricaner ou rire.

C'est en mai 1603 que Samuel de Champlain, ayant traversé l'Atlantique pour dessiner la carte du Nouveau Monde, donna le nom de «Montagnais» aux Innus du grand chef «Anadabijou» habitant dans ce relief accidenté. Il considérait que cette appellation de montagnard, montagnais, montagnanz désignaient bien ces individus de la rive nord du Saint-Laurent habitant le territoire du Saguenay où mers et montagnes cohabitent dans un décor fabuleux.

Une terre sauvage, ce Saguenay! Mais combien belle avec ses nombreux cours d'eau, ses chutes, ses cascades, ses falaises abruptes, ses montagnes peuplées de fantômes de bois et d'animaux pouvant nourrir tout un peuple. Et que dire de cette majestueuse rivière que le peuple montagnais désigne par «là où c'est profond et ça engouffre», le «Saguenay» aux charmes envoûtants coupant les montagnes et les forêts, comme une hache traverse le bois mou en y laissant ses traces fraîches.

On ne saurait dire l'année où l'Innu «Serpent qui aboie» prit en charge un groupe d'hommes et de femmes qui, dans la foulée de leurs ancêtres, marquèrent de leurs pas les rives du Saguenay. Ce groupe d'Amérindiens, composé de 19 personnes, 8 hommes, 6 femmes et 5 enfants, formait la famille Nepetta. Le premier hiver du nouveau chef fut difficile, car il dut intervenir plusieurs fois pour préserver l'harmonie dans le groupe. Mais grâce à ses capacités à diriger les chasseurs dans la bonne direction de l'orignal, du lièvre et du loup cervier; de sentir que le mauvais temps, à la vitesse d'un cheval au galop, allait s'installer; de retrouver à chaque fois la bonne direction à travers cette forêt ou ce couvert de neige qui rendait le paysage si fabuleux mais trop souvent identique, «Serpent qui aboie » gagna la confiance de sa famille et renforça sa position de chef. Il fut un grand chef mais pas aussi grand que son fils «Loup agile».

.•.

L'homme, de taille moyenne, cinq pieds dix pouces, le torse dénudé, bronzé, laissant exploser ses muscles durcis, se tenait immobile. D'une droiture parfaite, le bas du corps et les jambes recouvertes d'un pantalon en tissu de cuir de caribou usé par le temps lui donnaient l'allure d'une statue. Sans dire un mot, la poitrine suivant le rythme de sa respiration, il observait fièrement le résultat d'un long et patient travail. Aussi long que le temps nécessaire pour que les oiseaux du soleil partent et reviennent et aussi patient que le renard qui, jour après jour, refait le même trajet à la recherche de sa nourriture.

Montagnais, membre de la famille Nepetta, il s'approche de son œuvre en se disant en lui-même : « il sera grand, solide et surtout, fait d'un bout à l'autre de mes propres mains». En effet, plusieurs lunes auparavant, il avait planté dans le sol, sur un peu plus de deux fois sa longueur, des piquets aussi larges que l'une de ses mains et aussi longs que l'un de ses bras. À la base, les deux piquets du centre s'éloignaient d'environ deux longueurs de main et d'un peu plus d'une longueur de bras dans le haut. Ceux-ci se rapprochaient lentement pour presque se refermer à chaque extrémité. Du haut des airs, cette structure ressemblait à un quartier d'un fruit non connu en cette période par les Montagnais, l'orange. En fait, ce quartier d'orange allait être, une fois sa construction terminée, le plus efficace des moyens de transport des montagnais. Oui, une fois le rouleau d'écorce de bouleau mise en place, collée avec de la gomme d'épinette et cousue avec de la racine ou du cuir de babiche, ce serait le plus beau, le plus rapide des canots de la famille et, en tant que chef, que de prestige !

Nommé à ce titre voilà déjà une lune, l'homme se sentait encore incertain de son pouvoir. À l'image de son père, il possédait cette capacité de voir en avant, mais de là à l'exercer avec efficacité, il n'en avait jamais eu l'occasion. Aussi, devant ce joyau qu'il terminerait dans les quelques soleils à venir, sa fragilité et sa timidité le rendaient songeur.

Dès son jeune âge, il avait démontré ses qualités de chasseur, de guetteur et surtout, sa grande capacité de saisir et d'interpréter les événements. Instruit par sa mère des secrets des plantes, il savait aider les siens pour lutter contre la maladie et faire face aux malheurs de la vie. Mais ce qui faisait sa force, lui seul, croyait-il, pouvait et devait le savoir ; aussi n'en dit-il jamais un seul mot.

«Loup agile», nom que son père, le grand chef «Serpent qui aboie», à la vue de ses longues jambes et de son regard perçant, lui avait donné, vit mourir celui-ci dans un de ses rêves. Cela s'était passé deux levers de soleil avant que celui-ci ne meure au tout début de la saison annoncée par la marmotte qui sort de terre. Dans son rêve, son père, à la poursuite d'un orignal, tombait, tombait...

On retrouva « Serpent qui aboie » au pied de la montagne, une chute de la hauteur du nombre de tipis que l'on retrouve sur les mains et les pieds d'un chasseur. La mort de ce grand chef fut célébrée durant autant de couchers qu'il y a de doigts sur une main. La présence de plusieurs chefs de familles consacra l'importance de « Serpent qui aboie » dans la grande famille montagnaise. Tous sans exception honorèrent le grand esprit du vieil homme au crépuscule, le Thistshe Manitu pour qu'il accorde une place de choix à « Serpent qui aboie » dans son monde. Les êtres sacrés, les « Wakantanka », l'Esprit du Soleil et l'Oiseau-Tonnerre seraient eux aussi bienveillants avec « Serpent qui aboie ».

Une fois terminé, le canoë de «Loup agile» se montra aussi rapide et stable que prévu. Dorénavant, pour les siens, il était non seulement leur chef, mais aussi celui de la famille qui réussissait le mieux à dompter le dieu de la noirceur et de l'eau.

La descente du soleil et les nuits froides annonçaient pour bientôt le retour du grand tapis blanc. Aussi, la bande, son chef en tête, commença la recherche du meilleur endroit pour installer le campement d'hiver: le *shaputuan*.

En suivant les falaises escarpées du Saguenay, la bande s'aventura de plus en plus à l'intérieur des terres lorsqu'elle fit la rencontre de plusieurs autres bandes de « Kakouchaks» (de Montagnais). Ceux-ci se rendaient au grand rassemblement prévu pour la première tombée des feuilles des grands arbres rouges, le temps où les cervidés s'accouplent. Plus de 20 bandes, familles regroupant près de 400 Montagnais se retrouveraient en un lieu appelé Totoushak, «mamelles» en français; Loup agile s'y rendrait avec quelques hommes de sa bande. Les autres, hommes et femmes, resteraient avec les enfants et surveilleraient les récoltes et la nourriture fumée si essentielles pour passer le prochain hiver ainsi que les chiens si utiles pour transporter leurs biens.

Site d'une beauté remarquable, Totoushak s'ouvre d'un côté sur la rivière profonde appelée le Saguenay et de l'autre côté sur une mer intérieure qui se jette dans une autre mer que l'on dit si immense qu'aucun Amérindien ne l'a encore traversée; on y accède soit par la rivière profonde ou par la mer intérieure. Cependant, c'est plus facile par cette dernière, car elle débouche à la faveur de la rive sur une petite baie où d'ailleurs les bandes montagnaises, dont celle de Loup agile, comptant autant d'individus que le nombre de doigts sur les deux mains, installèrent leurs shaputuan.

Loup agile était nerveux. Ce site lui faisait peur bien qu'il y fût venu avec son père à plusieurs occasions pour y faire commerce avec les hommes à la peau blanchâtre.

Peut-être était-ce la fatigue du voyage, car bien qu'il fût à un coucher de soleil de canoë de Totoushak, celui-ci avait été long et difficile. Longeant les rives du Saguenay dans leurs canots, à plusieurs occasions, Loup agile dut donner l'ordre pour de longs arrêts afin d'éviter différents groupes d'Iroquois et de Hurons. Il fallait être prudent avec eux surtout avec ces Iroquois, ces fameux guerriers, toujours à la recherche de nouveaux territoires et pour qui la guerre faisait partie intégrante des mœurs. D'ailleurs pour démontrer son courage, un jeune Iroquois ne devait-il pas, en guise de trophée, rapporter le scalp ou la tête d'un ennemi?

«Esprit qui se lève», un jeune et grand sage parmi les chefs de toutes les bandes, dirigea l'assemblée. Dans le tipi recouvert de peau de caribou, ils discutèrent de ces hommes blancs habillés de robe noire que l'on voyait de plus en plus et du prochain calumet qu'il fallait fumer avec les Iroquois. Il faudrait faire vite avec ces derniers, car la fréquence de leur présence dans le *Nitassinan* (territoire) augmentait périodiquement, accroissant le danger de conflit.

La fête de fermeture fut grandiose : danses, feu de joie, flambée d'orignal, civet de lièvre, poisson en sauce, maïs à l'étuvée... une fête comme Loup agile en avait rarement vue... Le soleil n'allait pas tarder à poindre lorsqu'elle se termina. Les derniers fêtards, vaincus par la fatigue, rejoignirent les tipis aux couleurs distinctes de leurs bandes respectives ; certains, ivres de fumée, restaient étendus sur le sol... sans bouger... les membres lourds de la fête...

Puis l'orage de sang frappa... Le feu monta de partout, créant l'image de l'enfer! Oui l'enfer!

Des cris, des hurlements, du sang, des hommes, des femmes et des enfants jonchant le sol, d'autres qui couraient dans tous les sens. La mort frappait par la hache, la flèche, le feu de ces ennemis de plusieurs lunes : les Iroquois.

.˙.

La lune débutait sa descente lorsque Loup agile regroupa tous ses gens. Laissant presque tout sur place, silencieusement, ils glissèrent leurs canots sur l'eau. Un songe, un rêve imprécis, le même qui le hantait depuis plus de

deux lunes et, dans ce dernier, du feu et des morts innom-
brables! Sans attendre, il fallait partir et sauver les siens,
ce qu'il fit.

En gagnant «Pointe noire» par la mer intérieure, il évita
l'entrée de la rivière profonde où il devait sûrement y avoir
des guerriers iroquois.

Le soleil avait fait son apparition depuis peu lorsque Loup
agile donna l'ordre d'accoster, de cacher les canots et de
monter la falaise abrupte de «Pointe noire» là où ils seraient à l'abri en attendant de reprendre la route.

Bien qu'aucun canoë ne les eût suivis, il fallait toujours
être aux aguets avec ces Iroquois.

Loup agile et les siens regardèrent la fumée qui venait
de l'est ; il devait y avoir un immense feu pour apercevoir
une telle colonne de fumée d'où ils se trouvaient. À partir
d'un tipi pouvant accueillir de sept à douze personnes, fait
de perches, d'écorce et de peaux sèches, on peut facilement imaginer l'ampleur que prendrait rapidement un feu
qui s'y attaquerait et, à Totoushak, il y en avait autant que
de levers de soleil entre la lune noire et la lune blanche.

Les membres du petit groupe discutèrent longuement à
propos de la route à suivre pour rejoindre les leurs. Le chemin par où ils étaient venus était trop dangereux. En effet,
celui qui connaît bien les guerriers iroquois sait qu'ils ne
font pas de quartier. Ils peuvent s'embusquer durant des
jours et des nuits. Attendre, se donner du temps...

La vallée des gorges profondes, ce refuge naturel où l'on
retrouve nourriture et eau en abondance, les abriterait.
Mais, ces gorges profondes aux montagnes de roches
gigantesques, si impressionnantes, s'enfonçaient loin à l'intérieur des terres et y avoir accès exigerait courage et
ténacité.

Loup agile et les siens prirent la direction de ces gorges
avec prudence, se déplaçant la nuit, s'arrêtant le jour, à
l'abri de tout regard. Il leur fallut canoter, marcher, canoter,
marcher, escalader, portager, canoter... tout ça dans le but
de passer l'hiver dans les gorges profondes et une fois le

printemps arrivé, regagner le camp d'été aux abords de la rivière profonde, là où le poisson et le gibier vivent nombreux et où l'eau coule en abondance. Comme à chaque saison chaude, les hommes, les femmes et les enfants du reste de la bande reviendraient sûrement s'y réinstaller, sinon ils les rejoindraient dans un autre lieu!

En attendant, il fallait se préparer à affronter le tapis blanc, si dur, si froid et si glacial qu'il vous pince tout le corps, vous immobilisant des lunes et des lunes. Sans tarder, se faire des abris, chasser, tanner les peaux pour se confectionner des vêtements plus chauds, des mocassins pour marcher dans la poudre blanche, se trouver de la nourriture, pêcher, trapper, chasser... être aux aguets...

Un camp composé de deux tipis bien camouflés à l'intérieur d'un boisé de conifères, fut érigé promptement. Et comme si celle-ci n'attendait que ce moment, la première lune froide posa un manteau blanc sur le sol. Celle-ci et ses futures compagnes n'épargneraient aucun Innu des souffrances du froid... du gel... de la maladie... Faire appel aux dieux, aux grands esprits, au *wakantanka* pour qu'il ne délaisse aucun! Implorer! Danser!... Implorer!...

Le soleil termine sa descente lorsque, debout, les membres du groupe tout autour du feu, Loup agile y lance de la graisse animale et à la cadence de la voix de ses compagnons, il accompagne son geste de la prière suivante: «Papeneu, faites-moi manger! Papeneu, faites-moi manger! Papeneu...»

7

Wagon numéro 4

Depuis que le train avait quitté la gare de briques rouges de Trois-Rivières, le chapelet de gares obligeant des arrêts plus ou moins longs n'en finissait plus. À chacun de ces arrêts, plusieurs visages changeaient mais l'opulent homme au chapeau dur restait en place. Cependant, la jeune fille aux lèvres charnues avait été remplacée par un homme au nez long, surmonté de lunettes aux verres épais et aux branchons noirs.

— Maman! J'ai faim! s'exclame Angella.

— Moi aussi, réplique le plus jeune des garçons qui laisse bien six pouces de hauteur à son grand frère. Avec ses yeux noirs, ses cheveux bruns et fait tout en nerfs, on dit de lui qu'il est le portrait de sa mère.

Au même moment, Henri sort de son sommeil, s'étire tout en souriant à son épouse.

— Henri, as-tu l'heure? demande Flora.

— Non, j'ai laissé ma montre dans les valises. Mais ça doit faire environ trois ou quatre heures qu'on est partis de Trois-Rivières.

— Ouais, s'exclame Flora dont l'estomac commençait à réclamer son dû. Sans dire pourquoi, elle ajoute:

— Il reste combien de temps avant d'arriver à La Tuque?

— Je ne sais pas, peut-être une ou deux heures avec toutes ces stations à faire. Il faudrait le demander au contrôleur.

— Ouais, ça va être long à attendre pour manger! J'avais prévu que l'on pourrait prendre quelque chose à La Tuque. Quand j'ai réservé les billets, ils m'ont dit qu'à cette gare on aurait un arrêt de deux heures et qu'il y avait un service pour ceux qui veulent manger et boire.

Sensible à l'urgence de la situation, Henri murmure à son épouse :

— Je vais aller voir dans les autres wagons si je ne peux pas trouver quelque chose. Ça va me réveiller.

Il se lève et se dirige d'un pas chancelant vers le wagon de queue. Pour l'atteindre, il devra franchir une dizaine de wagons tous séparés par des doubles portes.

– *8* –

Juin 1924, Canton Chicoutimi

Le même jour qu'Henri Desbiens quittait Montréal, ce grand village à l'allure d'une ville, Éliane Therrien était convoquée au presbytère du Canton par le curé, Auguste Lampion.

Ne portant aucun maquillage, ses longs cheveux noirs attachés, coiffée d'un chapeau d'un bleu foncé agencé à sa robe à la mode qui met ses jambes en valeur, elle arrive un bon dix minutes à l'avance. Son père qui connaît le curé l'a clairement avertie que celui-ci a de la considération pour les gens ponctuels.

Malgré ses 16 ans, c'est la toute première fois qu'Éliane pénètre dans le presbytère. À dix heures pile, elle entre dans le bureau du curé. «Surprenant! Il n'y a pas beaucoup de meubles et les murs sont dénudés...», pense-t-elle. En effet, comparé au bureau de la mère supérieure du Bon Conseil, là où elle a étudié pour devenir institutrice, le seul métier permis aux filles outre celui de religieuse, c'est un désert, un lieu où les empreintes de la vie paraissent inexistantes. «Peut-être est-ce à l'image du curé que les paroissiens du Canton disent froid, impassible et distant.»

Une fois passée l'impression du moment, Éliane remarque que le curé Lampion n'est pas seul: un homme qu'elle reconnaît pour l'avoir vu plusieurs fois chez elle, le maire du Canton, monsieur Poitras, l'accompagne.

Poliment, elle salue selon les usages et aussitôt on lui offre de s'asseoir. Le contact avec la chaise dure lui redonne de l'assurance. À voir son visage et ses cheveux blancs, le curé Lampion fait ses 60 ans. Par comparaison, le maire paraît plus jeune malgré sa longue barbe poivre et sel. Cependant, ses yeux, d'un brun noisette, trahissent une certaine faiblesse, contrairement à ceux du curé qui sont d'un noir qui transperce le cœur et l'esprit lorsqu'ils se posent sur vous. Ne jamais lui démontrer nos faiblesses et surtout être à son écoute, voilà la règle à respecter avec lui, et cela, Éliane le sait. Après les paroles de convenances, le curé s'adresse directement à elle.

— Mademoiselle Therrien, à la suite d'une réunion du conseil d'école et suivant mon avis ainsi que celui de monsieur le maire, le poste d'institutrice du rang 5 vous est offert pour l'année qui vient. Malgré votre jeune âge, bientôt 17 ans je crois, votre formation et vos antécédents familiaux nous rassurent quant à votre capacité de faire de nos enfants de bons citoyens et de bons chrétiens.

Toute surprise et quelque peu troublée, Éliane enchaîne :

— Je ne m'attendais pas à cela, je suis un peu sous le choc ! Monsieur le curé, monsieur le maire, je vous remercie de la confiance que vous me témoignez. Sachez que je remplirai mon devoir d'institutrice de mon mieux, et ce, selon les règles que je me dois de respecter. Si jamais vous avez des remarques sur mon travail, je me ferai une obligation de vous écouter.

La réputation du curé Lampion d'homme dur, sans pitié et respectueux des règles de l'Église et de Dieu sont à l'origine des paroles d'Éliane. Comme pour confirmer ses propos, celui-ci ajoute :

— Mademoiselle Therrien, j'aurai l'occasion de vous revoir avant le début de l'année scolaire. Sachez qu'il y a des points sur lesquels l'église et l'école se doivent d'être en accord de pensée, et de cela, je ne puis démordre.

Puis, prenant un temps de réflexion tout en fixant de son regard perçant le maire assis à coté de la jeune fille, il clôt la discussion en disant :

— Je sais que monsieur le maire et tout son conseil m'appuient sur ce point.

Immédiatement après la rencontre, Éliane remonte en calèche et reprend le chemin du retour vers la ferme familiale située à plus de trois milles de l'église. Parcourir cette distance à pied par une température de 25°C en cette matinée du mois de juin lui avait semblé trop périlleux !

Éclair, un superbe trotteur d'un brun sable âgé de 15 ans, connaissait bien la route pour l'avoir parcourue une multitude de fois avec son maître Théodore qui en avait fait l'acquisition lorsqu'il était âgé d'un an d'un fermier de Grande-Baie. Deux cents dollars qu'il avait dû payer, mais Éclair en valait bien le prix en tant que seul descendant d'une famille de géniteurs reconnue. Pour Théodore, posséder un tel cheval signifiait que sa ferme serait maintenant « LA FERME » du Canton! Il s'agissait d'un trotteur qui pouvait faire le trajet de chez lui à Chicoutimi en moins d'une heure. Oui, il était vraiment le seul dans tout le Canton à posséder un tel cheval.

Confortablement assise sur la banquette de conducteur, Éliane sait qu'Éclair possède un caractère facile et se laisse conduire sans problème. Se sentant en sécurité, elle laisse son esprit voyager au gré du vent qui balaye sa longue chevelure noire découverte.

« ... Seize ans, assez jolie, même très jolie quand elle se compare aux autres filles, instruite et ayant maintenant un travail, la vie est bonne pour elle. Oui, voilà un bon début dans la vie. Mais que lui réserve l'avenir, dans deux, trois ou cinq ans? Va-t-elle connaître l'amour? Avoir un amoureux? Un amoureux aux yeux bleus, aux cheveux noirs ou bruns, un peu plus grand qu'elle d'au moins deux à quatre pouces peut-être? Un gars du coin? Non, elle ne fera pas comme sa mère! Elle, Éliane aura un amoureux qui viendra d'en dehors du Canton et sûrement pas un fermier comme son père. Elle saura le choisir à sa convenance... »

Sortant de sa rêverie, elle aperçoit la maison familiale à la sortie de la courbe: une maison bien solide, sur deux étages, que son grand-père Arthur, encore bien vivant, a bâtie de ses propres mains. De style canadien, faite de pièces sur pièces, recouverte de pierre des champs, une galerie d'au moins trois pieds de largeur en fait le tour. Combien de fois, par de chaudes journées d'été, s'y est-elle assise pour admirer les couchers de soleil qui brûlent la forêt et se noyent dans la rivière voisine? Elle ne saurait le dire. Cette immense maison compte une dizaine de pièces. Au nord, la cuisine où l'on retrouve une table qui permet d'asseoir au moins 12 personnes et adjacent à cette pièce par le sud, un grand salon où deux grandes fenêtres laissent pénétrer les rayons du soleil. C'est si agréable quand les premiers rayons du printemps pénètrent dans cette pièce, par contre intollérable lors des canicules d'été.

Afin de contrer les froidures de l'hivers, son grand-père avait pourvu la maison de deux cheminées situées à chacune des extrémités afin qu'aucune des pièces ne souffre de la froidure.

La chambre d'Éliane se trouve au deuxième étage au-dessus du salon. Un escalier en bois de bouleau donne accès à cet étage où l'on retrouve, outre la chambre d'Éliane, celles de ses parents, de ses deux frères et de sa jeune sœur Blanche. Éliane affectionne cet escalier et, surtout, la remarquable garde fait de montants aux multiples tours. Complètent le premier étage une salle de lavage et de repassage, un garde-manger toujours bien garni, une chambre qu'occupent ses grands-parents et un petit bureau auquel seuls son grand-père et son père ont accès.

De ses mains agiles, la jeune fille commande à Éclair de tourner sur le chemin conduisant directement à la porte d'entrée de la maison. Lentement, la calèche s'avance vers la maison, faisant entendre ses roues et les sabots d'Éclair qui résonnent dans le silence de cette belle journée de juin.

Éliane se sent heureuse, prête à sauter les clôtures de la vie! Tel un éclair qui fend le ciel, ses pensées se tournent vers sa mère, celle qui la protège depuis toujours, qui lui a inculqué l'esprit de la connaissance, de la joie de vivre mais qui, mystérieusement, vit sans sourire...

Gare de La Tuque

Une bien belle gare pour une si petite place que La Tuque, toute en pierres et en briques d'un rouge flamboyant. Comme prévu, Flora et les siens y trouvent de quoi se restaurer et calmer leur estomac.

Le train a repris sa lancée et fonce à travers l'horizon. Rien ne semble fatiguer le défilé de wagons, même ces immenses montagnes que l'on nomme les Laurentides, lesquelles s'entrelacent sur plus de cent milles et abritent une faune sauvage que l'on dit inépuisable. Non, rien ne fait peur à ce train !

Le soleil commence sa lente descente dans les entrailles de la terre et le wagon de tête tire ses compagnons sur un petit pont de fer qui relie deux montagnes escarpées, lorsque Henri décide de reprendre son récit.

– Près de vingt ans s'étaient écoulés depuis l'arrivée de Joseph et de Perle sur les terres du Canton. Pour eux, la vie de famille occupait toutes leurs initiatives, surtout qu'avec six bouches à nourrir le travail ne manquait pas. Comme dans toutes les familles, les plus vieux devaient prendre soin des plus jeunes et dès qu'un enfant atteignait l'âge de 10 ans, on lui confiait diverses tâches: transporter l'eau au seau ou avec le joug, entretenir le jardin et aider au transport du bois de chauffage.

Quant à Perle, elle soutenait son mari dans les travaux des champs, participant même aux rudes besognes de défrichement tout en étant la gardienne du foyer. Joseph se chargeait de faire de l'abattage, préparer les brûlis, cultiver les terres défrichées, en fait, il devait être en mesure d'exercer tous les métiers pour favoriser le développement de ses terres.

À la mi-été de l'an 1870, mon grand-père parcourait ses champs en culture lorsque, arrivé à la limite des terres, il eut la surprise d'entendre des voix et le bruit sourd et fracassant d'arbres plongeant vers le sol. Écoutant attentivement, il comprit que ce bruit provenait de la limite des terrains qu'il convoitait.

Était-ce possible que des intrus s'y trouvent? N'avaient-ils pas déjà fait les démarches pour acquérir ces terrains? Le représentant du gouvernement ne l'avait-il pas assuré qu'il l'informerait de tout changement? « Sûrement des gens du gouvernement », se dit-il.

Deux jours plus tard, à Chekotimiwo, dans le bureau du nouveau commissaire des terres, Joseph et Perle apprirent que les terres tant convoitées, les plus belles du coin, avaient été vendues à un dénommé Arthur Therrien. Maintenant, plus moyen de prendre de l'expansion: leurs terres se trouvaient cernées de toutes parts. Au nord par les terres de Alyre Simard, à l'est par celles de Pierre Tremblay et la petite rivière Du Moulin, à l'ouest par la rivière Tchékoutimi et les terres d'un dénommé Elzéar Girard et maintenant au sud, par un nouveau!

Histoire de se présenter, de faire sa connaissance et aussi de tâter le terrain sur leurs relations futures, Joseph et Perle rendirent visite au nouveau quelques jours après leur rencontre avec le commissaire des terres.

Devant eux, l'homme qui s'efforçait de faire tomber la coupe de sa hache sur un énorme pin blanc mesurait bien six pieds six pouces, une force de la nature, pensa Perle. Un visage jeune, surmonté d'une chevelure brune et bouclée, laissait apparaître deux grands yeux noirs aux sourcils épais ct broussailleux. Mais quelle tristesse dans ce regard!

Joseph et Perle le saluèrent poliment. L'homme répondit en présentant sa main: on aurait dit une patte d'ours, avec ses doigts courts et épais recouverts de longs poils noirs. Lorsque Joseph serra cette main, il se sentit tout petit. Quel géant!

Tout naturellement, Henri interrompt son récit et dit à ses enfants et à sa femme:

– Vous savez, tout ce que je vous raconte là, c'est mon grand-père Joseph et mon père qui me l'ont raconté. Lorsque nous étions petits, très souvent, surtout à la noirceur venue, mes sœurs et moi nous leur demandions de nous raconter comment les Desbiens étaient arrivés au Saguenay. Ils aimaient ça nous raconter l'histoire de notre famille et, nous, nous les écoutions attentivement, car ils savaient rendre leurs récits si intéressants. J'ai bien connu mon grand-père Joseph: j'avais 20 ans quand il est mort. Quant à ma grand-mère Perle, elle est morte deux ou trois ans avant ma naissance.

– Oui mais quel âge il a notre grand-père? demande Benjamin.

– Environ soixante-douze ans, je crois!

Angella toujours aussi attentive, lance d'un ton interrogateur:

– Grand-mère, elle a quel âge elle?

– Votre grand-mère est morte voilà plusieurs années.

– Pa, as-tu des sœurs, des frères?, insère William.

– J'ai quatre autres sœurs vivantes: Germaine, la plus vieille, Thérèse, puis Marguerite et Marie. Esther, la dernière, est morte à sa naissance. Je n'ai pas de frère!

Après un court moment de silence, curieuse, Angella reprend:

– Mais pa, pourquoi on part de Montréal? Qu'est-ce qu'on va faire là-bas, chez notre grand-père, hein? Tu ne nous l'as pas encore dit!

Après avoir jeté un coup d'œil rapide vers Flora, Henri répond:

– Hé bien, écoute Angella, ton grand-père Augustin est très malade. Selon le télégramme que j'ai reçu, il ne lui reste pas beaucoup de temps à vivre. Votre mère et moi avons discuté de ce qu'il fallait faire pour votre bien et pour le nôtre. Si on va au Saguenay, c'est pour prendre la relève de la terre familiale. Quand je suis parti, voilà plusieurs années, j'avais promis que je reviendrais uniquement le jour où il n'y aurait plus personne pour entretenir la terre et comme mon père va bientôt mourir...

Les yeux ombrageux, regardant ses enfants assis en face de lui, Henri ajoute :

– On s'en va tous habiter à la maison familiale, à la ferme. C'est pas un château, mais on y sera heureux, vous verrez !

– 10 –

La famille Nepetta grandit – 1700

Le mois des fleurs s'installait lorsque la mort frappa la famille montagnaise «Nepetta» maintenant composée de près d'une cinquantaine de membres. Cela faisait plus d'une lune que le sac d'amulettes rayonnait suspendu au poteau du tipi de Loup agile. Grandioses furent les cérémonies entourant son grand départ vers l'autre monde qui durèrent cinq levers de soleil.

Vêtus d'un pagne soutenu par une ceinture à laquelle étaient attachées des lanières de cuir souple retenant de longues jambières, coiffés de plumes ou de couvre-chefs décorés de cornes de caribou et le visage peint de lignes rouges et blanches, les hommes dansèrent jusqu'à épuisement. Les femmes et les enfants les observaient pour la majorité, mais, de temps à autres, tuniques entrouvertes sur les côtés, descendant jusqu'au-dessous des genoux, une femme entrait dans la danse infernale des hommes.

Son fils « Petit pas de géant » serait maintenant le chef de cette bande qui avait installé son camp d'été aux abords de l'une des baies de la rivière profonde, « Anse aux foins ». « Petit pas de géant » mesurait plus de six pieds. Fier guerrier, il n'avait cependant pas le don de meneur d'hommes de son père ni la clairvoyance de son jeune frère « Lune qui brille ».

En ce début des années 1700, le règne de «Petit pas de géant» fut ponctué de plusieurs batailles. Le Nitassinan était un territoire de plus en plus convoité par d'autres tribus d'Amérindiens. Les Hurons, les Algonquins, les Iroquois et les Mohawks, lançaient continuellement des assauts, semant la mort et la désolation.

Lorsqu'au tout début de la saison des canards qui arrivent, la flèche iroquoise frappa en plein cœur «Petit pas de géant», son jeune frère comprit qu'elle l'amènerait au pays des ancêtres.

« Lune qui brille » gagna rapidement la faveur des siens. Il possédait cette capacité qui avait fait la renommée de son père de voir en avant. Comme celui-ci, il comprit, dès les premiers contacts avec les hommes blonds, aux yeux bleus et au teint clair qui se disaient trappeurs, que plus jamais ce ne serait pareil pour sa bande, pour tous ses frères de la nation innu. Ces hommes friands de peaux de fourrures n'apportaient pas seulement des cadeaux comme le croyaient le conseil des sages et leur grand chef, « Esprit qui s'élève ».

Ce grand chef qui sut réconforter les siens après le grand massacre de Totousack, celui qui continua à les réunir au moins une fois à toutes les saisons où les feuilles des grands arbres jaunissent et commencent à tomber, était rendu vieux, trop vieux, trop mou. Le poids des ans embrumait sa vision, faisait fléchir sa volonté, l'imbibant des gènes de l'homme blanc. Oui, le grand sage «Esprit qui s'élève» ne se méfiait pas assez de ces visages pâles.

« Lune qui brille » ne manquait jamais les occasions d'exprimer aux siens ce message: « Un jour, ils nous chasseront de nos terres, de nos forêts qui abritent notre nourriture. Ils partiront avec nos femmes et ceux habillés de robes noires feront régner leur Dieu dans les pensées des hommes, des femmes et des enfants innus. »

« Lune qui brille» faisait d'étranges rêves. Enfant, il leur portait peu d'attention, mais, un peu plus vieux, il lui arrivait de s'y attarder. Depuis que son père était parti rejoindre le grand Tshitshe Manitu, l'être bon, ces rêves devenaient plus fréquents, plus clairs et surtout occupaient ses pensées quotidiennes.

Encore tout en sueur, les yeux hagards et l'esprit plein d'images suite à son réveil brutal, conséquences d'un étrange rêve, «Lune qui brille» décida de réunir son conseil de bande. Oui, étrange rêve: «Dans un ciel bleu sans nuage, à perte de vue oiseaux et araignées envahissaient le ciel et le sol. Puis suivant leur passage, un ciel noir et au sol, des hommes, des femmes et des enfants incapables de se mouvoir dans un parfum rappelant le fruit qui pourrit. «Avec tout son pouvoir de leader, «Lune qui brille» insista pour que la bande se déplace, lève les tipis, pour aller plus loin... il savait que la mort était proche: elle frapperait par la maladie, une maladie de ces nouveaux arrivés, de ces visages au teint trop pâle.

Le conseil de bande discuta fortement. Partir? Lever le *shaputuan,* quitter ce lieu où le gibier abondait, où l'eau était toujours claire et le sol déjà prêt à accueillir la semence du maïs? Ne fallait-il pas autant de soleils qu'il y a de doigts sur une main pour faire l'aller-retour en canot chez ces visages pâles de qui ils obtenaient de si beaux cadeaux en échange de la fourrure des animaux? Non, aucun danger à l'horizon ne pointait.

Mais, dans le conseil de bande de la famille «Nepetta», plusieurs se souvenaient de la nuit où le père de «Lune qui brille» sauva les leurs des flèches, des haches et du feu de l'attaque iroquoise. Ce souvenir fit pencher en faveur de «Lune qui brille»: la bande lèverait le *shaputuan* au soleil levant.

Le défilé de canots était beau à voir avec ses hommes, ses femmes, ses enfants, ses chiens sauvages, submergeant les canots remplis de bagages de toutes sortes. On y retrouvait entre autres, de la nourriture sèche, des graines à semer, des couvertures de peaux d'animaux, des perches qui serviraient à monter les tipis et des traîneaux auxquels on attelait les chiens l'hiver.

Dans leurs canots d'écorce, «Lune qui brille» et les siens travaillèrent depuis le lever du jour jusqu'au coucher du soleil, ramant souvent contre des courants et des torrents qui les obligeaient à tendre les nerfs de leurs bras pour les surmonter. Une dizaine de fois, ils portagèrent pour passer d'une rivière à une autre, ou d'un courant trop rapide à une autre partie plus navigable. Lors de ces portages, dont quelques-uns sur plus d'un mille, les autres sur un demi-mille, un quart de mille ou quelques centaines de pieds, ils durent porter sur leurs épaules ou sur leur dos, canots et équipements en marchant dans des sentiers normalement utilisés que par des bêtes sauvages. À plusieurs occasions, ils franchirent des montagnes et passèrent des précipices cachés dans la profondeur de la forêt. Tout ce déplacement se passa en ordre, dans une discipline à faire rougir n'importe quelle armée bien entraînée.

Du haut de ses cinq pieds dix pouces, le jeune chef guidait sa bande, traçant ce que les Blancs appelèrent quelques années plus tard la route des fourrures.

Plusieurs soleils éclairèrent le ciel avant que la bande ne s'arrête. Partis de la rivière profonde, ils avaient coupé à l'embouchure de la rivière Chekotimiwo «jusqu'où c'est profond» pour se rendre au lac Kénogamichiche et, en passant par la rivière des « Eaux claires», ils aboutirent à une immense nappe d'eau douce, le Piekouagami ou «lac plat».

Entouré de hautes montagnes éloignées de trois à cinq milles, ce lac se nourrit des eaux d'une quinzaine de rivières pouvant conduire à l'intérieur des terres.

À la recherche d'un lieu favorable pour les siens, «Lune qui brille», assis, la rame à la main, remarqua une pointe de terre qui s'avançait sur plusieurs longueurs de canots. Il se dit qu'ils y seraient à l'abri des forts vents du nord et que la colline boisée d'où s'écoulait une cascade leur fournirait de l'eau en toutes saisons et permettrait d'y placer un guet afin d'observer de tous les côtés l'arrivée des intrus. De plus, dans ce lac éblouissant par ses couchers de soleil spectaculaires, véritable mer intérieure coulée entre plaine et montagnes, ils pourraient pêcher tout le poisson nécessaire pour nourrir hommes, femmes et enfants...

•.•

Bâtir les tipis, préparer les champs afin de semer, pister les sentiers de chasse... , voilà du travail qui occupa la bande jusqu'à l'arrivée des premières froidures. «Lune qui brille» sut encourager les siens et ne se limita à pas ses tâches de chef. Au contraire, il participa aux diverses tâches de construction et même à celles réservées aux femmes, comme la fabrication et le dressage des tipis dont elles sont les propriétaires. Dans son déplacement, la bande avait transporté les couvertures et les perches nécessaires au montage de ces tipis. Le voyage ayant été exigeant, ils durent se départir de plusieurs tout au long du voyage. Afin de les remplacer, «Lune qui brille» et quelques hommes se mirent à l'ouvrage avec les femmes et abattirent des pins et des bouleaux aux troncs minces et droits et les écorcèrent. Ils réunirent ainsi suffisamment de perches pour compléter la construction des tipis manquants. Pour la première fois de son existence, «Lune qui brille» travailla au montage d'un tipi. Tout d'abord, on utilisa quatre ou cinq perches pour le montage de la structure conique. Ensuite, on planta fermement en terre trois ou quatre pieux de fondation auxquels on donna une forme en fourche au sommet; ceux-ci servirent à placer les autres perches, environ une douzaine. Puis, une couverture, faite à partir d'une dizaine de peaux de caribou, fut attachée à la dernière perche mise en place en arrière du tipi, de façon à ce que l'on monte les deux éléments au même moment. Une fois celle-ci en place, on la déplia sur les deux côtés, jusqu'au devant.

Afin de prévenir les courants d'air et de conserver la chaleur nécessaire pour faire face au dur hiver, une cloison interne en peaux de caribou, d'environ six pieds de haut, fut attachée aux perches. Puis ils fixèrent quelques tipis au sol à l'aide de chevilles et lestèrent les autres avec de grosses pierres. Mais le travail ne s'arrêta pas là, il fallait, selon les dires des femmes, vérifier le fonctionnement des volets d'aération se trouvant au sommet de chaque tipi. Ces volets, attachés chacun à une perche extérieure, devaient être faciles à déplacer afin de modifier l'ouverture qui réglait l'aération. Comme la structure d'un tipi n'est pas parfaitement conique, mais légèrement inclinée vers l'avant où se situe le trou d'aération, cela permet d'améliorer la circulation de l'air tout en donnant plus d'espace en hauteur à la partie arrière, là où la plupart des activités se déroulent.

Dans un tipi on peut accueillir une dizaine de personnes et la place d'honneur réservée au chef de famille se situe à l'opposé de l'ouverture, non loin du feu aménagé près du centre qui amène une meilleure distribution de la chaleur tout en favorisant la circulation de la fumée par les volets d'aération. Le mobilier se limite normalement à des dossiers légers et triangulaires, faits d'osier et liés avec des cordes et des couvertures qui servent de divan pendant la journée ou de lit la nuit. Enfin, l'armature des perches sert à suspendre ici et là les sacs de nourriture séchée, les outils, les armes et les vêtements.

La montée du camp se réalisa en moins de deux soleils. « Lune qui brille » savait que sa bande pouvait être efficace. Aussi regroupa-t-il son conseil afin de répartir les travaux qui permettraient d'affronter le prochain hiver. La réunion eut lieu à l'intérieur de son tipi où là, tous ensemble, ils déterminèrent les tâches qu'aurait à accomplir chacun des membres.

Les hommes, en plus de pêcher, exploreraient les alentours à la recherche d'animaux comme le castor, la martre, le loup-cervier et le caribou, qui serviraient à garnir les sacs de nourriture de l'hiver et fourniraient les peaux et les fourrures nécessaires à la fabrication de vêtements et de couvertures. Quoi de plus confortable que de s'asseoir sur une *castipitagan* faite à partir d'une peau de castor ?

Pour leur part, les femmes s'occuperaient de préparer la viande à sécher pour l'hiver qu'on prélèverait sur les parties maigres des animaux et couperait en fines lanières. Séchée au soleil sur des râteliers, elle pourrait être conservée longtemps dans des sacs de cuir appelés parflèches. En outre, les femmes veilleraient à emmagasiner de la viande boucanée et du poisson séché.

Menés par un chef qui rayonnait par la confiance qu'il distribuait, tous les hommes, femmes et enfants de la bande contribuèrent à donner vie à ce nouveau *shaputuan*. La saison des fleurs passa et, bientôt, avec l'arrivée de la saison des arbres qui perdent leur feuillage, il devint urgent de se trouver un nouvel emplacement qui les protégerait des vents violents et des durs froids de l'hiver. Les montagnes et leurs vallées étant à proximité, « Lune qui brille», lors de l'une de ses excursions de chasse, avait déjà repéré un lieu propice. La marche ne serait pas trop longue ni trop ardue, au plus un soleil. Aussi, lorsque le temps serait arrivé, il donnerait l'ordre de lever le camp et d'atteler les chiens. Le cheval, inconnu des Montagnais, que l'on appellera « cerf-chien » en raison de sa grande taille, n'avait pas encore été introduit par les hommes blancs habitant le Nitassinan, le Saguenay.

Deux longues perches attachées par l'une de leurs extrémités de chaque côté d'un chien et derrière lui, un carré de toile fixé aux deux perches et les réunissant formaient ce qu'ils appelaient un travois ou brancard. Un gros chien ainsi attelé pouvait tirer facilement jusqu'à près de 100 livres.

Bien que l'hiver fût plus rigoureux que d'habitude, la bande se retrouva au premier jour de la marmotte avec des réserves de maïs et de nourriture séchée encore plus que suffisantes. La froidure avait cependant fait son œuvre en emportant dans une autre vie une jeune femme du nom de « rivière Bleue » et un sage du conseil «Œil qui éclaire», soit le même nombre que l'hiver précédent.

Les premiers canards traversaient le ciel lorsque la nouvelle arriva. D'abord, les tambours qui la propagèrent à travers les montagnes et les forêts et, ensuite, apparurent les messagers: « La mort avait frappé plusieurs hommes, femmes et jeunes enfants. Tout d'abord le mal mystérieux blanchissait les langues, puis les corps tremblaient, devenaient chauds ensuite les esprits se mêlaient en emportant hommes, femmes, enfants dans leurs nouvelles terres ou encore les rendait amorphes, incapables d'accomplir quelque tâche que ce soit».

Tous les messagers dirent que ce mal vivait sur les rives de la longue et large rivière profonde. N'écoutant que sa prudence, « Lune qui brille » insista pour que tous les messagers sans exception partent aussitôt arrivés. Qui sait, ceux-ci portaient peut-être le mal en eux. Aussi, avant que la nouvelle lune ne réapparaisse, toute la bande allait devoir se purifier, honorer les grands esprits du Soleil.

Suivant la façon de monter un tipi, «Lune qui brille» fit installer une suerie. Sur le sol, on parsema des morceaux de sauge, afin que le parfum se dégageant de ceux-ci empêche les hommes, les femmes et les enfants de s'évanouir sous l'effet de la chaleur des pierres que l'on surchaufferait avant de les asperger d'eau... Tout en sueur, ils sortiraient à l'extérieur et danseraient pour ensuite revenir dans la suerie et retourner danser jusqu'à l'épuisement. Tous sans exception, jeunes, moins jeunes, vieillards, participeraient à la purification...

11

Wagon numéro 4

Henri lève les yeux de sa lecture et jette un regard par la fenêtre. Au départ de La Tuque, il avait ramassé un journal laissé par l'un des voyageurs à son débarquement. Il revient sur sa lecture : l'économie était en progression; le premier ministre était en voyage aux États; une usine de textile allait bientôt s'installer dans le même quartier qu'il venait de quitter; un meurtre dans le quartier Saint-Henri; une jeune femme avait été trouvée étranglée; et encore...

D'un geste automatique, Henri plie le journal en se disant que depuis les dix dernières années, ce monde avait bien changé. Les petites entreprises fermaient au détriment d'organisations dont on ne connaissait même pas les patrons; les politiciens étaient devenus beaucoup plus des voyageurs lointains que des individus proches des gens et que dire de la pourriture de la grande ville qui contaminait les petites villes avec ses meurtres, ses bars, ses...

Se retournant vers la fenêtre, il revoit, déroulant à l'allure d'une bobine de film de Charlie Chaplin, un monde vert, rempli d'arbres, de petites éclaircies et encore d'arbres. Toujours pensif, il se rappelle que le trajet qui l'a conduit à Montréal, avait été ponctué de paysages semblables. Aujourd'hui, il refaisait le chemin inverse.

La sensation qu'on le touche le fait sortir de ses pensées. En effet, du bout des doigts, Flora lui caresse le visage. Son regard se pose sur elle, puis sur ses enfants, il leur sourit et sur un ton sérieux, il demande :

– On continue ?

– Oui, oui, de répondre en cœur Benjamin et Angella.

– Maintenant, je vais vous parler d'événements qui ont modifié la vie de notre famille. Chaque fois que mon grand-père et mon père nous les racontaient, ils avaient la larme à l'œil, car ces événements, comme vous verrez, n'ont pas été faciles à vivre.

Attentive aux paroles de son mari, Flora reprend :

– Ça doit être très important pour nous aussi, pour notre futur. Hein Henri ?

Prenant conscience du poids de ces paroles, William, Angella et son frère s'avancent sur le siège: ils ne veulent rien manquer de ce que va raconter leur père.

– Vous vous souvenez que Perle et Joseph avaient été marqués par l'allure gigantesque du nouveau voisin. Eh bien, en comparaison de ce que l'avenir leur réservait, ce n'était rien.

Henri s'arrête comme à la recherche de ses pensées, il jette un regard sur ses enfants bien campés face à lui, puis s'étant approprié la situation, sentant sa respiration accélérer, il enchaîne :

– En ces années 1870, du début de la colonisation, les limites des lots de terre n'étaient pas toujours claires. Premiers arrivants dans ce coin de pays, Perle et Joseph avaient eux-mêmes délimité leur terre au cours des années, soit à l'aide de clôtures, de fils de fer ou d'un marquage fait avec des amas de pierres ou des plaques sur des arbres. De l'ensemble des lots, seule la partie sud n'était pas complétée, malgré l'insistance de Perle à finir ce travail.

Après l'arrivée du nouveau voisin et la rencontre avec le représentant du gouvernement, votre arrière-grand-père, Joseph prit la décision de compléter ce travail dès le printemps venu. De plus, Perle avait un mauvais pressentiment et il valait mieux y répondre, car bien que l'on ne sût pourquoi, il arrivait toujours quelque chose dans ces cas-là.

Comme prévu, au printemps, Joseph voulut entreprendre la pose de piquets marquant clairement les limites sud. Un beau matin d'avril, il partit à la recherche des points de marquage déjà installés en partant de l'ouest vers l'est. Rendu sur place, Joseph fut surpris de voir une clôture installée perpendiculaire à la rivière Tchékoutimi ! Elle martelait, sillonnait de ses poteaux la forêt, la clairière, les terres de Joseph et de Perle, comme on marque un animal au fer.

L'effet de surprise passé, Joseph entreprit de parcourir ces nouvelles délimitations tout en s'interrogeant sur la date de ces travaux. On était tôt au printemps, donc en y réfléchissant, ces travaux ne pouvaient que remonter à la saison précédant le dur hiver de neige qu'ils venaient de subir. Cette poudre blanche qui rendait les paysages si beaux, si immenses, mais si froids, il y en avait eu durant le dernier hiver, autant qu'il était grand. Il mesurait pourtant six pieds et plus! Toute cette neige avait rendu le travail extérieur difficile. «... Impossible de couper le bois dans une telle épaisseur de neige où même les raquettes deviennent embarrassantes... »

Joseph se demandait qui avait bien pu poser cette clôture. Rapidement, une réponse lui vint à l'esprit: le nouveau! Mais pourquoi monter cette clôture si rapidement? Rien ne le pressait... à moins que...

D'un pas rapide, il longea les limites clôturées ainsi que le ferait un loup guettant une proie, les yeux grands ouverts, observant, parfois se penchant ou jetant un regard au loin à la recherche de traces que lui et sa femme avaient laissées sur leur passage.

Dans cette forêt dense où les pins blancs dominaient majestueusement, que de beauté en cette matinée de printemps. Les oiseaux laissaient entendre leurs appels musicaux; les écureuils, sentant l'approche de l'homme, se mettaient au garde-à-vous en lançant leurs cris stridents; le vent soufflait une brise légère qui transportait les odeurs printanières... Joseph marchait, avançant d'un bon pas, il sut qu'il arrivait à mi-parcours de ses terres au rocher.

Lors de son premier passage à cet endroit, il s'était arrêté avec Perle près de ce rocher semblable à un ballon et aussi gros que sa maison posé au ras du sol. Il s'arrêta pour contempler le paysage. À partir de ce point, le terrain descendait en pente sur deux bons milles, et ce, jusqu'à la limite

est de ses terres : la rivière Du Moulin. Une rivière beaucoup moins large que la rivière Chekotimiwo mais ayant un
fort courant. « Excellent pour le transport du bois », avait dit
Joseph à Perle lors de l'une de leurs visites des lieux.

Les yeux remplis des beautés de la nature, Joseph repartit à la quête d'une réponse au pourquoi de cette clôture. Il
parcourut environ deux cents pieds et là, surprise : le tracé
de la clôture courbait vers l'intérieur de ses terres ! Non, il
ne se souvenait pas ! Non, Perle et lui avaient marché en
ligne droite jusqu'aux cascades.

Joseph, quelque peu amer, continua sa marche qui,
depuis la matinée, ne cessait de le mener de découvertes
en découvertes. Le soleil du midi pointait durement
lorsque la rivière Du Moulin apparut dans toute sa splendeur. Normalement assez calme, en ce printemps hâtif, elle
était gonflée et ses rives laissaient peu de place à celui qui
voulait s'y aventurer. Joseph se dit que les tourbillons qui
descendaient la rivière étaient peu invitants et qu'il valait
mieux l'éviter. Il suivit les rives, impatient de revoir les cascades qu'il avait aperçues lors de sa première excursion ;
avec cette quantité d'eau qui descendait, les voir serait
sûrement fantastique...

∴

Joseph était en retard d'au moins trois bonnes heures et
le soleil terminait sa descente lorsqu'il posa le pied droit
sur la première marche de l'escalier. Aussitôt, les enfants
et Perle apparurent, impatients de connaître la raison de
son arrivée si tardive.

Toujours attentive aux expressions de son mari, Perle
put immédiatement lire dans ses yeux la colère et la déception. Joseph raconta :

Rendu à la limite sud de leurs terres, une surprise l'attendait. Une clôture était déjà en place, montée probablement à l'automne passé. Au premier constat, malgré son
étonnement, il s'était dit tant mieux, car le travail semblait

propre et bien fait. Sans préjugé, quoiqu'il voulût s'assurer que la clôture respectait les limites, les marques de son terrain, il entreprit de marcher le long de celle-ci. À mi-parcours, que de déception, la clôture empiétait sur ses terres. En effet, à partir du rocher en forme de ballon, d'où s'élevaient les plus beaux grands pins de son boisé, celle-ci courbait vers l'intérieur, et ce, jusqu'à la rivière Du Moulin sur plus de deux milles. Une fois sur place, il n'eut plus de doute sur l'empiétement de cette clôture, car les cascades qui devaient se retrouver dans les limites est de ses terres avaient disparu! Pour les retrouver, il dut traverser la clôture et c'est à plus d'un demi-mille à l'intérieur de celle-ci qu'il les trouva.

Ce soir-là, étendus sur leur lit, Perle et Joseph eurent beaucoup de difficultés à fermer l'œil. Perle avait la sensation du déjà vu, de la concrétisation de ses rêves, et Joseph se sentait tel un arbre dont on aurait coupé les plus belles branches. Il se voyait dégarni d'une partie de ses biens, de la plus prometteuses à ses yeux.

Le lendemain, dès le lever du soleil, toute la famille prit le chemin de Tchékoutimi dans le but de rencontrer le représentant du gouvernement, l'agent des terres...

12

Canton Chicoutimi, Camille

Malgré ses 40 ans, Camille Desmeules, la mère de la jeune institutrice, resplendit d'une rare beauté. Elle avait traversé les décennies de si remarquable façon que celui ou celle qui rencontre la mère et la fille pour la première fois peut se croire en présence de deux sœurs.

Comme sa fille, Camille a les yeux bleus et les cheveux d'ébène. Grande, élancée, à la taille de guêpe, difficile de croire que celle-ci avait accouché de quatre enfants maintenant presque tous adultes. Jacques, 20 ans, Gaston 18 ans, Éliane 16 ans et Blanche 13 ans, toute sa joie de vivre.

Belle Camille, mais triste Camille. En effet, les hommes ou les femmes du Canton pouvant se vanter de l'avoir vue sourire, démontrer des élans de joie, sont rares pour ne pas dire veinards. Le temps avait forgé son caractère, l'imprégnant des rafales du genre humain. D'ailleurs, les membres de la famille de son mari, diront de celle-ci qu'elle est une femme endurcie, au caractère compliqué. Oui, après plus de vingt ans de mariage, telle une coulée de sang sur un vêtement blanc, les difficiles années s'étaient imprégnées pour longtemps.

Longtemps, oui! Tous les Therrien vivent longtemps, jusqu'à un âge avancé. Riches fermiers du Canton, on les décrit comme durs, colériques et peu communicatifs. De stature particulièrement grande et peu avantageuse du côté beauté, ils semblent se protéger en se serrant les coudes et en formant un clan. Chanceux sont ceux qui s'y intègrent, car ce sont eux qui choisissent.

Certaines gens du Canton disent que c'est pour se faire accepter que le clan Therrien donne beaucoup à la communauté. Avec leur moulin à scie et à farine, ils font vivre plusieurs familles, mais demandent beaucoup en retour. Arthur, le premier Therrien, lançait souvent cette expression: «service pour service». Ses descendants ont d'ailleurs fait de cet adage leur règle de vie.

Il faut retenir à leur avantage que ce sont des gens de religion, on y retrouve quatre religieuses et deux prêtres.

C'est à l'automne 1902 que Camille maria Théodore, un être terne, taciturne mais un gros travailleur. Son père tout craché, disaient les anciens du Canton! Le mariage fut grandiose. La maison familiale des Therrien accueillit une centaine d'invités, une fête digne des rois qui se prolongea pour certains pendant plusieurs jours. Bien que la cérémonie fût prévue pour le samedi, déjà le jeudi, des invités se pointaient.

La future propriété de Théodore, sise dans le rang 3 du Canton, comprenant 10 pièces, fut bientôt trop petite. Oncles, tantes et amis de la famille l'occupèrent, arrivant de Montréal, de la Beauce, de Charlevoix ou de la région; ceux qui ne purent y loger furent installés dans les deux hôtels du Canton, et ce, aux frais des parents du futur époux.

Ce mariage, célébré par Wilfrid, le frère de Théodore, allait être pour les Therrien l'occasion de fêter joyeusement et grassement. La boisson eut vite fait d'échauffer les esprits et les corps qui se laissèrent aller au son de la musique dans un tourbillon de danses infernales. Les tourtières, pâtés, gâteaux et autres aliments abondaient, mettant à l'épreuve les mâchoires, les palais et les estomacs. Les derniers invités quittèrent le jeudi suivant la noce.

Une semaine que durèrent ces festivités! Elles se déroulèrent dans un mouvement de haut et de bas, et seule la profondeur des nuits sembla être en mesure de calmer les esprits. Ceux et celles qui assistèrent au mariage racontèrent que la beauté de la mariée tranchait, comme un diamant au milieu de charbons noirs. Mais, curieusement, des larmes coulaient sur ses joues roses.

Pour expliquer son comportement, Edgar Saint-Gelais, postier de ce coin de Canton, raconta à qui voulait l'entendre ce qui suit: «la fille Desmeules voulait épouser un autre gars du Canton, mais son père, pour une question d'argent, l'avait promise aux Therrien».

Un autre, Samuel Girard, forgeron, répandit la rumeur que «la mariée s'était retrouvée enceinte et, avec son air angélique, avait réussi à mettre le grappin sur le fils Therrien. De toute façon, celui-ci était bien chanceux, car, avec son allure de « bœuf», qui en voudrait?»

La femme du sacristain, commère bien connue, s'exclama lors d'une réunion des fermières: «Elle peut bien pleurer des larmes de crocodile la Desmeules, en épousant le fils Therrien, elle assure son avenir. Elle est maintenant membre de l'une des familles les plus riches du Canton et même de la région.»

À ces mots, Germaine Thibeault, épouse de l'épicier répliqua sur un ton permettant à toutes les femmes présentes d'entendre:

– Moi, j'aime autant ne pas être à sa place, surtout quand on n'épouse pas celui qu'on aime!

– C'est qui, celui qu'elle aime? demanda la femme du maire, Simone Poitras.

– Je ne sais pas! répondit Germaine. Je vous répète ce que j'ai entendu à l'épicerie de quelqu'un de proche de la famille Therrien.

Les rumeurs concernant le mariage de Camille durèrent un temps. Un an après, elles avaient été reléguées aux oubliettes, surtout que celle-ci ne donna naissance à son premier enfant que deux ans plus tard. Elle perdit son père et sa mère en 1908 et, la même année, après deux garçons, naquit sa première fille. Théodore voulut l'appeler France en l'honneur de sa grand-mère, mais elle insista pour qu'elle se prénomme Éliane.

– Pourquoi ce nom?, questionna Théodore.

– Je veux que ma fille porte un nom qui est signe du Dieu de la lumière, dit Camille. Éliane est synonyme de «Dieu, d'Étoile qui brille» et c'est ce que je veux pour ma fille! Une étoile à travers le firmament, ce choix-là tu me le dois! Tu ne me l'enlèveras pas!

– *13* –

1842, le grand lac plat

En cette année 1842, les Montagnais ne sont plus seuls sur le territoire du grand lac plat, le Piekouagami. Les visages pâles accentuant leurs recherches de belles peaux de fourrures ont suivi la route déjà tracée par les Amérindiens: la «Route des fourrures». Elle part de Totouskak, longe la rivière profonde, coupe à la rivière Chekotimiwo pour suivre le lac Kénogamichiche ou Tshénogami. Une fois ce lac traversé, elle s'arrête aux abords du Piekouagami en un lieu où se rencontrent depuis de nombreuses années les Montagnais et qu'ils ont appelé « Métabetchouan » point de rencontre.

Le chef des hommes blancs, tout habillé de noir et portant sur lui deux branchons en forme de croix, s'appelle «père Jean DeQuen». En moins d'une lune, les hommes blancs ont monté plusieurs bâtiments et inscrit sur le haut de la porte d'entrée de l'un d'eux: « Poste de traite de la Baie d'Hudson ». Du même modèle que celui installé à Tchékoutimi vers l'an 1786, il est fabriqué à partir des grands pins que l'on retrouve en si grand nombre sur le territoire. La maison principale, construite pièces sur pièces, avec un toit de planches recouvert de bardeaux de cèdre, mesure approximativement vingt-quatre pieds sur dix-huit. On a placé quatre fenêtres de huit vitres chacune. Le magasin, bâti avec les mêmes matériaux que la maison principale, a une dimension de vingt pieds sur quinze. Une boulangerie et une étable complètent le poste.

Assis dans son canoë faisant face aux installations des visages pâles, «Corbeau dans le vent», chef de la famille montagnaise «Nepetta», est saisi de sentiments contradictoires à l'égard des visages pâles. D'une part, il voit que ceux-ci, de plus en plus nombreux, envahissent le territoire sans distinction des lieux. Nouvellement installés à Métabetchouan, ils sont déjà établis à La Baie que l'on dit Grande ainsi qu'à la croisée de la rivière Tchékoutimi (Chekotimiwo) et de la rivière profonde. Plusieurs les considèrent porteurs du grand mal. D'ailleurs, les légendes ne racontent-elles pas que, pour fuir ce mal, ses ancêtres se sont réfugiés tout au fond du «grand lac plat»? D'autre part, ces hommes à la peau blanche apportent de la nourriture, des cadeaux et des canons de feu qui facilitent la chasse et rendent la vie plus facile. Songeur, «Corbeau dans le vent» ne se sent pas à la hauteur et se dit qu'il aurait bien besoin des conseils de son père que les siens surnommaient «Celui qui voit en avant».

Que faire? S'éloigner de ces visages pâles? Partir encore plus loin, plus profondément à l'intérieur du Nitassinan? Envoyer la fumée du calumet de paix de couleur rouge ou celle de la guerre de couleur gris et blanc en direction des quatre points cardinaux, vers le ciel et vers la terre?

Incapable de prendre une décision, «Corbeau dans le vent» pense qu'il devrait suivre les conseils des anciens et faire appel aux Grands Esprits du Soleil pour éclairer sa décision. Ces incantations se déroulent à l'intérieur d'une cérémonie où l'on exécute l'une des danses les plus spectaculaires qui soit. Cette danse exige l'érection d'un tipi qui commence avec la pose d'un poteau central auquel on suspend des offrandes. Ce poteau sera ensuite entouré d'un cercle de 10 autres pieux et l'ensemble sera recouvert de branches feuillues. Quelques hommes seulement participeront à la danse du Soleil, et ce, après avoir longuement jeûné et prié les Grands Esprits. La danse se déploiera à partir du poteau central auquel les hommes sont reliés par une corde, prenant ensuite la direction du mur circulaire et inversement. Traditionnellement, le point culminant de la danse comporte une part de mutilation, une extrémité de la corde étant insérée sous la peau de la poitrine et du dos des danseurs au moyen de tiges coupantes. Toutefois, depuis plusieurs générations, les grands sages de la famille «Nepetta» n'autorisent plus cette mortification.

Malgré l'appel aux Grands Esprits et au Tshitshe Manitu, «Corbeau dans le vent» ne trouve pas de réponse et, pour la première fois, il prend conscience de sa solitude, lui l'unique enfant de « Hibou tranquille ».

Pour les anciens du conseil, cette situation ne serait-elle pas annonciatrice de la fin d'une grande lignée? «Corbeau dans le vent» ne serait-il pas le dernier grand chef de la famille «Nepetta»? Cette descendance de plus de deux cents cinquante ans se terminait. La disparition de ces chefs dont la renommée de grands sorciers avait permis de sauver les leurs maintes fois de la mort et de la maladie, de les conduire dans les bons espaces de chasse à travers les grands espaces de forêts... Quel grand malheur, les grands esprits s'éloignaient de la bande, de la famille...

Mais tous devaient accepter le visage de la réalité. «Corbeau dans le vent» avait quatre enfants, toutes des filles qui, selon les coutumes, ne pouvaient pas accéder au statut de chef. À cet égard, il se devait de préparer les Montagnais, les Katouchaks, de la famille «Nepetta» à l'arrivée d'une nouvelle souche de chefs, car celle de «Corbeau dans le vent» s'éteindrait définitivement à sa mort.

Des quatre filles de «Corbeau dans le vent», Perle était la plus âgée. Très jeune, elle apprit à chasser, à trapper, tout en apprenant à accomplir le travail des femmes montagnaises, mais singulièrement elle s'intéressait aux travaux des sages ainsi qu'à l'art d'utiliser les plantes et les herbes pour soigner. Née le mois où les oisillons voient, le Upaupishim en montagnais, Perle savait ce qu'elle voulait, le portrait craché de son grand-père.

Si quelqu'un avait osé demander à « Corbeau dans le vent» qui pourrait le remplacer, il aurait répondu sans hésiter : ma fille Perle. Oui, il voyait dans celle-ci les qualités d'un chef, les qualités de sa lignée, mais Perle était une fille et, comme toute Montagnaise, elle devait prendre mari et servir l'innu.

Aussi, quand celle-ci rencontra le jeune visage pâle aux abords de Tchékoutimi et que ses yeux se mirent à pétiller, son être intérieur lui dicta qu'il devait la laisser partir. D'ailleurs, comment s'opposer à Perle lorsqu'elle avait décidé...

– 14 –

Canton Chicoutimi, la mère et la fille

Quand Éliane annonça à sa mère qu'elle occuperait le poste d'institutrice à l'école du rang 5, celle-ci s'exclama :

– C'est merveilleux! Monsieur le curé t'a assuré que tu aurais le poste ? Dès cette année, tu es certaine de ça ?

– Oui, oui, man, répliqua Éliane à sa mère en se rapprochant de celle-ci. « Man », un mot qu'elle employait seulement lorsqu'elle se retrouvait seule avec sa mère, sinon son père l'aurait grondée. Il disait que dans les grandes familles on utilisait des mots comme « mère » et « père », cela faisait plus distingué. Les Therrien n'étaient-ils pas, à des milles à la ronde, la famille la plus en moyens du Canton ?

Acceptant l'accolade de sa fille, comme une mère le fait avec sa petite :

– Je suis si heureuse pour toi.

Puis, toute souriante, regardant sa fille directement dans les yeux afin de capter toute son attention :

– Tu sais, Éliane, maintenant, tu pourras faire face à la vie plus facilement. Grâce à ce travail, tu seras en mesure d'être indépendante, surtout de la famille de ton père et ça, c'est important.

Surprise d'entendre ces mots de la bouche de sa mère, Éliane, dont le sourire vient de s'effacer, se dégage de son étreinte et lui dit :

– Mais, man, que veux-tu dire ? Je vous aime !

Observant un moment le silence, Camille, d'un ton doux et calme, reprend :

– Écoute, Éliane, ce que je viens de t'exprimer n'est peut-être pas clair pour toi aujourd'hui, mais, tu verras, ça le deviendra sûrement plus tard. Crois-moi !

Prenant Éliane par le bras :

— Viens, on va aller s'asseoir au salon, nous ne serons pas dérangées pour parler.

D'un pas léger mais sûr, les deux femmes se rendent dans la pièce, ferment la porte et prennent place sur le fauteuil le plus prestigieux. Un sofa de style victorien, comme tout le reste du mobilier d'ailleurs, que Théodore a reçu de son père avec la maison et la terre. En fait, tout ce que Camille voit et touche depuis le jour où elle a pris mari a appartenu ou appartient à Arthur Therrien, son beau-père. Très souvent, la seule pensée de cette situation lui chavire le cœur. Mais que faire lorsqu'on est une femme, même jolie, mais peu instruite et sans avoir, dans un monde fait par et pour les hommes ?

Ce sofa, d'un brun rougeâtre comme l'acajou, adossé à l'un des murs du salon tapissé en brun clair, est énorme. Quatre personnes peuvent facilement y prendre place et, malgré son âge avancé, sa propreté indique bien la chance de celui ou celle qui s'y assoit. Laissant libre cours à sa réflexion, Camille livre ce message :

— Moi, je n'ai pas eu ta chance. Mon père n'a jamais voulu que je m'instruise. Après ma septième année, il m'a retirée de l'école. Pourtant j'aimais ça l'école ! J'étais une première de classe ! Être instruite, pouvoir avoir un travail qui me permettrait de vivre sans avoir recours à mes parents, j'aurais tant aimé. Mais le sort, le temps en a voulu autrement. Toi avec ton travail, ton instruction, tu pourras faire tes propres choix, rien ne t'obligera à te soumettre aux quatre volontés des autres.

Attentive, Éliane répète encore tout étonnée :

— Man, je comprends ce que tu veux dire, mais, moi, j'ai pas l'intention de partir. Toi et pa, vous m'aimez ! Je suis bien ici et même si, à l'occasion, pa est autoritaire, je m'en accommode bien.

Serrant fortement les deux mains de sa fille dans les siennes, Camille, d'un ton qui se veut ferme :

– C'est bien ma fille, mais à ton âge, on se fait parfois des idées que le temps se charge très souvent de nous préciser, de nous éclairer... Éliane, je suis là avec toi et contre tous ceux qui ne voudront pas t'aider à réaliser ton bonheur. Tu sais, je t'aime...

À l'instant même, la porte s'ouvre pour laisser apparaître un homme d'allure plutôt jeune, pas plus d'une vingtaine d'années. La largeur de ses épaules et sa grandeur lui donnent l'allure d'un géant qui remplit toute l'embrasure de la porte. À le voir, celui qui connaît Théodore Therrien sait que les deux hommes sont parents.

– Des petits secrets! s'exclame le jeune homme au prénom de Jacques, l'aîné de la famille.

– Pis, c'est pas de tes affaires; j'ai bien le droit de parler à ma mère, réplique Éliane avec fureur. Du coup, elle se lève, une façon d'exprimer plus clairement son opposition et poursuit:

– Toujours le même! Pas moyen d'avoir la paix, grand « senteux »! Tu es comme le grand-père!

Sourire aux lèvres, Jacques s'apprête à répondre, mais, au même moment, Camille intervient:

– O.K., O.K., du calme.

Se tournant vers son fils, elle s'avance d'un pas qui peut paraître menaçant à tout individu qui ne connaît pas cette femme et lui dit avec autorité:

– Quant à toi, Jacques, tu ne devrais pas être en train de rassembler les bêtes pour la traite? Il me semble que c'est l'heure.

– C'est ça, quand je veux parler, tu es toujours sur mon dos. Mon père, lui, il me comprend. Toi pis ton Éliane! Ta favorite!!! Lance le jeune homme qui claque la porte derrière lui laissant les deux femmes à la fois satisfaites et stupéfaites de son comportement et de son langage.

– M'an, on continuera plus tard, O.K.! Aussitôt dit, Éliane prend la direction du grand escalier qui la mène à sa chambre et...

– 15 –

Réserve de Ouatchouan, grand lac plat – 1856

En cette matinée de l'été de l'an 1856, une légère brise venant de l'ouest berçait les feuilles. Tel un baume sur une plaie, le temps chaud et humide des derniers jours se faisait presque agréable. Au soleil de midi, la température monta jusqu'à 35°C, de quoi faire rôtir un poisson sur une broche. Le Piekouagami absorbait cette chaleur sans trop broncher, son niveau d'eau n'ayant presque pas baissé, à croire que celle-ci était inépuisable. Seul le mouvement des vagues semblait se ressentir de cette canicule: il se faisait lent, comme écrasé par le poids d'une eau devenue trop lourde... Non loin de la rive, un rocher d'au moins trois mètres de haut surplombait le «grand lac plat», le Piékouagami, sans toutefois permettre à l'homme qui s'y tenait debout d'apercevoir la rive opposée. Mais telle n'était pas la préoccupation de celui-ci, un Innu, le chef de la famille «Nepetta», car toutes ses pensées portaient sur les siens et leur futur.

«... Enfant né de l'espace libre, comme le caribou sauvage qui voyage sur des centaines de lieues, l'Innu montagnais, quelle que soit sa famille, ne veut et ne peut demeurer dans les limites d'un champ ni se soumettre aux règles de la vie agricole. La prévoyance et l'attachement à un lieu précis lui répugnent. Parcourir la terre, voilà sa vie, sans crainte de la solitude et de la mort, car il ne croit pas avoir besoin d'un foyer, d'un tombeau, pour gagner la vie nouvelle. Être fataliste, il se laisse aller à la force de la nature sans rien lui demander, puisant dans ce qu'elle veut bien lui fournir.

Devant ces hommes à la peau blanche armés de forces terribles, venant de ce qu'ils appellent la «civilisation»; le Montagnais, le kakouchak laisse la place, il disparaît, il ne veut rien apprendre, rien devoir à ceux qui ont été le présage de la disparition de ses coutumes.

Il n'y a guère plus d'un siècle, le Montagnais parcourait encore avec d'autres Innus les rivières, les lacs et les forêts ; ils vivaient de la même façon que lui, se battaient avec les mêmes armes, haches, javelots, flèches, dans l'espace immensément grand du Nitassinan.

Mais le Montagnais d'aujourd'hui n'a plus à lutter avec des hommes semblables à lui, il se laisse aller, envahir, détruire par la civilisation; elle l'envahit de ses vices sans qu'il puisse acquérir les bontés permettant de conserver la dignité. Rien, non, rien ne pourra arrêter la lente mais sûre chute qui conduira à la disparition et à la mort des siens...» pensait « Corbeau dans le vent ».

Devant la fatalité de la domination de la civilisation blanche, les robes noires qui se prétendent leurs protecteurs ont établi une «réduction» où, eux, les premiers de ce territoire se retrouvent en troupeaux, cordés. Situé aux abords du Piekouagami, ce territoire porte le nom de réserve de Ouatchouan.

L'esprit de « Corbeau dans le vent », voyageant de plus en plus profondément, respire la nostalgie du passé. Oui, depuis l'implantation massive des hommes blancs dans le territoire montagneux de la rivière profonde, le Saguenay, le mode de vie des siens a bien changé. Ils étaient des nomades qui assuraient leur subsistance en pratiquant la chasse, la pêche, le piégeage et la cueillette. Après l'arrivée dans leur vie des produits des hommes blancs tels que les métaux et les grands fusils, les Kakouchaks adoptèrent une nouvelle façon de vivre basée exclusivement sur le commerce des fourrures et la recherche des produits de subsistance.

La place de l'homme blanc ne cessa de croître. Avec les années, leur exploitation de la forêt et leurs cabanes de plus en plus nombreuses forcèrent les siens à délaisser une bonne partie du Nitassinan. Ils devenaient les mal-aimés de ce territoire, où la forêt et les peaux de fourrure avaient une plus grande valeur aux yeux de ces hommes qui, en soi, ne se différenciaient d'eux que par leur couleur. Mais, aujourd'hui, en cette année 1856, on reconnaissait une partie de ce territoire en tant que le leur comme l'étaient Essipit, Pessamit et bien d'autres. Ils étaient maintenant acceptés par les dirigeants des hommes blancs. Cependant, pour «Corbeau dans le vent», descendant d'une lignée de grands chefs, derrière cet événement se cachait une grande tristesse. La grande nation, les Kakouchaks, les Montagnais qui, avant l'arrivée des Blancs, comptait plus de 400 grandes familles, était réduite à moins d'une vingtaine de familles; la civilisation des hommes blancs les avait presque anéanties. Ainsi, à peu près plus personne ne parlait la langue traditionnelle, cette langue qui comporte 12 lettres et se transmet oralement et qui, au lieu de décrire, utilise des mots précis pour l'objet, l'animal ou la personne. De même, la médecine traditionnelle, basée sur l'utilisation des plantes ou des herbes, faisait maintenant place à la médecine blanche. Ainsi sont disparus les remèdes des anciens à base de plantes médicinales de *l'amatshissen* (miel d'abeille), la *petshuatuk* (gomme de sapin), *l'ushkatshiapi* (résine jaune), *l'uishenau mishk* (rognon de castor) et combien d'autres. Enfin, que dire des croyances et des cérémonies du peuple montagnais que les hommes portant les grandes robes noires ont remplacé par les leurs et du costume traditionnel délaissé en faveur de celui des hommes et des femmes au visage pâle. Oh! qu'il semblait loin le temps où ce peuple vivait en harmonie avec la nature dans le Nitassinan. Triste destin que celui des Montagnais à la recherche de celui qui veillerait sur eux et les aiderait à rejaillir, à retrouver leur fierté de peuple. Même en cherchant dans le plus profond de ses souvenirs, de ses rêves, «Corbeau dans le vent» ne pouvait émettre de réponse. Ceux de sa bande non plus, impuissants qu'ils étaient à seulement remplacer le grand chef de tous les Montagnais, le Grand Sagamo, mort en 1849. Qu'adviendra-t-il de son peuple? Comment réussirait-il à vivre dans un si petit espace, dans les limites de cette réserve, quand il a été habitué à de si grandes étendues?

Oui, eux, les Kakouchaks, le peuple de la chasse, du piégeage, de la pêche; eux, le peuple qui voyageait d'un espace à un autre sans restriction, sans barrières; eux habitués à parcourir ce grand territoire, le Nitassinan, où l'on retrouve des cours d'eaux comme la rivière Chekotimiwo «jusqu'où c'est profond», «la rivière Saguenay, là où c'est profond et ça s'engouffre» et le « grand lac plat», le Piekouagami; eux que les hommes blancs avaient surnommés les Papinachois, le peuple qui aime ricaner! Oui, eux! Quel serait leur avenir?

∴

S'efforçant de ne pas perdre pied, de ne pas glisser sur les escarpements du rocher, «Corbeau dans le vent» quitte le rocher et gagne la grève, une continuité de la rivière que les siens appellent la Péribonka, «la rivière qui coule à travers le sable». Cette eau est chaude et réconfortante pour ses vieux pieds dénudés à la peau toute crevassée, aux doigts et à la paume martelés par la dureté du sol et les kilomètres parcourus. Le Tshitshe Manitu, l'être suprême a été bon en lui permettant de voir de si belles choses, montagnes, rivières, lacs, couchers de soleil. Mais quelque chose le tracasse depuis longtemps: ses rêves! Oui, pourquoi ces rêves annonciateurs du futur, précurseurs du temps, perturbateurs de sa vie et des siens?

Selon la légende montagnaise, le rêve bien dirigé peut être utile pour aider ceux qui sont éprouvés. Cependant, ne dit-elle pas aussi comment l'un des ancêtres avait sauvé les siens du massacre des Iroquois; prévu l'arrivée précoce des grands froids; su qu'il valait mieux passer par tel chemin plutôt que tel autre qui menait à l'impasse; que le grand mal se rapprochait à grands pas; que les chefs de la famille «Nepetta» savaient prendre les bonnes décisions dans les moments importants?

À cet instant, «Corbeau dans le vent» se dit qu'à l'image des ancêtres, des anciens grands chefs, il doit lui aussi prendre des décisions. En tant que chef de la famille « Nepetta », il a la charge d'aider les siens à s'enraciner dans ce nouveau lieu que l'on appelle la réserve Ouiatchouan. Maintenant, il faut que les siens apprennent à cultiver la terre, à entretenir l'habitation, la *mitshuap* qu'on leur a assignée, à devenir des sédentaires.

Encore à la recherche d'une réponse à la raison de ces rêves, les pensées de « Corbeau dans le vent » sur ses ancêtres tourbillonnent pareilles à un ballon dévalant le long d'une falaise abrupte. À l'image de plusieurs, n'a-t-il pas eu de ces fameux rêves? Rêver au retour en force des robes noires; aux arbres qui tombaient de leur hauteur majestueuse; aux hommes blancs qui se multipliaient, telle une couvée de lièvres; la fumée qui envahissait leur territoire, le Nitassinan! «Corbeau dans le vent» sursaute à la pensée de son dernier rêve. Depuis quelques jours, celui-ci hante ses nuits, ses pensées: du feu, de la fumée, des morts, beaucoup de *siuashihuet* (bois de sapin) de *matnaniss* (épinettes rouges) et autres essences d'arbres qui s'enflamment; des hommes et des femmes qui courent dans tous les sens, qui cherchent refuge dans les rivières, dans les bois de savane, les *uishetshepuk!* Que de malheurs, que de désastres!

Levant les yeux vers le ciel qui commence à laisser percer sa grande toile bleue de petits points blancs, il se dit: «Il faut que j'en parle avec Perle, la seule de mes enfants qui a des rêves comme les miens. »

Poursuivant sa réflexion, accompagné de cette légère brise entraînant avec elle la senteur des bois en cette période du mois des fleurs, le *vapikum-pishim,* que les Blancs appellent «juin», «Corbeau dans le vent» repart d'un pas lourd, laissant l'empreinte de ses pieds meurtris par le temps sur la plage.

– *16* –

Wagon numéro 4

Toujours aussi emporté par son récit, Henri continue de fasciner les siens.

– En ces débuts des années 1870, environ 2000 personnes résident à Tchécoutimi. Située au point de rencontre de la rivière du même nom et du Saguenay, elle occupe une position stratégique par le fait qu'elle se trouve à la limite navigable. Elle peut aussi profiter des belles années de l'industrie du bois de sciage et des communications qui ne s'effectuent que par bateau. C'est à Tchécoutimi que l'omniprésente compagnie Price, qui contrôle le commerce du bois de sciage dans la région, a établi ses bureaux et s'est dotée de la plus importante scierie régionale. Dans cette agglomération, on retrouve plusieurs commerces comme des magasins généraux, des hôtels, des bars et des établissements d'artisans, de forgerons, de barbiers, de cordonniers ainsi que divers bâtiments institutionnels (hôpital, église, école et bureaux gouvernementaux).

Après avoir découvert la clôture qui empiétait sur leurs terres, Perle et Joseph voulaient rencontrer l'agent des terres. Accompagnés de leurs enfants, ils se retrouvèrent sur la rue principale de Tchécoutimi, la Centrale, là où se trouvait l'hôtel Tousignant, le magasin général Colozza et de nombreux commerces. Bien que cette rue fût bondée de gens en cette matinée ensoleillée, la construction des trottoirs de bois allait bon train ; leur utilité ne ferait aucun doute particulièrement lors des fortes pluies du printemps et de l'automne. Cependant, en ce printemps sans pluie qui flirtait avec un soleil d'été, les opposants du conseil municipal en profitaient pour déclarer à qui voulait l'entendre que cette dépense ne servirait que pour la parade dominicale de la femme du maire.

Au deuxième étage, bureau 203, de l'édifice de briques rouges abritant les bureaux des représentants régionaux du gouvernement, l'agent des terres, Castul Biron, accueillit Perle et Joseph poliment. Nouveau venu dans cette contrée qui, bien que sauvage, était en plein essor, il parut à Perle à l'image d'un loup qui veut dominer sa meute. Rien de bon à attendre de ce petit homme à la moustache noire, aux yeux bruns, habillé comme un seigneur, se dit-elle intérieurement. Ses présomptions se révélèrent justes, car Joseph n'avait pas aussitôt présenté ses doléances que celui-ci déclara :

– Je ne peux pas faire grand-chose pour vous et d'ailleurs vous n'êtes pas les seuls à vous plaindre. Ici, c'est un vrai cauchemar depuis que le gouvernement a transféré les redevances en propriété. Quand vous vous êtes installés, vos terres étaient sous le bail de la compagnie de La Baie d'Hudson, lequel bail a été transformé en droit de propriété par le gouvernement. Bien qu'enregistré, il n'y a pas d'arpentage officialisant les limites de vos terres, donc rien ne peut prouver vos réclamations. En tant qu'agent des terres, une réclame de votre voisin est aussi valide pour moi que la vôtre. C'est dommage, monsieur Desbiens, mais sachez qu'il est presque impossible de prouver quoi que ce soit. Bonne chance !

Ne voulant lâcher prise, votre arrière-grand-père insista sur le fait qu'il était le premier arrivant, qu'il avait piqueté ses terres en compagnie de son épouse avec des marques précises, mais rien ne put ébranler celui qui remplaçait l'agent qui avait fait la promesse de l'avertir si quelqu'un démontrait de l'intérêt pour les lots voisins des siens. Toujours selon ce nouveau, Joseph devait prouver ses droits face à sa réclamation et, dans ce cas, l'arpentage était essentiel. Enfin, il y avait bien le notaire, l'avocat... mais cela coûterait combien ?

Bredouille, la famille Desbiens remonta en calèche, inversant le parcours fait en matinée. Deux heures pendant lesquelles Perle et Joseph échangèrent sur ce qu'ils pouvaient faire.

– Je vais aller voir le nouveau voisin et exiger qu'il localise sa clôture dans les bonnes limites, exprima Joseph.

– Crois-tu qu'il va t'écouter? lui demanda Perle.

– Il faudra bien, sinon je crois que je vais lui sauter dessus. Même avec son allure de géant, il pense tout de même pas qu'il va me faire peur.

Ayant décidé de se rendre directement chez son voisin, Joseph laissa Perle et les enfants à la maison. Son nouvel étalon «Frip» démontra sa force et sa rapidité. Qu'il était beau ce grand étalon noir aux jambes longues et musclées, au corps central bien proportionné, au long cou surmonté d'une magnifique crinière. Cet étalon anglo-arabe avait attiré le regard de Joseph dès qu'il l'avait aperçu à la foire annuelle de Grande Baie. Il n'avait pas lésiné sur les 25 dollars demandés, un si bel étalon à regarder gambader et un excellent reproducteur selon l'ancien propriétaire.

Le trajet ne demanda pas beaucoup de temps bien que la route, à certains endroits, exigeât de ralentir afin de ne pas abîmer la carriole.

La maison du nouveau était immense, au moins trois fois plus grande que celle de Joseph, et que dire des bâtiments de ferme: un étalement de richesses, de force et de grandeur. Mais Joseph ne se laissa pas impressionner. Le propriétaire de ces splendides bâtiments ne les avait-il pas usurpés lui et sa famille d'une partie de leurs terres, de leurs plus beaux pins, de leur seule richesse?

Toute de noir vêtue, la femme qui lui ouvrit la porte était d'une beauté remarquable malgré la grande tristesse qui se lisait sur son visage; elle lui demanda d'attendre sur le pas de la porte.

Au bout de quelques minutes, le géant se montra... Après avoir entendu les doléances de Joseph, il referma la porte en lançant:

– Vous êtes ici chez moi; les clôtures de mes terres ont été posées dans mes limites. Je ne peux rien pour vous!

Joseph se retrouva sur le balcon face à une porte close. Il frappa de nouveau, une fois, deux fois, trois fois... La porte s'entrouvrit pour laisser réapparaître la femme qui lui transmit le message suivant :

– Mon mari ne veut pas vous voir. Il vous fait dire que tout a été dit et qu'il n'a plus rien à ajouter.

Baissant de ton, tout doucement, comme si elle cherchait à protéger Joseph :

– Monsieur, partez, mon mari est dans tous ses états et vous ne pouvez imaginer de quoi il est capable! Revenez plus tard, dans quelques jours peut-être! Partez, s'il-vous-plaît.

Sans dire un mot de plus, Joseph repartit...

.·.

Dans ce train qui mène la famille Desbiens de gare en gare vers sa nouvelle destinée, tout respire le calme. Pendant que Henri et les siens voyagent à travers le temps de leurs ancêtres, presque tous les passagers se sont assoupis sauf une jeune femme qui lit le dernier roman de Jules Verne, *Voyage au centre de la terre,* et un homme d'âge mûr qui inscrit des pensées dans un cahier aux feuilles jaunies.

Assise à côté de son mari, Flora, tout en écoutant celui-ci, se met à observer ses enfants; elle se comportait souvent de cette façon, écoutant, observant et jugeant, sans rien perdre. Intérieurement, elle se disait capable de faire ces actions en même temps; sa mère lui avait déjà dit que seules les femmes pouvaient faire cela...

Ces enfants, bientôt des adultes, semblent captivés par les mots et les gestes de leur père qui, tel un raconteur professionnel, vit son récit. Elle-même, dès le début, s'était abandonnée pour ne pas dire laissée prendre par le récit de son mari, mais, là, bouleversée, par la rencontre du géant avec Joseph, elle interrompt Henri :

– C'est du vol. Ils ont pas laissé faire ce monstrueux bonhomme?

Étonné par l'envolée de son épouse, Henri veut la rassurer:

— Eh bien non, voyons! Ils ont eu plusieurs rencontres avec l'agent des terres de Tchécoutimi et même avec un notaire, un monsieur Simard, je crois. Mais ça n'a rien donné. Je me souviens que quand mon père racontait ce qui leur était arrivé, il ajoutait: «Dans ce temps-là, c'était facile de prendre possession d'une terre au Canton. Quand un colon achetait du gouvernement une terre, aussitôt installé et les premiers travaux commencés, des réclamations pouvaient arriver de toutes parts. Par exemple, une personne pouvait réclamer cette terre pour y avoir passé trois ou quatre ans auparavant; une autre prétendait y avoir fait les premiers abattis, c'est-à-dire coupé quelques arbres et avoir mis certaines marques ou son nom sur des arbres ou des piquets; une troisième affirmait qu'elle avait acheté cette terre d'une autre personne; une quatrième, comme un lion, s'emparait de la terre, parce qu'elle lui convenait et qu'il profitait du fait que le vrai propriétaire n'avait ni la force, ni les moyens de se défendre. En fait, durant cette période, l'arpentage des terrains étant inexistant, tout se passait selon la parole donnée et les dessins ou les écrits plus ou moins précis.»

— Ouais, c'était vraiment écœurant pour nos grands-parents, ils devaient sûrement en vouloir aux Therrien, émet William sur un ton incitateur.

— Certain! Se faire usurper ses terrains, en plus des autres mésaventures...

— Quoi? s'exclame Flora encore toute bouleversée.

— Eh bien, en plus de se faire voler, Joseph et Augustin, mon père, avaient découvert aux abords de la rivière Du Moulin, la carcasse de plusieurs animaux. On les avait écorchés et laissés sur place tels quels! Des trappeurs assurément, se sont-ils dit.

Parcourant le boisé, ils décelèrent sous des branches plusieurs trappes qu'ils levèrent. Ce boisé favorisait la chasse et le piégeage par la cascade qui fournissait aux animaux de l'eau à longueur d'année et par son accessibilité immédiate aux montagnes, un refuge naturel pour eux. Qui pouvait avoir fait un tel carnage ?

« Chasser, piéger pour se nourrir, O.K. », se disait Joseph. Lui-même le faisait couramment. Mais tuer seulement pour la peau, la fourrure ? Non ! De la belle viande perdue ! Il fallait découvrir ceux qui s'adonnaient à ce jeu cruel sur des terres qui ne leur appartenaient pas.

Le seul moyen de savoir était d'établir une surveillance des lieux, car ceux qui posaient ces trappes viendraient sûrement tôt ou tard les vérifier.

Dès le lendemain, mon père Augustin, s'installa dans le boisé avant le lever du soleil; il repéra un arbre qui l'abriterait de tout regard et lui permettrait d'observer les abords de la rivière Du Moulin et la zone où se trouvaient les trappes. L'attente ne fut pas longue. Installé dans les hauteurs de son arbre, il aperçut un homme venant des terres de leur voisin. Plus ou moins grand, large d'épaules, la peau foncée, Augustin reconnut facilement le propriétaire de ces terres, Thomas Desmeules, l'Indien qui s'engageait dans la rivière. À cet endroit, elle faisait environ 30 pieds de largeur et était peu profonde, trois pieds au maximum. Silencieux, se mouvant au gré de l'eau, l'Indien traversait; de temps à autre, il s'arrêtait et jetait un regard dans toutes les directions.

Prenant pied sur les terres de Joseph, il se dirigea d'un pas sûr vers un buisson, puis il se pencha, se leva, se pencha à nouveau et enfin... trouva ce qu'il cherchait. Il souleva la trappe de terre, la tourna dans tous les sens et constata qu'elle était désamorcée. Toujours penché, il la remonta et la remit à sa place originale.

L'homme à la peau rougeâtre se leva et passa sous l'arbre d'Augustin et, non loin de là, découvrit une deuxième trappe. Il sembla surpris. « Passe peut-être que la première se soit désamorcée au passage d'un animal, mais une deuxième ! ». L'homme se posait des questions, car il se leva brusquement et regarda de gauche à droite, se pencha, tassa les arbustes et palpa de ses mains le sol à la recherche d'indices...

Quand mon père nous racontait cet épisode, il disait qu'il avait eu peur de tomber tant ces instants lui parurent une éternité. En équilibre dans le haut d'un arbre, le temps n'occupe pas le même espace que lorsqu'on a les pieds sur la terre ferme. En effet, voir cet homme, l'Indien arriver, regarder, chercher, avancer, reculer et prendre la direction de la rivière pour la retraverser à peu près au même endroit, cela dura une éternité à ses yeux de jeune adulte!

Votre grand-père attendit que l'homme à la peau foncée disparaisse de sa vue et une fois rassuré qu'il ne reviendrait pas, il descendit de son arbre et regagna le domicile familial. Un personnage curieux, ce voisin, pensait-il. N'avait-il pas fait cette observation à sa mère la première fois qu'il l'avait rencontré? Elle lui avait alors répondu que cet homme, jeune, environ 25 ans, trapu, aux cheveux longs, à la peau plissée et rougeâtre était sûrement de descendance amérindienne. Elle-même Indienne, elle savait reconnaître l'un des siens! Elle ajouta qu'à sa connaissance il n'était cependant pas un Indien de la région. Maintenant peu nombreux, regroupés dans au plus une vingtaine de petites familles, ils vivaient presque tous sur la réserve de la Pointe.

De retour à la maison, Augustin trouva son père et sa mère assis à la table de la cuisine autour d'un bon bol de café noir; dosé assez fortement mais avec une douceur qui enveloppait la bouche. Le café de sa mère était irremplaçable et dès l'âge de 15 ans, il avait eu le droit de boire de cette boisson habituellement réservée aux plus âgés.

— Et puis! Tu as vu qui c'était? demanda nerveusement Joseph.

— Ah, oui...

D'un ton sûr et solide qui laissait peu de place au doute, Perle répondit à sa place:

— C'est le voisin, n'est-ce pas?

Aucunement surpris d'entendre ces mots sortir de la bouche de sa mère, il rétorqua :

– Oui, c'est le voisin, l'Indien, celui qui reste de l'autre côté de la rivière.

∴

Dès le lendemain, Perle, Joseph et Augustin se rendirent à la résidence de l'indien, Thomas Desmeules. Une jolie jeune femme aux yeux verts, se présentant comme son épouse, leur répondit poliment qu'il était absent.

Tout aussi poli, Joseph lui demanda de bien vouloir dire à son époux qu'il aimerait le rencontrer et si possible qu'il passe à sa maison. Elle ferait le message, lui répondit la jolie dame, qui mesurait à peine cinq pieds.

Ce n'est que deux ou trois semaines plus tard que l'homme au visage ridé et aux yeux en forme d'amande garni d'une chevelure noire très abondante, se présenta chez Joseph. Thomas Desmeules mesurait bien cinq pieds et dix pouces et possédait une stature digne d'un coureur des bois. Pas une once de gras, des bras et des jambes bien musclés et un dos qui ne courbait que sous les fortes charges : un homme d'action qui adorait les bois.

Joseph et Perle l'accueillirent avec courtoisie et lui offrirent de s'asseoir. Il n'avait pas le temps, il était attendu ! Joseph présenta la situation, la découverte des cadavres d'animaux et ce que son fils avait observé. Sans lui laisser le temps de finir, l'homme virvoleta brusquement sur lui-même et précipitant son départ, il s'écria, furieux :

– Je ferai bien ce que je veux ; vos terres sont aussi les miennes !

Benjamin, qui écoute, pour ne pas dire vit le récit de son père, ne peut s'empêcher d'insérer :

– Ouais, c'était pas un gars commode ce monsieur Desmeules. Aussi pire que les Therrien... Moi, je l'aurais... Mais il ne peut finir sa phrase, car Flora enchaîne :

– Pauvres Joseph et Perle, ils n'ont vraiment pas eu une vie de tout repos!

– C'est vrai, ce n'était pas facile pour eux et pour les enfants. Mon père est resté marqué par ces événements. Je me souviens encore qu'il ne voulait pas qu'on parle avec les Therrien et les Desmeules. Ça fait plus de vingt ans que je suis parti et je me demande comment c'est aujourd'hui. Des vieilles querelles, ça reste...

– P'a! M'an nous avait dit qu'on déménageait dans un petit village. Comme ça, on va rester sur une ferme, dans la maison de tes grands-parents? questionne Angella.

– Sur la ferme de mon grand-père. Mais pas dans la maison bâtie près de la rivière Chicoutimi, car elle n'existe plus. Quand mon grand-père Joseph a bâti cette maison près de la rivière Chicoutimi «Chekotimiwo», ce site lui plaisait parce que l'endroit lui semblait facile à cultiver. Avant son arrivée, le grand feu des années 1840 avait dévasté une partie du territoire le long de la rivière, laissant de grands espaces vides qui devinrent quelques années plus tard des clairières propres à la culture. Selon les dires à cette époque, le quart des terres était en clairière et le reste en une belle forêt de pins blancs, d'érables et...

Réserve de Ouatchouan – 1856

Ils étaient tous là, toute la génération des grands chefs de la famille « Nepetta », Serpent qui aboie, Loup agile, Lune qui brille, Vent solitaire, Aigle aux grandes ailes et Corbeau dans le vent autour du grand feu. Dans cette nuit sans lune, assis près du feu, Corbeau dans le vent, à la façon d'un aimant, captait l'énergie qui s'en dégageait et qui enveloppait tous les corps d'une couverture de chaleur à l'odeur indéfinissable.

Assis, les deux jambes recourbées, croisées à la hauteur des chevilles, Corbeau dans le vent éprouvait un sentiment de bien-être : qu'il était bon ce grand feu. Tous ses sens dansaient au rythme du feu, ne faisant qu'un avec la nature, l'air, le vent... Quelle sensation de légèreté... Léger! léger! Il penche la tête et aperçoit les montagnes, la forêt, l'eau, les animaux courant à travers les bois... Lui, Corbeau dans le vent, tel un oiseau, voit défiler cet immense tableau du haut des airs. « Corbeau dans le vent » vole, oui, il vole avec les yeux d'un oiseau, d'un corbeau qui se laisse bercer par la force du vent.

Oh! Quelle immensité, quelle beauté dans ce paysage, ce territoire! Corbeau qu'il est, il voltige au-dessus de la grande rivière profonde, coupe à travers les montagnes, survole un cours d'eau, remonte vers les montagnes et arrive à une immense nappe d'eau qu'il reconnaît. «Corbeau dans le vent» survole le grand lac plat, le Nitassinan des Montagnais, son territoire. Du haut des airs, l'oiseau qu'est « Corbeau dans le vent » bouge les yeux de gauche à droite, de haut en bas et inversement. Quelle liberté! Et cette immensité, ce sentiment étrange d'invincibilité qui vous enivre. Il vole, fonçant sur le dessus des vagues du grand lac plat, remontant et continuant ce jeu inlassablement, quand au loin, quelque chose d'étrange, une chose qu'il appréhende, une couleur, une odeur l'attire. Coupant vers la gauche, il fonce vers les rives d'une rivière qu'il reconnaît pour être la Métabetchouane. Là, sur place, il découvre la raison de son appréhension et aussitôt, ses yeux de corbeau se noircissent de crainte. Oh! que de peur à la vue de la colonne de fumée, de feu...

Ce feu galope à la vitesse d'un loup; vite, il saute d'un arbre à l'autre, poussé par un vent de plus en plus vigoureux, comme alimenté par le grésillement des flammes. «Corbeau dans le vent», dans son petit corps d'oiseau, combat ce vent qui, à tout moment, peut le transporter dans ces flammes ardentes. Prenant de l'altitude, il atteint une hauteur lui permettant, tel un chercheur, l'œil sur sa lentille de microscope, d'obtenir une image agrandie du territoire. Avec ses yeux, il constate que ce feu est en train de ravager tout le Nitassinan! «Corbeau dans le vent» voit s'envoler en fumée ce qui a été la terre des siens, la terre de ses ancêtres. Le feu, ce grand feu, emporte dans son nuage de cendres tous les rêves et les espoirs.

Comme on sort d'un rêve, «Corbeau dans le vent» se retrouve avec les siens, assis autour du feu qui dévore tout le bois dont on l'a nourri. Il se dit en lui-même tout en jetant un coup d'œil aux autres grands chefs : « Curieux, très curieux! Auraient-ils fait le même voyage? »

Continuant sa recherche intérieure, il relève la tête et voit apparaître, imprégnant la fumée, portant sa tenue d'apparats, le *Tshitshe Manitu,* l'être suprême. Il est là, avec sa longue chevelure blanche lui tombant sur les épaules, garnie d'une plume d'aigle d'un noir strié de blanc, le visage parcheminé. C'est bien lui, souriant de toutes ses dents d'un blanc qui contraste avec sa peau. Sur son front, trois lignes superposées: une noire en haut, suivie d'une blanche au milieu et d'une rouge. Les anciens diront qu'elles représentent les trois états d'âme dans la vie de l'Innu : le nomade, le guerrier et le chasseur. Regardant de ses yeux perçants et bienveillants chacune des personnes assises autour du feu, ses lèvres bougent et de sa voix grasse et résonnante, le Tshitshe Manitu lance d'un ton qui se veut calme et solonnel :

— Grands chefs de la famille Nepetta, vous voilà tous rassemblés. Bientôt, très bientôt, le dernier des grands viendra me rejoindre ainsi que tous ceux qui m'accompagnent dans cette grande vie éternelle.

Puis se déplaçant à la façon d'un individu en lévitation, le *Tshitshe Manitu,* après avoir décrit un cercle, s'arrête devant « Corbeau dans le vent » et s'adresse à lui en ces termes :

— Il est temps de préparer les tiens à ton départ. Comme le dit la légende, *l'atanukan,* l'esprit du Desbiens, a commencé à s'installer en toi.

Revenant à sa position, l'être suprême, sans autre préambule, croise les avant-bras sur sa poitrine ; le dos de ses mains marqué des mêmes signes que sur son front pointant vers chacune de ses épaules. Et comme par magie, il s'incorpore à la fumée du grand feu pour disparaître dans un ciel sans nuage.

Tel un somnambule, « Corbeau dans le vent » ouvre les yeux en sursaut. A-t-il rêvé ou était-ce la réalité ? Mais tout au fond de son esprit il sait que, comme dans ce triste rêve survenu dans le *Pishimunss,* mois de décembre, ce nouveau rêve imprégnera le futur...

Conscient de la force de ce pouvoir, « Corbeau dans le vent » se demande ce qu'il devrait faire, parler ou ne rien dire ? Se libérer de ce secret, de ce phénomène extraordinaire, de ces sensations... en faire profiter les siens...

∵

Ce n'est que quelques soleils avant sa mort que « Corbeau dans le vent » partagea ce qu'il savait.

Au début de l'été de l'année 1858, un homme de la bande vint chercher Perle au Canton. Son père, « Corbeau dans le vent » la demandait. Joseph s'occuperait des enfants pendant qu'elle irait le voir.

Dans un petit canoë d'écorce, Perle et son compagnon montagnais remontèrent la rivière Chekotimiwo jusqu'au lac Kénogamichiche. De là, empruntant la rivière des Aulnaises, ils atteignirent le grand lac plat jusqu'à la réserve Ouatchouan.

De nombreuses lunes avaient traversé le ciel depuis la dernière rencontre de Perle avec son père ; il lui apparut petit, maigre dans son costume en peau de cerf. À le voir ainsi, elle réalisa qu'un grand mal grugeait toute l'énergie de son corps sans pour autant atteindre son esprit. Cela confirmait un de ces fameux rêves. « Qu'il était beau l'homme dans ses habits de grande cérémonie étendu de tout son long. Femme, hommes, enfants, guerriers chantaient, dansaient en son honneur! Indéfinissable, le visage de l'homme, mais ses mains, ses mains... »

— Père, le temps te ronge, dit-elle en se penchant pour lui donner une accolade.

Acceptant avec empressement le contact de sa fille et souriant à celle qui saurait quoi faire lorsqu'il partirait rejoindre les anciens, il répondit :

— Oh! Pas tant le temps que ces rêves...

Il s'arrêta, fixa sa fille un court instant et reprit avec douceur et sérénité :

— Tu sais, j'ai rencontré les grands de notre famille, ils étaient tous là avec le Tshitshe Manitu, pour venir m'avertir que l'heure de mon grand voyage était arrivée. Ils m'ont dit de préparer les miens.

Conscient que les prochaines paroles pourraient la bouleverser, il enchaîna sans hésiter :

— Perle, ma fille, maintenant, le temps est venu de t'aider à accepter tes rêves comme moi et tous les anciens de notre famille l'ont fait.

À ces mots, Perle comprit que son père savait. Oui, il savait, et cela, sûrement depuis le tout premier de ses rêves!

— Mais pourquoi ces rêves? questionna-t-elle

— Oh! C'est simple, ma fille, ces rêves sont là pour nous aider, pour réaliser le bien. L'homme a souvent besoin d'aide, surtout dans les grands moments. Quand la douleur frappe, l'espoir de voir surgir la chaleur du soleil, la clarté d'un ciel étoilé sont comme de *l'amutshissen,* «du miel» que l'on ajoute à une boisson amère. Perle, notre peuple, les Kakouchaks, peuple nomade, peuple de chasseurs-cueilleurs, peuple empreint de la nature, entretient un lien très spirituel avec la terre, sa mère. Il en a fait une façon de vivre.

Reprenant son souffle, «Corbeau dans le vent» poursuit :
– Dans ce monde, les Montagnais, comme tous les Innus, ont besoin de guides. Notre peuple, fait de traditions, de valeurs, de connaissances, d'histoires se transmettant oralement, a besoin que certains membres jouent un rôle important, plus particulièrement, les aînés et d'autres privilégiés comme nous, comme toi, avec nos rêves.

Malgré la fatigue qui se lisait sur le visage creusé par de profondes rides, il ne s'arrêta pas :
– N'oublie pas, ma fille, que notre culture nous appartient et qu'elle se distingue de celle des hommes blancs. Pense à ce que disent nos ancêtres, «la valeur d'un arbre n'est pas quand celui-ci est à l'horizontale mais bien quand il est à la verticale, qu'il est encore vivant». Chez nous, les Montagnais, il y a deux façons de voir les choses, l'une avec les yeux du *«niuapamau»* pour tout ce qui est animé et l'autre avec les yeux du *«niapaten»* pour tout ce qui est inanimé. Quand nous disons «je vois l'arbre», nous disons *«niapamau mishtuk»* et quand nous disons «je vois l'habitation», nous disons *«niuapaten mitshuap»*. Perle, prête l'oreille, soit attentive à tes rêves et, si cela peut aider les nôtres, fait tout en ton pouvoir pour les aider. Vois les choses avec tes yeux de *niuapamau* et de *niuapaten,* selon ce que tes rêves te montreront...

Ces paroles apaisèrent Perle; elle se rapprocha de son père, en silence, le regarda dans les yeux et prit ses mains pour les joindre aux siennes. À l'image de son rêve, dans les jours qui suivirent, Perle amena son père en terre habillé de beaux apparats rejoindre les grands...

- *18* -

Wagon numéro 4, dans les Laurentides

Départ à heure fixe et arrivée dans le délai prescrit sont des résultantes du train, ce grand gestionnaire du temps ne laissant au voyageur que l'espace du trajet. Lecture, cartes, discussions, sommeil deviennent des alliés avec lesquels le passager accepte de composer.

Le train menant de Montréal au Saguenay ne faisait pas exception et les voyageurs occupaient le temps dans un même cadre, mais à leur manière. Il en est ainsi pour ceux du wagon numéro 4 dans lequel se trouvent les cinq membres de la famille Desbiens.

Regroupés dans un espace restreint, corps en attente, yeux fixes et aux aguets, les trois jeunes et la femme écoutent d'une oreille attentive le récit de l'homme.

– ... le printemps 1870 fut anormalement chaud et sec. On raconte que, dès le début du mois d'avril, une chaleur anormale s'installa, provoquant le craquèlement des champs et un jaunissement de la végétation déjà si fragile dans ce pays de la froidure. Les branches des arbres se cassaient au moindre coup de vent un peu violent. «Un printemps chaud comme on en avait rarement vu dans la région», disaient les gens du Canton et des alentours.

Un matin de la mi-mai, la famille de Joseph et Perle fut réveillée par une odeur de brûlé ; cette odeur persista toute la matinée accompagnant le soleil qui frappait de ses rayons de plus en plus ardents à mesure qu'il atteignait de la hauteur dans le ciel sans nuage. Le lendemain, on ne vit pas le soleil de la journée. Une brume, pas une brume normale mais une brume qui sentait le feu, remplissait tout l'espace normalement occupé par cet astre céleste.

Dans les jours qui suivirent, la situation ne s'améliora pas. Au contraire, poussé par un vent du nord-ouest, la brume s'épaissit, se chargeant de poussière noire qu'elle déposait en minces couches sur son passage. L'inquiétude gagnait Joseph au fur et à mesure qu'il percevait que cette brume transportait les effets d'un feu. Des feux d'abattis, il en avait entendu parler et même combattu à La Malbaie durant trois jours et trois nuits, ou plutôt, lui et les autres combattants assistèrent aux activités du monstre que seule la nature, avec ses pluies abondantes, avait réussi à arrêter.

Joseph se disait qu'à la limite ce feu se déroulerait de façon semblable même si la stabilité du beau temps le tracassait et le rendait nerveux comme les animaux de sa ferme. De son côté, depuis l'arrivée de cette brume, Perle écoutait attentivement le moindre propos de son mari et de ses enfants sans dire un mot: elle était devenue muette.

La brume encadrait le paysage depuis cinq jours lorsque Jeanne, l'aînée des filles, rapporta la rumeur qui circulait chez les voisins et ailleurs. « Un immense feu ravageait dans les montagnes au sud du lac Saint-Jean, mais il n'y avait pas de danger immédiat pour les gens du Saguenay, car la pluie s'annonçait pour bientôt et en viendrait facilement à bout. »

Le soir venu, autour de la table, c'est une Perle calme et paisible qui s'exprima en ces mots:

– Il arrive à grand pas, d'ici demain soir, il sera icitte ! Le grand feu dont mon père « Corbeau dans le vent » m'avait parlé avant de partir dans l'autre monde. Il y aura beaucoup de morts, des hommes, des femmes, des enfants, des animaux et de nombreuses habitations perdues, sans parler des arbres et des semences perdues. Nous ne serons pas épargnés.

De plus en plus emporté par son récit, Henri sent le besoin de faire une pause, il s'arrête, pose un regard sur Flora et ses enfants et, comme rassuré, il reprend:

– Augustin, mon père qui allait sur ses dix-huit ans à cette époque et ses trois sœurs, Jeanne, Louisette et Marie-Ange, accueillirent les propos de leur mère de la même façon que des spectateurs devant un coup de théâtre. Ce sentiment de surprise se transforma en crainte, en peur, quand Perle ajouta:

– J'ai parlé avec votre père et nous avons décidé de quitter dès demain pour remonter à l'extrémité de nos terres le long de la rivière Du Moulin. Là, nous serons à l'abri.

Ils dormirent difficilement. L'odeur de brûlé assombrissait leurs pensées et la couche de fumée infiltrée dans la maison meurtrissait leurs yeux. Après un déjeuner composé de pain, de lait et de fromage, tous y mirent du sien pour charger le chariot et la calèche. Vêtements, meubles, aliments et accessoires seraient emportés avec eux. Avec ce feu qui semblait tout détruire sur son passage, ils pouvaient difficilement envisager de revenir dans cette demeure. Un dur voyage, vite préparé et essentiel, les attendait !

Les quatre vaches, les deux cochons et les quelques poules allaient compléter ce groupe qui fuyait devant l'odeur de fumée et la brume qui s'épaississait.

Perle démontrait une certaine nervosité pour ne pas dire une fébrilité lorsque le cortège prit le sentier qui les conduisait directement à un endroit sûr. Le ciel chargé de vapeur alourdissait leurs jambes et, semblables à des fantômes, ils avançaient à travers le boisé. Lents se faisaient leurs pas et ils avaient encore plusieurs acres à parcourir. Faisait-il jour ou nuit lorsqu'ils arrivèrent ? Impossible à savoir, car le ciel se perdait dans la brume, si épaisse qu'il devenait difficile de percevoir le moindre objet dans les limites de la longueur d'un bras. On pouvait presque la saisir, comme on saisit les flocons de neige qui s'envolent dans les bourrasques d'une tempête d'hiver. Curieusement, pas de bruit d'animaux, le chant des oiseaux s'était tu, les petits rongeurs au pelage brun roux, à la queue en panache que l'on rencontrait en si grand nombre dans cette forêt ne semblaient plus exister ! La faune avait disparu !

.•.

Lorsque Perle aperçut la rivière, elle retrouva son flegme, son sang-froid, les siens étaient à l'abri. Si jamais le feu venait trop près, ils trouveraient refuge dans la rivière.

L'eau, ennemi naturel du feu, protégeait les poissons et pourquoi pas l'homme, la femme et l'enfant qui s'y réfugieraient le temps venu.

Joseph fit avancer les chevaux au milieu de la rivière. À cet endroit, la profondeur ne dépassait pas trois pieds. Quelques objets imperméables furent glissés dans la rivière. Augustin et ses sœurs veillèrent à ce qu'ils soient bien ancrés afin qu'ils ne soient pas entraînés par le courant. Sur la petite grève, les animaux attendraient la venue de l'ouragan de feu annoncé par cette brume et, si nécessaire, on les abriterait dans la rivière. Que de nervosité dans ce lieu, rester en place, attendre la menace qui s'infiltrerait à travers le rideau de brume et de poussière, qui vous picotait les yeux, rien de rassurant, surtout pour de jeunes adultes. Joseph courait partout, soucieux d'aider, de soutenir ses enfants, de protéger les siens. Curieusement, Perle avait conservé son calme de la matinée, ce qui pouvait laisser perplexe. La panique l'étouffait-elle? Ou bien, elle était indifférente? Allez savoir! Mon père, Augustin, raconta qu'il n'avait jamais vu sa mère si sereine. Après quelques années, il vint à la conclusion qu'elle savait tout simplement ce qui allait arriver.

– Voyons! C'est impossible! Personne ne connaît l'avenir si ce n'est Dieu, dit aussitôt Flora.

William, toujours aussi attentif, assis sur son siège droit et dur enchaîne:

– Pa, puis ensuite, raconte...

Ne portant pas attention à la remarque de son épouse, Henri reprend:

– Toute la famille se retrouvait sur le bord de la grève, leur faisant face à l'est, les terres boisées de Thomas Desmeules et des montagnes chargées de bois et de cachettes pour de nombreux animaux. De quoi attiser n'importe quel brasier! Ces montagnes prenaient leur lancée au Sud où se retrouvaient le boisé et les terrains appartenant aux Therrien et la cascade par laquelle passait la rivière, leur actuel refuge. Au nord, appartenant à Joseph, il y avait un couvert d'arbres borné par des terres déboisées et le hameau central du Canton composé des maisons regroupées autour de l'église en pierre où, chaque dimanche, Joseph et l'un ou plusieurs des membres de sa famille se rendaient. Enfin, à l'ouest, derrière eux, sur plus de deux kilomètres, leur boisé de beaux pins, hauts de 30 à 40 pieds, lequel donnait directement sur les terrains défrichés et cultivés où se trouvaient leur maison, le petit hangar et l'étable qui pouvait abriter une dizaine de bêtes. Non loin de ces bâtiments passait une petite route et la rivière Chicoutimi «Chekutimiwo» qui, en cet endroit, devait avoir au moins deux cents pieds de large. Une barrière naturelle qui arrêterait sûrement le feu, cette fureur qui embrasait le ciel d'un rouge capable de percer la brume.

Le feu poussé par un vent venant du nord-ouest continuait sa galopade accompagnée d'un bruit sourd et continu. Depuis leur arrivée à la rivière Du Moulin, ce bruit s'amplifiait, ressemblant de plus en plus au son que font les sabots d'un troupeau de percherons galopant à toute allure.

Le creuset géographique dans lequel Perle et les siens s'étaient réfugiés les sauverait-il du brasier?

En fin d'après-midi, le feu atteignit les terres de Joseph. Sautant la rivière Chicoutimi d'une rive à l'autre, volant d'un arbre à l'autre, il grisait tout sur son passage. Perle, Joseph et les enfants virent venir le chariot de feu vers eux. Tout d'abord, un bruit sourd et profond se fit plus présent, ensuite une chaleur intense s'installa rendant l'air, déjà lourd, irrespirable et la peau du visage et des mains, brûlante. Enfin, tombant à la manière d'une pluie abondante, des cendres noires tapissèrent le sol... Joseph, les enfants... la rivière, de l'eau, de l'eau, s'abriter, se cacher du feu... mais comme hypnotisée, Perle restait impassible. Était-elle inconsciente du danger? Acceptait-elle la mort, l'horrible possibilité de cuire dans ce brasier? Non! Perle avait senti le vent sur sa peau! Le vent qui, depuis quelques heures, lentement, très lentement, changeait passant du nord-ouest au sud-ouest, au sud. C'est ainsi que le vent, ce compagnon de vitesse, détourna la course folle du feu de l'endroit où Perle et les siens se trouvaient. Il continua sa route vers le nord, épargnant de quelques centaines de pieds les habitations du hameau pour se perdre et, enfin, mourir deux jours plus tard dans les terres en friches et en semences bornant le Saguenay.

Lorsque la famille Desbiens regagna l'intérieur de leurs terres, l'ampleur de la catastrophe remplit leurs yeux de larmes.

À moins de trois cents pieds de l'endroit où ils s'étaient réfugiés, une armée de cadavres calcinés avait remplacé ce qui était auparavant un joyau de verdure. Seuls survivaient quelques arbres le long de la rivière Du Moulin. De leur maison et bâtiments, il ne restait que des cendres noires... il faudrait tout rebâtir!!! Que de malheurs!!!

La malchance avait frappé, oui, la malchance avait frappé, provenant du nord-ouest, l'ouragan de feu pénétra de plein front sur les terres de Joseph pour aussitôt virer vers le nord poussé par le vent du sud qui prenait sa vitesse de croisière. Ce maudit feu épargnait ainsi les trois quarts des précieux lots à bois de leur voisin Therrien. Que de bonté démontrée par Dieu à celui-ci, mais pour Joseph et sa famille?

Ses souvenirs revenant à la surface, Henri s'arrête, conscient qu'il vient de lever toutes les barrières qui l'empêchaient de se remémorer ces moments remplis d'émotion. Comme à toutes les fois que son grand-père racontait ce passage, oui, à toutes les fois, sur ses joues creuses perlent des larmes...

Flora et les enfants fixent Henri, mais aucun son ne sort de sa bouche soudainement tarie.

– Henri, Henri, qu'est-ce que tu as?, demande Flora en posant ses mains sur les siennes.

Sursautant comme lorsqu'on sort d'un rêve, il répond :

– Ah rien, je n'ai rien! En fait, vous raconter tout ça me fait tout drôle. Ça éveille en moi de vieux souvenirs que je ne m'étais pas rappelés depuis longtemps.

Percevant de la fatigue chez son père et sachant très bien qu'il pourra toujours lui demander de continuer, William lui suggère :

— P'a, il fait noir dehors, on est tous fatigués. Angella, Benjamin et moi, on va se coucher sur les bancs qui sont libres. M'an et toi, prenez nos bancs.

Henri regarde sa montre qui indique vingt-et-une heures dix, puis :

— O.K., ç'a du sens ! Moi aussi, je suis fatigué. On va se reposer.

À cet instant, comme deux roues qui s'enchaînent, l'homme à la casquette pénètre dans le wagon et prend la parole.

— Excusez-moi, mesdames et messieurs, il se fait tard et je dois éteindre la lumière pour les passagers qui veulent se reposer.

— Monsieur, vers quelle heure allons-nous arriver ? demande Flora.

— L'arrivée est prévue pour huit heures du matin. Il ne devrait pas y avoir de retard. Nous sommes presque à mi-trajet avant notre prochain arrêt au Lac-Saint-Jean.

— Merci monsieur ! dit Flora en lui souriant de ses dents blanches.

Le contrôleur, au visage rondelet barré d'une moustache noire et épaisse, hésite avant de lui retourner son sourire. « ... Un habitué à donner des politesses et non d'en recevoir... », pense Flora en elle-même pendant que l'homme ajoute : « J'ai des couvertures si vous en avez besoin... »

– *19* –

Canton, maison des Therrien

Donnant sur un vaste salon, la salle à manger est dotée d'un énorme foyer qui remplit bien sa tâche lors des rudes hivers québécois. Une table construite en planches d'érable pouvant accueillir une douzaine de personnes en occupe une grande partie.

En cette fin de journée du mois de juillet, tous les membres de la famille Therrien prennent le repas du soir autour de l'immense table. D'un côté, Camille et ses deux filles Blanche et Éliane, de l'autre, Gaston, Jacques et leur grand-mère Melvira. À chaque extrémité, toujours à la même place, on retrouve Théodore et son père Arthur. La soupe aux pois rehaussée de minces lanières de bacon du pays fume dans les bols de terre cuite déposés méthodiquement devant chacune des places. Trempant un croûton de pain dans sa soupe préparée par Camille à partir de la recette qui lui vient de sa mère, Jacques, le plus vieux des garçons, lance la conversation :

– Il paraît que le vieux d'à côté n'en a plus pour bien longtemps.

– Ouais, un bon débarras, répond spontanément son grand-père, le vieux Arthur, tout en continuant à happer sa soupe.

– Arthur, s'il-te-plaît, pas devant les petits ! s'exclame la grand-mère.

Levant la tête, les deux bras sur la table, jetant sur son épouse un regard hostile :

– J'ai dit, « un maudit bon débarras » et je le répéterai où et quand ça me plaira. Ce vieux-là, il était comme son père. Ils ont toujours pensé que tout leur appartenait parce qu'ils se disaient les premiers arrivés dans le coin. Même les caribous, pis les autres animaux sauvages qui allaient sur leurs terres, c'étaient à eux. Bon débarras !

Pis, lui disparu, on va maintenant pouvoir acheter ses terres pour pas grand-chose.

Prenant une bouchée de pain, il continue :

– Théod, je veux que tu fasses les démarches pour ça. Je t'accompagnerai si tu veux...

– Ça ne sera pas nécessaire, j'étais au courant de la situation depuis un bon bout de temps et j'ai déjà demandé au notaire de faire les démarches. Ça devrait pas être difficile, car il n'y a plus personne chez les Desbiens pour s'occuper de la terre. Le seul encore capable, il n'est pus par icitte !

– C'est bien ! conclut d'un air satisfait Arthur qui, malgré ses 76 ans, reste très alerte et vigilant. Seul son dos plus courbé, quelques rides et ses cheveux blancs annoncent le poids des années.

Après ces propos malveillants, un silence profond s'installe rompu par le bruit des cuillères entrant en contact avec la pierre du bol et la soupe que l'on ingurgite avec appétit.

Camille et Éliane terminent de servir le repas principal lorsque Théodore, s'adressant à cette dernière, dit :

– Éliane, ta mère m'a dit que tu avais obtenu le poste d'enseignante.

Il fait une pause, prend entre ses gros doigts la cuisse de poulet, la porte à sa bouche, y mord à pleines dents et poursuit comme s'il se parlait à lui-même :

– Le curé pis le maire nous devaient bien ça. Avec tout ce que la famille a donné depuis des années à la paroisse, le bois, pis la pierre pour bâtir l'église, l'eau qu'on leur a permis de prendre dans le lac en haut des montagnes pour l'aqueduc, pis tout dernièrement le bois pour le futur centre communautaire... c'est normal, ils pouvaient pas passer à côté... Éliane, quand tu verras ton oncle Wilfrid, tu n'oublieras pas de lui dire merci pour les bonnes paroles qu'il a dites au curé. Lui et moi, on fait une maudite bonne équipe !

De nouveau, le silence prend nid pour être brisé par Arthur. Mâchant un morceau de poulet avec les quelques dents qui lui restent encore, le grand-père fixe sa petite-fille de ses yeux autoritaires et lui dit :

— Comme ça, tu as fini tes études. Ouais, tu vas être bonne à marier bientôt ! L'autre jour, j'ai rencontré le médecin du Canton avec son fils. Ça, c'est un beau parti pour toi !

Il reprend une bouchée de poulet et enchaîne :

— Théod, tu devrais en parler au médecin. C'est un bon ami de la famille.

Abasourdie, plus qu'étonnée par les dernières paroles que son grand-père vient de prononcer, Éliane reste bouche bée, tandis que sa mère assise à côté ne laisse pas passer l'occasion et le reprend :

— Voyons, monsieur Therrien, c'est pus comme ça que ça se passe aujourd'hui !

Aussitôt, sans lui laisser le temps d'en dire plus, Arthur réplique à sa bru d'un ton qui ne laisse aucun doute sur sa colère :

— C'était comme ça dans mon temps, pis à ma connaissance, ça l'est encore aujourd'hui ! Dans notre famille, on respecte les coutumes. O.K. !

Du coin des lèvres, Jacques sourit à ce que son grand-père vient de dire à sa mère. Il se dit qu'elle ne pourra pas toujours protéger ses filles, surtout sa préférée et cela, ça lui plaît !

La tête haute, mâchouillant fortement une dernière bouchée, Théodore dit, d'un ton poli mais puissant, de façon à ce que tout le monde comprenne :

— Pa, Éliane est encore un peu jeune pour la marier. Mais on va commencer à y voir. Belle et instruite, elle fait un beau parti. Ça, c'est certain !

Cette fois, c'en est trop ! Frappant la table de ses mains, les yeux brillants de colère, Éliane s'impose :

— C'est de moi, c'est de ma vie que vous parlez. Non, mais, si jamais je me marie, je le ferai avec celui que j'aurai choisi. C'est pas de vos affaires !

À la façon d'un boxeur qu'on attaque, Théodore ne se gêne pas pour répondre coup sur coup à sa fille. N'est-il pas le maître des lieux?

— Ben ça, ma fille, on verra bien, tu n'es pas encore majeure. En attendant, tu restes encore icitte et c'est moi qui paye! C'est moi qui décide!

Se détournant vers sa mère à la recherche d'un soutien, Éliane la suppliant presque:

— Maman, voyons, ça n'a pas de sens, on se croirait au Moyen Âge!

Camille regarde sa fille et, d'un air compatissant, baisse la tête et lui dit en haussant les épaules:

— Ah!... Demain, tu viendras avec moi à la gare. La robe que je t'ai commandée doit arriver par le train de Montréal.

Ensuite, elle se lève et se dirige vers le comptoir, s'enfermant dans un mutisme total. Pas un autre mot, pas un seul autre mot ne peut sortir de la bouche de Camille...

Partie 2 : L'arrivée

– 1 –

Wagon numéro 4

Dans le train, fort de ses chevaux vapeurs bien alimentés dans ses fournaises par le charbon noir, les passagers du wagon 4 dorment. Les banquettes de bois leur servent de lit, des lits durs mais combien utiles pour ceux qui font un long voyage.

Pour les nouveaux voyageurs comme la famille Desbiens, le train avance d'un pas de roue continue et fixe. Pourtant, lors des longues montées, la locomotive de tête, bien que chauffée à bloc, perd souvent le rythme. Mais l'horaire doit être respecté, il faut arriver à l'heure promise: voilà le défi de cette machine et des hommes qui l'entraînent sur des milliers de milles de cordons de fer.

Malgré les rideaux aux fenêtres du wagon qui filtrent la lumière du matin et assurent une pénombre bienfaisante pour les dormeurs, William entrouvre les paupières à bonne heure. Accompagnant le lent mouvement de berceau des wagons coulant sur les rails, il dirige ses pensées vers le récit de son père : une touchante mais désolante histoire de famille.

« ... Lui, William Desbiens, descendait directement d'un coureur des bois, d'un bâtisseur ! Tout un homme, son arrière-grand-père! Que cela devait avoir été dur de vivre dans ce temps-là! Quel homme!

Que penser de son épouse, Perle, une femme spéciale; elle le fascine, mais pourquoi? Peut-être par son statut d'Indienne, de Montagnaise! Il se l'imagine jeune et belle avec ses longs cheveux noirs, pieds nus, habillée d'une robe faite de peau de caribou sur laquelle on a cousu des franges couvertes de petites perles. Elle s'avance vers lui, souriante, les lèvres entrouvertes laissant entrevoir ses dents parfaites, d'une blancheur éclatante. S'arrêtant à moins d'un pied de lui, elle lui prend les deux mains pour les placer dans les siennes comme si elle s'apprêtait à lui parler. Son visage est parfait, jamais il n'a vu un si beau visage. Des yeux, des yeux si noirs, si brillants dans lesquels il peut se voir. Des miroirs... Et soudainement... Non! Non! cette mystérieuse femme a disparu aussi mystérieusement qu'elle est apparue...».

«... Mais je rêve tout éveillé...», s'étonne William. Vraiment, l'histoire de ma famille me hante. Il se lève, se dirige face à la fenêtre de la porte d'accès et, au même moment, il constate que le train ralentit. Peut-être sont-ils arrivés. Face à la fenêtre, il soulève un coin du rideau. Les montagnes ont disparu laissant la place à des champs qui surplombent une impressionnante étendue d'eau. Probablement le lac dont sa mère leur a parlé avant leur départ, se dit-il. À Montréal, il s'était déjà rendu au port voir les immenses bateaux qui venaient d'Europe. Quel beau fleuve, de largeur modeste, il s'étendait du nord au sud, laissant difficilement deviner ses limites, mais cette nouvelle étendue d'eau lui semble beaucoup plus grande, du moins, dans sa largeur!

Lentement, tout en douceur, le train décélère à l'approche des maisons qui animent un paysage parsemé de champs en culture.

Henri a rejoint William lorsque le train s'arrête aux abords du quai de la gare. Petite et très différente de celles de Montréal et de Trois-Rivières, cette gare est recouverte de lanières de bois de bouleau peintes en jaune et les cadres des fenêtres sont de couleur brune comme les portes. La façade du bâtiment s'étire sur environ soixante pieds et l'immense toit en forme de diamant s'avance à mi-parcours sur la galerie qui sert de jetée pour le débarquement ou l'embarquement des passagers et des marchandises.

Tout en haut des portes, en façade, se trouve une enseigne que William peut lire et sur laquelle est inscrit en grosses lettres noires sur fond blanc: «Gare de Roberval».

– Il est quelle heure? demande-il à son père.

Celui-ci jette un regard à sa montre de poche qu'il a tirée de son pantalon et répond de sa voix encore lourde de sommeil:

– Presque sept heures cinquante. Ouais, on peut dire qu'ils sont à l'heure. Le contrôleur avait dit qu'on arriverait à huit heures.

Malgré le temps frisquet et l'heure matinale, une bonne dizaine de personnes s'activent sur le débarcadère. Assurément des passagers en attente, des parents venus accueillir l'un des leurs ou des employés du train.

Dans le wagon, la vie reprend. Flora vient de sortir de son sommeil et debout derrière son mari et son fils, elle dit:

– On est arrivés!

– Oui, man, sur la pancarte, c'est écrit «Gare de Roberval».

S'approchant de la fenêtre, le visage collé à la vitre, Flora reprend:

– Ouais, ça a l'air calme icitte. Je me demande s'ils ont du café à l'intérieur de la gare. J'ai encore des biscuits, du pain et du fromage, mais plus rien à boire.

Ouvrant les rideaux dans toute sa longueur pour laisser entrer la clarté d'une matinée qui s'annonce ensoleillée, Henri répond:

– Je vais aller voir avec William. Si on trouve pas, on demandera au contrôleur.

Aussitôt le train accosté au quai, Henri prend la direction de la sortie du wagon suivi de William. Les pieds sur les marches descendant vers le débarcadère, les deux hommes, sans se concerter, jumellent leur mouvement. Ils s'arrêtent, prennent une grande respiration, pour remplir leurs poumons de l'air frais du matin. Après vingt heures passées à l'intérieur d'un wagon, quel bonheur d'aspirer, de sentir cet air au parfum de la rosée du matin. «C'est sûrement la proximité de l'eau, de ce gigantesque lac qu'il a aperçu par la fenêtre du wagon qui propage cette fraîcheur et cette sensation de grand espace», pense William.

Puis les deux hommes posent pied sur le débarcadère. S'aventurant sur celui-ci, comme une fleur qui après un orage s'offre aux rayons du soleil, William sent monter en lui des élans de hardiesse qui fait que tout individu, dans son for intérieur, peut croire en ses capacités d'affronter la vie...

– 2 –

Gare de Roberval

Toum! Toum! murmure le plancher de bois dur de la salle d'accueil de la gare à chacun des pas que pose le visiteur. Celle-ci est déserte, mais William n'a besoin de personne pour comprendre que l'endroit n'offre pas de nourriture, ni de breuvage. Il rejoint son père à l'extérieur et, sans prononcer une seule parole, il suit son père qui semble avoir trouvé une solution. En effet, suivant les conseils d'une vieille femme aux mains et au visage plissés, Henri se dirige vers la bâtisse voisine de la gare où une jeune fille répond gentiment à leur demande:

– Un grand bol de café pour 10 cents, assez pour satisfaire cinq personnes. Ça fera votre affaire?

– Mademoiselle, auriez-vous aussi du pain et du fromage à vendre? Nous sommes partis de Montréal hier matin et il ne nous reste pas grand-chose à manger.

– Eh bien, je vais aller voir si j'ai ce qu'il faut.

La jeune fille virevolte et, d'un pas décidé, disparaît par une porte entrouverte. Debout en attente, William entreprend d'examiner la pièce. Trois fauteuils, un canapé, le tout en bois de chêne foncé recouvert d'un tissu de velours vert olive occupent la majeure partie de cette pièce mesurant environ douze pieds sur quinze; ils ressemblent étrangement aux meubles des parents de sa mère « des fauteuils de style victorien », affirmait sa grand-mère. Tout au fond, une bibliothèque couvre l'ensemble du mur en largeur et en hauteur; il doit bien y avoir trois cents, peut-être cinq cents volumes! William ne saurait le dire, car c'est bien la première fois qu'il voit tant de livres dans une maison. Ces gens aiment lire, pense-t-il, tout en relevant que les fauteuils se prêtent bien à ce genre d'activité avec leur dossier élevé.

L'atmosphère chaleureuse de la maison et l'esprit de ses occupants commencent déjà à s'imprégner chez les nouveaux venus. Est-ce en raison du décor avec ses murs recouverts d'une tapisserie aux petites fleurs blanches et vertes sur un fond brun ou, encore, la hauteur du plafond beige qui laisse découvrir de riches boiseries à fleurs blanches?

De retour, la jeune fille leur dit:

– J'ai de quoi vous dépanner.

Elle tend vers Henri un pain qui le surprend par sa grosseur. Ne sachant trop que faire, il le contemple tel un trophée.

Heureuse de voir que l'homme semble content de ce qu'il voit, la jeune fille ajoute:

– En plus de ce bon pain du pays, j'ai aussi une bonne livre de fromage. C'est mon grand-père qui le fait, vous verrez, il est sublime!

– Combien pour le tout, demande Henri, les yeux fixés sur le morceau de fromage que seules quelques petites encavures de la grosseur d'une noix le distinguent de ce qui pourrait être du beurre.

– Cinquante sous, ça fera votre affaire?

– Oui! Je prends le tout, dit vivement Henri.

En voyant cela, William se dit: «Si cette jeune fille est à l'image des gens d'ici, ce devrait être des gens de cœur. À Montréal, on en trouve de moins en moins...».

Les deux hommes reprennent le chemin de la gare, leurs visages coupant l'air frais du matin et leurs pas annonçant la joie de pouvoir rassasier les ventres creux.

Le déjeuner composé de café, de pain et de fromage répand la joie chez les membres de la famille Desbiens. Un tel fromage, jamais, à part Henri, ils en avaient goûté de semblable: un goût de lait, de crème, accompagné d'on ne sait quoi. Un peu salé, pas trop, assez dur mais aussi assez mou pour provoquer un chuintement sous l'action des dents qui l'écrasent. Un vrai délice, pense Flora qui, regardant sa petite famille apprécier ce repas, dit de sa voix douce:

– Henri, s'ils ont la même recette chez tes parents, on va en manger souvent !

– Certain m'an, approuve Angella.

Au même instant, l'effervescence annonçant le départ prochain du cheval de métal reprend. Le cortège de wagons bouge ses roues d'acier vers l'avant pour revenir aussitôt sur ses pas, évoquant un athlète olympique qui se prépare sur ses blocs de départ dans un mouvement de va-et-vient. Ce petit manège durera près de trois minutes, de quoi réveiller les passagers encore assoupis sur leurs sièges de bois.

Bien assis sur son siège, William fixe par la fenêtre le grand balcon de la gare presque vide qui valse de droite à gauche, de gauche à droite... Le train va repartir lorsque apparaît un homme d'âge moyen mesurant sûrement plus de six pieds, une valise à chaque main. Il avance d'un pas pressé presque à la course et est vêtu d'une longue robe noire volant de droite à gauche.

– Tiens, le curé va manquer son train, dit William à voix haute.

– Quel curé ? Il est où ?

– Sur le quai d'embarquement, répond William à son père qui, après avoir jeté un coup d'œil sur lui, se lève promptement pour se diriger vers la sortie.

Imitant le geste de son père, William se retrouve sur le quai.

– 3 –

Maison d'Augustin Desbiens

En cette fin du mois de juin 1924, il se sent vieux, ses os lui font mal, très mal. Ce mal provoqué par de simples mouvements lui arrache le cœur, ce cœur si fatigué par ces longues années à se battre avec la vie. Car la vie est dure dans cette contrée, où les quatre saisons se relancent l'une après l'autre, d'année en année, à répétition. L'année précédente, celle de ses 71 ans, il resplendissait de santé. Même à cet âge avancé pour son époque, il se levait vers quatre heures chaque matin pour traire les vaches, déjeunait et repartait aussitôt vers les champs ou la grange pour les travaux de la ferme. Au printemps, il avait fait les semences avec les chevaux et réparé les clôtures de broches et bien d'autres travaux. L'été venu, il avait sorti le fumier de l'étable à la brouette et attelé son cheval de trait Beauregard pour livrer son lait à la fromagerie. Bien musclé, ce boulonnais était fort comme deux ; ses membres puissants et courts, son encolure épaisse et sa crinière touffue, sa robe brun miel, ses grands yeux noirs, en plus de sa taille, environ six pieds au garrot, en faisaient un compagnon irremplaçable !

Mais lorsque le temps vint pour Augustin de faucher le foin, de le râteler, de le charger à la fourche, cela fut plus difficile qu'auparavant; il en fut de même pour la récolte du blé et de l'avoine. Moissonner, rassembler cette récolte en quintaux pour le transport... il avait cru que ce travail n'en finirait jamais avec cette nouvelle douleur dans les bras, les jambes, dans tout son corps et qui ne le lâchait jamais. Sa visite chez le vieux médecin du Canton ne lui apporta pas un grand soulagement. «De la fatigue! À ton âge, c'est bien normal d'avoir du mal! Pis tu travailles trop dur! Tu n'es pas obligé de te lever tous les matins à quatre heures, demande à ton aide d'en faire plus.» Voilà quel fut le résultat de cette consultation.

Juste avant les premières neiges, il avait bûché son bois, plus de cinquante cordes, de quoi entretenir le poêle pour la cuisine et chauffer la maison dans l'année qui suivrait. Cette fois-là, «l'engagé» avait été utile. Mais à partir de fin décembre, le lendemain de Noël, Augustin fut cloué au lit. Gagnant du terrain jour après jour, le mal s'installait profondément dans sa structure osseuse. Dès lors, il commença à se sentir seul bien que Germaine, l'aînée de ses filles, habitât avec lui sur la ferme ancestrale.

Fils de Joseph Desbiens et de Perle Nepetta, Augustin épousa Claire Tremblay, la fille d'un cultivateur du coin; elle lui donna cinq enfants avant de suivre dans la mort la dernière morte-née, Esther.

Claire, sa douce épouse, l'une des plus belles filles du Canton d'après les vieux, n'avait que 33 ans lorsque la mort la frappa. Bien jeune pour laisser un mari avec cinq enfants.

Homme de volonté ayant hérité de la stature physique de son père en plus petit, Augustin fit face avec grandeur à la situation. Cinq enfants sur les bras quand, en plus, on doit travailler à entretenir une ferme, c'est tout un défi!

« Ne les place pas à l'orphelinat. Nous allons les prendre et dans quelques années, tu viendras les chercher! » C'est dans ces mots que ses sœurs Jeanne et Marie-Ange lui proposèrent de s'occuper des trois plus jeunes, Henri, 2 ans, Marie, 4 ans et Marguerite, 5 ans. Toujours selon elles, Germaine, la plus vieille, âgée de 12 ans, pourrait rester avec son père et serait en mesure de prendre soin de sa cadette de 8 ans, Thérèse, tout en vaquant à la maisonnée. Évidemment, elle n'irait plus à l'école! Même le curé vint le voir:

– Qu'est-ce que tu fais avec tes enfants?

– Mes enfants, je vais en prendre soin moi-même. Vous voulez pas que je m'en sépare, j'espère?

Le curé, un homme reconnu pour sa franchise et son assurance, répondit avec un regard autoritaire:

– Place-les à l'orphelinat. C'est le meilleur endroit pour eux. Comment veux-tu t'occuper d'eux et de la ferme?

Des enfants, ça a besoin d'attention et surtout d'être enca-drés. L'orphelinat, c'est une bonne école de vie.

Sans hésitation, Augustin riposta :

— Non jamais. Les gens diront ce qu'ils voudront, c'est mon affaire. Je vais garder mes enfants, ce sont les miens ! Je saurai m'en occuper...

Homme de cœur et de volonté, Augustin le fit avec suc-cès mais non sans peine. Même qu'il envoya ses enfants à l'école et tous, sans exception, terminèrent leur primaire et quelques années plus tard... Thérèse maria Edgard Boivin, fils du propriétaire du plus gros magasin général du Canton; Marie épousa Thomas Dallaire, forgeron à Saint-Prime au Lac-Saint-Jean; Marguerite prit le voile chez les sœurs du Saint-Sacrement à Chicoutimi; Germaine, por-trait craché de sa mère, ne voulut jamais prendre mari ; «ma destinée est de m'occuper de mon père», affirmait-elle à tous ceux qui l'interrogeaient et, Henri, l'unique gar-çon, resta pour aider son père à la ferme. À l'âge de vingt ans, il partit sans laisser d'adresse, sans dire un mot à qui-conque. Aujourd'hui, plusieurs années après ce malheu-reux événement, Augustin pleure encore à la seule pensée de son fils. Pourtant, il avait su à l'avance! Ses rêves, ses songes annonciateurs! Pourquoi ne pas avoir parlé aux pa-rents de la jeune fille pour qui le cœur de son fils battait. Peut-être que lui, en tant que descendant de la grande fa-mille «Nepetta», aurait réussi à changer le cours de la vie de son fils! Mais il ne bougea pas...

Couché sur son vieux lit douillet, le même qui accompa-gnait sa mère dans ses rêves fantastiques, Augustin pense à la dernière visite du vieux Médore Girard. Tous les gens du Canton l'appellent le docteur, mais pour lui, ce vieux Médore n'est qu'un charlatan qui ne fait que constater les dégâts, un incapable face à la maladie. Combien de visites il fit à sa femme Claire sans jamais réussir à la soulager ! Tout ce qu'il avait su dire c'est qu'elle souffrait d'une mala-die du ventre incurable. Il l'aimait tant sa Claire !

Cette fois, c'est de lui qu'il s'agit. «Augustin, tu sais, tu te fais vieux. Le poids des années a laissé sa marque sur tes os et je ne peux pas faire grand-chose! J'ai bien quelques médicaments qui soulageront la douleur, mais c'est tout ce que je peux faire.» C'est ainsi que le vieux Médore lui avait annoncé sa maladie. Un maudit charlatan incapable de dire la vérité, qu'il n'y a plus rien à faire, que la fin arrive. Pourtant lui, Augustin Desbiens, qui n'exerce pas la médecine, sait comme il a su pour sa femme, et ce, bien avant qu'on lui annonce la mauvaise nouvelle car il a souvent de ces rêves qui annoncent des événements à venir. Mais il faut savoir être attentif pour bien les lire et cela exige une bonne dose d'expérience. Jeune, il aimait raconter ses rêves à sa mère. Avec patience, elle l'écoutait d'une oreille attentive sans juger et lui posait toujours la même question: «Ça veut dire quoi pour toi?»

Aussi, lors de son rêve où un grand oiseau s'envolait emportant le nouveau-né de sa Claire pendant que les autres, avec leurs becs pointus, restaient là comme en attente d'une nouvelle proie, il s'était posé la question avec précaution, mais combien cela fut difficile d'y répondre. En effet, comment interpréter un tel rêve lorsque ceux et celles que l'on aime sont concernés?

Épuisé par son combat contre la douleur, Augustin laisse voyager ses pensées: il se voit tantôt dans ses champs à rassembler ses bêtes; tantôt marchant à travers ses boisés si majestueux; tantôt avec son père et sa mère, discutant autour de la table; tantôt à l'intérieur de leur première maison de rondins, là où il vit le jour; tantôt avec ses trois sœurs, s'amusant non loin de la rivière où ils se sont abrités du grand feu; tantôt aidant son père et la corvée à construire la maison dans laquelle il se trouve actuellement couché...

Pendant une bonne partie de la matinée, son esprit rebondit d'un point de sa vie à un autre pour enfin trouver un sommeil qui l'amèna à voyager encore plus loin, un sommeil que tout son être accueille avec une satisfaction intense dans l'attente d'une autre crise.

Quai de la gare de Roberval

Encore sous le choc, Daniel arrive enfin au quai de la gare. Depuis sa sortie du séminaire voilà dix-huit ans, il réside à Chambord. D'abord à titre de vicaire, ensuite comme curé depuis les huit dernières années. L'observation qu'il a tirée auprès de ses amis curés lui a toujours laissé l'impression qu'un curé qui dépasse cinq ans dans un même lieu fera au moins vingt ans, mais voilà, l'évêché le ramenait à l'ordre. Le mois de mai, mois de Marie venait de prendre fin lorsque, dans son courrier, il reçut la missive suivante :

Chicoutimi, 15 mai 1924

M. Daniel Couture
153, rue Morin
Chambord, Québec
Canada

Monsieur,

Il est de mise que votre simple serviteur, André Létour-neau, évêque de Chicoutimi, procède à chaque année à diverses nominations.

Votre expérience dans la paroisse de Saint-André-de-Chambord nous permet de croire que vous pouvez rendre de grands services à notre évêché.

Actuellement, la paroisse de Notre-Dame-du-Canton requiert les services d'un nouveau vicaire, lequel viendra en soutien à notre représentant, le curé Joseph Lampion.

Étant assuré de votre promptitude à remplir vos obligations, nous vous désignons comme vicaire de la paroisse de Notre-Dame-du-Canton. Votre nouvelle fonction prendra effet en date du 20 juillet de l'année actuelle.

Nous vous souhaitons tout le succès dans votre nouvelle paroisse et dans l'appel des prières de Dieu, de la Vierge Marie et de tous les Saints.

Médérik Gobeil
Évêque du diocèse de Chicoutimi

La lettre portait bien la signature de l'évêque. Il la relut plusieurs fois afin de s'assurer de son contenu. Oui, en lettres bien formées, elle disait clairement qu'il devait être en poste pour le 20 juillet 1924. L'évêque le ramenait de curé à vicaire, une rétrogradation! Qu'avait-il fait pour subir ses foudres?

Bien qu'il eût réfléchi pendant de nombreuses heures, Daniel ne put trouver de raisons pouvant justifier la décision de celui-ci et pas plus sur son retour à son lieu de naissance chez les siens. Aussi, lorsqu'en cette matinée de juin deux bons samaritains lui offrirent de l'aider pour porter ses bagages et qu'il reconnut en l'un d'eux son meilleur ami d'enfance, il pensa en lui-même: «... C'est la volonté de Dieu, un appel! Retourner chez soi là où on est né, revoir un ami qu'on a perdu de vue depuis plus de vingt ans: ça ne peut être que pour faire le bien!... ».

– Henri! Henri Desbiens! C'est bien toi?, s'informe-t-il sur un ton démontrant bien son étonnement.

– Oui! Oui! C'est bien moi! Et toi, Daniel Couture, toi avec une soutane de curé! Qui aurait pu le croire?

Puis le silence s'établit, prenant tout l'espace du charme des retrouvailles. Les deux hommes se regardent longuement et s'approchent l'un vers l'autre, pour une accolade comme seuls peuvent le faire de vrais amis.

– Je savais que c'était toi. Je t'ai reconnu aussitôt que je t'ai aperçu par la fenêtre, courant vers le train. Je me suis dit, j'vais aller le chercher pour qu'il s'assoie avec moi et ma famille.

– Ça va me faire plaisir de connaître les membres de ta famille. Mon numéro de wagon sur le billet est le quatre.

– Ça tombe bien, c'est le même que le nôtre, se réjouit Henri en soupirant de satisfaction.

Marchant d'un pas rapide, les hommes gagnent les marches du wagon. Se tournant vers Henri qui le suit, Daniel, encore tout surpris de la rencontre lui demande:

– Henri, qu'est-ce qui te ramène par icitte? Si je me souviens bien, tu es parti la même année où j'entrais au séminaire.

Tu n'as pas averti personne, tout ce qu'on a su, c'est que tu avais pris les champs !

Fixant le regard de celui qui a été son ami de jeunesse, Henri, d'un ton incertain, lui répond :

— Ça, c'est une longue histoire, je t'en parlerai plus tard.

. .

Daniel trouva son siège tout au fond du wagon. Le garçon qui accompagnait Henri sur le quai d'embarquement plaça ses valises sous la banquette et regagna sa place. Daniel n'était pas à son premier voyage, il savait que d'ici à son port d'arrivée, il y aurait plusieurs arrêts. Tout d'abord, Roberval, ensuite Desbiens, Hébertville, Jonquière, Chicoutimi et, enfin, la gare du Canton.

Quelques minutes plus tard, le temps que le train prenne son allure de fonceur qu'il perdra cependant très bientôt, Henri, debout près de Daniel, lui dit sur un ton plein d'entrain :

— Viens que je te présente à ma femme et à mes enfants. Ensuite, on pourra parler, mettre nos pendules à l'heure.

Il se lève et suit Henri. Un sentiment de bonheur flotte dans le wagon; Daniel se sent maintenant tout léger. Cette matinée qui, au départ, s'annonçait difficile, lui réservait indéniablement d'agréables surprises.

— Je vous présente Daniel Couture, mon ami d'enfance qui, comme vous le voyez, est maintenant un homme de Dieu.

Daniel s'avance et tend la main vers la femme qui agrée ce geste.

— Je m'appelle Flora, enchantée de faire votre connaissance monsieur l'abbé.

Assez jolie cette femme, pense-t-il, tout en jetant un coup d'œil rapide aux trois jeunes gens assis en face d'elle et en leur présentant la main.

— Moi, c'est William, déclare le plus grand et le plus costaud des deux garçons.

Le contact de la main du garçon surprend Daniel. Une chaleur indéfinissable, que de force et de douceur à la fois... cette main l'envoûte, le magnétise et il comprend que le jeune homme lit en lui et que ses yeux pénètrent son esprit, son être tout entier. Il avait déjà vu des yeux semblables, de ces yeux qui vous saisissent, vous hypnotisent. Oui, du déjà vu mais où? Il lâche promptement la main du garçon pour prendre celle de la jeune fille qui, toute sérieuse, lance avec vigueur:

— Moi, je suis Angella et lui, c'est Benjamin.

Daniel, calmement, serre la main frêle et menue du garçon. Celui-là, contrairement aux deux autres, manque d'assurance, pense-t-il. Peut-être qu'avec le temps, ça viendra. Il est encore très jeune, peut-être quatorze ou quinze ans pense-t-il lorsque interrompant ses pensées, le jeune homme au regard saisissant s'adresse à lui:

— Où allez-vous comme ça?

Le fixant d'un air sévère, Flora le reprend aussitôt:

— Voyons William, soit poli, tu n'as pas à poser de telles questions à monsieur. Excuse-toi!

— Ce n'est pas bien grave, madame. Je ne suis pas du tout offusqué et, pour bien dire, moi aussi j'aurais le goût de vous poser la même question. Je vais répondre à votre fils, William, si je ne me trompe? C'est bien ça?

— Oui, mon nom est bien William, confirme-t-il, les yeux fixés sur le prêtre à la manière d'un renard avec sa proie.

— Je me rends à ma nouvelle paroisse. Monseigneur l'évêque m'a nommé vicaire de la paroisse de Notre-Dame-du-Canton qui se trouve d'ailleurs à être ma paroisse natale.

Spontanément, après un court instant de silence, comme s'il avait jugé le pour et contre de ce qu'il devait dire:

— C'est quand même très surprenant, car il n'est pas de coutume de se faire nommer là où réside notre famille. Vous savez, les conflits... Sûrement que l'évêque a ses raisons pour m'envoyer là!

Puis de nouveau, faisant une pause, le temps de refaire ses idées, il demande :

– Et vous, que faites-vous dans ce train ?

Encore tout ébahi des propos de son ancien compagnon de jeux, Henri jette un coup d'œil vers son épouse et dit :

– Eh bien, j'ai reçu un télégramme voilà quinze jours m'annonçant que mon père est gravement malade. Mon épouse et moi avons...

– 5 –

Maison des Therrien

D'un pas rapide, Éliane gagne son refuge. Débouchant sur le long corridor perpendiculaire à l'escalier central, celui-ci fait face aux montagnes qu'elle aperçoit grâce à la fenêtre à six carreaux. Très tôt, dès l'âge de cinq ou six ans, elle a pris conscience de l'effet bénéfique des murs de sa chambre qui ont le don de la couper d'un monde souvent hostile. Surtout celui de son père, un être qui sait dégager autant d'amertume et de froideur que l'eau glacée qui pénètre dans vos bottes par un matin d'hiver.

Encore une fois, dur il a été, pour ne pas dire exécrable, se dit Éliane étendue sur son grand lit à baldaquin. Bâti en bois de bouleau du pays, ce lit mesure au moins six pieds de long sur presque quatre pieds de large. Aux quatre coins un poteau de près de sept pieds supporte un filet de dentelle fabriqué par sa grand-mère Melvira. Une commode du même bois pourvue de larges tiroirs de rangement et surmontée au centre d'un magnifique miroir ovale taillé en biseau complète l'ameublement de la chambre.

Pensant aux derniers événements, Éliane pleure en silence. Elle se rappelle les paroles de sa mère «tu es maintenant en mesure d'être indépendante...» pendant que de ses yeux bleus coulent des larmes salées qui sillonnent ses joues rebondies de jeune fille. Oui, sa mère avait peut-être raison.

Non, son père ne la mariera pas au premier venu. Elle se souvient que dans ses leçons d'histoire, la sœur Béatrice, une petite femme au visage trop rond comme le reste de sa personne, racontait que le roi de France promettait des femmes aux hommes de Nouvelle-France. Ces pauvres femmes devaient obéissance totale, sinon la mort ou l'emprisonnement les attendait. Cela se passait voilà plus de deux cents ans. Aujourd'hui, ce n'est plus pareil, il y a eu une évolution... mais, Éliane sait que son père ne l'entend pas de la même façon. S'opposer à celui-ci, c'est brimer son autorité, son pouvoir de père de famille incontestable aux yeux de l'Église et des commandements de Dieu; pourra-t-elle aller contre le quatrième commandement de Dieu: « Père et mère tu honoreras afin de vivre longuement » ?

Elle, Éliane Therrien, choisira son mari, et ce, seulement si elle décide de prendre mari. Plus elle réfléchit aux propos de son père, plus elle lui en veut, plus sa colère intérieure s'installe et s'incruste, comme des coups de ciseaux qui lacèrent le bois. Non, non, non, et non: si son père et sa mère ont conclu un tel mariage, elle ne répétera pas ce geste et, surtout, elle ne se laissera pas faire !

Doucement, Éliane se lève et ouvre un tiroir à la recherche d'un mouchoir pour assécher ses yeux et son visage humidifié par les larmes. Elle se regarde dans le miroir et, pour la enième fois, prend conscience de sa grande ressemblance avec sa mère. Même bouche, mêmes yeux, même front, même couleur de cheveux, même menton: une copie. L'image réfléchie par le miroir, c'est sa mère, sa mère qu'elle trouve si jolie, si élégante avec sa démarche; ses pas qui lui font penser à ceux des danseuses qu'elle a vues sur la scène de son école et dans les illustrations de livres.

Éliane sait qu'elle aussi est une jolie et même une très jolie jeune femme. Continuant à fixer le miroir, il lui semble que cette journée lui a apporté bien des joies mais encore plus de peines et de soucis. Tout est flou dans sa tête: père, mère, travail, mariage, famille... Elle se dit: « ... Ouais, il faut parler de tout ça avec Estelle. Elle m'aidera sûrement à y voir plus clair !... ».

Estelle Gervais est cette fille aux cheveux blonds, aux yeux bruns en forme de noisettes et aux membres élancés. Elle l'a connue l'été de ses dix ans lors d'une récolte de « fruitages ».

• •
•

Chargés, pliant sous le poids des fruits énormes, les framboisiers s'allongeaient des deux côtés de la clôture de cèdre. D'un côté, les terres des Therrien, de l'autre, celles des Gervais.

Éliane terminait sa ramasse lorsqu'elle vit une jeune fille accroupie qui cueillait les fruits rouges qui pendaient des plants surchargés. Elle s'approcha d'elle pour lui parler et là dès cet instant naquit une amitié que souvent seuls les amoureux connaissent.

Cela faisait déjà cinq belles années que l'amitié se tissait entre les deux jeunes filles quand Estelle dut quitter la ferme de son oncle. La santé de sa mère revenue, elle alla rejoindre les siens dans ce que l'on surnommait maintenant le village, depuis la construction de la voie ferrée. En effet, celle-ci avait engendré un grand bond au centre du Canton faisant doubler le nombre des maisons et des commerces tout autour du colossal clocher de l'église. Malgré les deux milles de distance qui séparaient les deux amies, elles continuèrent à se voir, particulièrement durant la période estivale favorable aux séjours d'Estelle à la ferme.

À 16 ans, les deux jeunes filles étaient maintenant presque des femmes... fort gracieuses d'ailleurs!

Une vraie «Don Juan» cette Estelle! Combien de fois Éliane avait-elle été témoin des regards insistants que posaient les hommes sur elle. Mais ce qui avait fait d'elle sa grande amie, c'étaient sa franchise, ses propos qui vous faisaient mal tout en vous remettant d'aplomb, comme le fait tout bon «ramancheur» avec votre bras brisé.

Oui, Estelle, la fille de Lucien Gervais, chef de la gare du Canton, avait ce pouvoir de vous faire voir la vérité, de vous faire reconnaître que vous vous mentiez à vous-même et, ce pouvoir, Éliane en avait actuellement grandement besoin...

Allongée sur son lit, les deux bras vers le haut soutenant à l'aide de ses mains sa tête lourde de peine, elle laisse aller ses pensées et trouve enfin le sommeil en se consolant sur la certitude que lors de sa visite du lendemain à la gare, elle rencontrera son amie.

117

– 6 –

Maison d'Augustin Desbiens

Germaine tire le rideau d'un jaune défraîchi par le temps pour faire entrer la lumière du matin. Dehors, le ciel est d'un bleu qu'on ne trouve qu'en été; aucun nuage ne flotte sur cet espace que le soleil traversera dans les prochaines heures.

À l'intérieur, grâce à l'ouverture de la fenêtre qui laisse pénétrer la brise matinale, l'air s'est rempli de la rosée du matin.

La veille, le malade s'est endormi facilement. Les médicaments du vieux docteur continuent à faire leur effet, mais pour le mauvais patient qu'est Augustin Desbiens, ils ne sont que du bonbon à prendre, «une pure perte», affirme-t-il avec mépris.

Augustin bouge et, tranquillement, à l'image d'un animal blessé, il quitte son sommeil.

– Salut le pére!

Ce dernier ne répond pas immédiatement et prend le temps de s'asseoir sur le bord de son grand lit recouvert d'un drap beige que Germaine remplacera par un autre comme à tous les matins.

– Comment ça va? demande Germaine à son père

– J'ai bien dormi, le sommeil m'a été réparateur, le mal n'est pas là ce matin.

– C'est plaisant à entendre, mais il ne faudra pas trop en faire aujourd'hui.

– Oui, mais, c'est pas aujourd'hui qu'ils arrivent?

– C'est bien aujourd'hui. Normalement par le train en début d'après-midi, répond Germaine qui enchaîne. Le télégramme disait qu'ils partaient le 15 au matin et qu'ils arriveraient à quatorze heures le lendemain.

– Qui va aller les chercher? questionne le vieil homme, toujours assis sur son lit.

– J'ai déjà demandé au mari de Thérèse, mais comme vous semblez bien aller, je crois que je vais atteler la jument et m'en occuper moi-même.

Augustin lève la tête vers Germaine et jette un regard approbateur.

– Ouais, ça a du sens, mais il faudrait peut-être quand même qu'Edgar vienne. Ils doivent avoir beaucoup de bagages!

– Vous avez raison le pére! Avec les bagages pis la quantité de gens, ça fait un peu trop pour la jument. À deux, on ne sera pas d'trop!

Germaine s'avance pour aider son père à prendre pied afin de faire sa toilette, mais comme si les propos qu'il vient de tenir lui avaient donné un regain de vie, il se lève bien droit et se dirige vers le bureau sur lequel se trouvent un vase d'eau, du savon et deux serviettes. Ce matin, Augustin se lavera seul, descendra au rez-de-chaussée pour déjeuner et fera sa barbe avant de remonter...

Inquiet, il demande d'une voix rauque, signe que la toux veut revenir:

– Germaine! Hem... Hem... Est-ce que tout est prêt... hem... pour les accueillir?... Hem... Hem...

– Voyons l'pére, tout est correct! J'ai même prévu un petit goûter. Après un si long parcours, ils auront sûrement un p'tit creux dans l'estomac. C'est pas dans le train qu'on mange beaucoup et surtout bien!

N'écoutant que son état d'âme, Augustin insiste et ajoute en toussant:

– Pour les chambres, tu... hem... vas les installer comment?

– Vous êtes bien nerveux! Faut pas vous en faire. J'ai pensé à tout, la grande chambre, celle du fond à droite sera pour Henri et sa femme. Les garçons, je les installe, un dans votre ancienne chambre et l'autre dans la chambre à côté. Pis la fille, dans la chambre à droite de l'escalier, à côté de ses parents.

– Ouais!... Hem...

Consciente que ses propos ne rassurent pas totalement son père, Germaine ajoute :

– De toute façon, si ça ne plaît pas à l'un ou à l'autre, on n'aura qu'à les placer ailleurs. L'important, c'est d'être là pour les accueillir, on s'ajustera bien !

– T'as bien... hem... raison ma fille, pour le moment, il faut s'occuper d'aller les chercher... Hem... Peut-être que je pourrais aller avec toi les accueillir, je me sens O.K. pour ça.

– Voyons pa! Ça va vous fatiguer pour rien. Aller à la gare et revenir, ça va me prendre pas plus d'une heure. Pendant ce temps-là, vous vous reposerez pour être en forme quand ils vont arriver. D'ailleurs, il faut soigner cette vilaine toux.

Germaine prend la cruche de terre et verse de son contenu dans le grand vase. Elle fait bien attention de ne pas verser toute l'eau qu'elle contient sachant que son père aura besoin de bien se rincer après un bon savonnage. Il finit son grand ménage, comme il le dit si bien, lorsqu'elle reconnaît le bruit des sabots de chevaux au contact d'un sol sablonneux.

Germaine regarde par la fenêtre et dit d'un ton enjoué :

– C'est Edgar.

– Thérèse est... hem... pas avec lui, demande Augustin à sa fille, assis sur la seule chaise de la chambre en train de lacer ses souliers.

– Non, elle doit sûrement garder l'épicerie.

D'un ton démontrant bien sa déception, Augustin enchaîne :

– Elle ne vient pas souvent me voir... Hem...

La calèche tirée par un cheval dont la fière allure laisse supposer qu'il vient d'une lignée renommée s'arrête devant le portique de la maison. Calme, le cou bien droit et les pattes bien musclées, sa couleur d'un gris du même ton que la calèche donne l'impression qu'il a été teint avec le même pot de peinture.

Suivant les directives que Germaine lui donne par la fenêtre entrouverte, Edgar Boivin monte directement à la chambre du vieillard d'un pas rapide.

– Bonjour, monsieur Desbiens. Comment ça va, ce matin?, lance-t-il, debout, les deux mains appuyées sur le cadre de porte de la chambre.

Pour toute réponse, Augustin lui sourit, se lève et se dirige vers la porte, montrant son intention de gagner le rez-de-chaussée. Cassant ce moment de silence, celui-ci après avoir lâché une série de « hem hem » dit calmement :

– C'est cet après-midi qu'ils arrivent par le train hem... de quatorze heures. Tu iras les chercher? Peut-être que tu pourrais prendre ta voiture et Germaine la nôtre.

– Pas de problème, je vais être là. Germaine, c'est bien avec le train de quatorze heures?

– Oui, le train de quatorze heures, c'est ce qui était écrit sur le télégramme. J'espère que le bonhomme Gervais a correctement transcrit le télégramme. Il paraît qu'il fait de plus en plus d'erreurs. Avec sa surdité y...

– 7 –

Wagon numéro 4

Longeant le grand lac qui remplit la vue des voyageurs, le train n'a pas aussitôt pris l'allure de conquérant que ses moteurs retombent dans un doux ronronnement. Sa pause à la petite gare peinte en vert forêt du nom de Desbiens est de courte durée; le temps de prendre une dizaine de passagers, il repart vers une nouvelle destination qui, selon les dires du contrôleur, se trouve à une demi-heure de là.

Le paysage d'eau a été remplacé par un décor où champs, arbres et maisons se succèdent, quand, assis face à sa mère, William se penche vers elle et lui demande:

— Man, pa n'a pas fini de nous raconter l'histoire de sa famille et on arrive bientôt. Crois-tu qu'il va continuer?

— Je pense bien! On va lui demander s'il n'y pense pas.

Puis jetant un coup d'œil vers le fond du wagon, elle enchaîne:

— Aussitôt qu'il aura fini de jaser avec son ami le prêtre. Tiens, regarde, il s'en vient.

William détourne la tête et aperçoit son père qui, d'un pas ferme, traverse le wagon pour rejoindre les siens.

La rencontre de son copain d'enfance paraît lui avoir insufflé un baume de joie. Vraiment, le retour dans sa région natale commence bien. Tout souriant, Henri reprend sa place près de sa femme et lui dit:

— Ouais, vous avez l'air de m'attendre. Que diriez-vous si je finissais mon récit?

Réjoui d'entendre ces paroles, William, assis entre son jeune frère et sa jeune sœur, répond d'un ton joyeux:

— On t'attendait tous pour ça, pa!

— J'ai hâte de savoir ce qu'ils ont fait après le feu, renchérit Benjamin.

– Ouais, P'a, qu'est-ce qu'ils ont fait? demande Angella qui, malgré son jeune âge, démontre déjà une sensibilité très profonde à l'égard des gens qui l'entourent.

À ce sujet, Flora croit qu'elle et son frère Benjamin retiennent du père et que seul William lui ressemble. Non pas qu'elle et son fils ne soient pas sensibles aux autres, mais de là à se mettre à pleurnicher pour des riens, pour la moindre chose!

Attentif aux demandes des deux plus jeunes, Henri, d'une voix grave et posée commence;

– Après le passage du courant de feu, plus rien ne restait de la maison, des bâtiments, des cultures et d'une bonne partie de la terre à bois. Lorsque votre arrière-grand-père et votre grand-père nous racontaient cet événement, ils nous traduisaient en ces termes leur état d'âme: « Que des cendres noires qui vous coloraient, vous noircissaient au moindre pas, au moindre mouvement, qui incrustaient leur odeur dans vos vêtements, vos pieds, vos jambes, votre tronc, vos mains, votre tête, vos cheveux et qui s'infiltraient par vos narines pour envahir votre sang, vos poumons et votre cerveau! De la vraie merde, de la merde noire!»

Dans les jours suivant ce désastre, du secours arriva. Les gens du Canton et des alentours épargnés par le feu organisèrent des corvées. Ils aidèrent Joseph et les siens à récupérer du bois meurtri par le feu mais encore utilisable et construisirent une maison et un hangar tout près de la rivière Du Moulin, non loin de l'endroit qui leur avait servi de refuge. Juin débutait et il n'était pas trop tard pour nettoyer et remettre quelques coins de terre en culture avec du blé, du maïs, des patates, enfin, tout le nécessaire pour faire face à l'hiver qui, comme à chaque année s'installerait à la tombée du feuillage.

Les matériaux de construction manquants et le nécessaire aux plantations furent donnés par des gens du Canton. Divers meubles et objets consumés par le feu furent remplacés soit par le menuisier du Canton, par le marchand général ou encore par des bienfaiteurs.

C'est de cette façon que votre arrière-grand-père et les siens débutèrent leur nouvelle vie. Quelques années plus tard, ils agrandirent la maison et le hangar et améliorèrent le chemin de terre longeant la rivière Du Moulin afin de faciliter les allers et retours aux diverses commodités qu'on retrouvait au centre du Canton.

À la façon des raconteurs d'histoires, Henri s'arrête un court moment et contemple son auditoire, puis en souriant, il reprend son récit.

– La vie reprit son rythme avec ses joies et ses peines. Malgré les événements, le conflit avec les Therrien continua et, avec les années, alla jusqu'à diviser quelques familles du Canton, les résidants dans les rangs prenant parti pour notre famille et ceux du centre, pour les Therrien.

À ce moment, Flora coupe la parole à son mari et lui pose la question suivante :

– Henri, pour le voisin, le monsieur Therrien, comment ça s'est passé pour le feu ?

– Ah lui, le feu, je pense vous l'avoir dit, avait épargné ses terres mais pas sa maison et ses bâtiments. Avec les gens de la corvée, il a reconstruit et quelques années plus tard a aménagé une nouvelle demeure aux abords de la rivière Du Moulin à environ un mille de la ferme de mon père. Tu verras, c'est une immense maison toute de pierres, une dizaine de pièces, deux grandes cheminées, un vrai château. Il faut dire qu'il en avait les moyens, car avec l'exploitation du bois, il en a profité pour ouvrir des chantier : un sur la rivière Du Moulin et l'autre sur la rivière Chicoutimi.

Henri fait une autre pause, comme s'il avait besoin de réfléchir, puis continue :

– Sur la rivière Du Moulin, au printemps, le bois descendait jusqu'aux limites de nos terres et là, il était chargé ou on le laissait descendre. C'était la même chose sur la rivière Chicoutimi. Je vois encore ces énormes billots descendre sur la rivière gorgée d'eau. Des hommes les accom-

124

pagnaient le long de la rive ou parfois montés sur leur dos. Quel spectacle! Ouais, je crois bien que ça ne doit plus exister aujourd'hui, car lorsque je suis parti pour Montréal, on parlait beaucoup de la construction d'un chemin de fer pour faire le transport du bois ainsi que d'une écluse. D'ailleurs le chemin de fer devait passer sur nos terres!

L'air perplexe, interrogateur, Henri regarde Flora et, avec un haussement d'épaules, dit :

— Je me demande bien comment c'est aujourd'hui...

∴

Le train poursuit sa course à la rencontre des fils soutenant ses roues d'acier pendant que le soleil qui l'accompagne dans sa conquête des distances commence sa montée qui le conduira à son apogée du midi. Il en est bien à mi-course.

Dans le wagon 4 à demi occupé, les membres de la famille Desbiens sont captivés par la voix de leur chef pendant que les autres passagers semblent faire partie d'un autre monde. Soit qu'ils somnolent dans l'attente du prochain arrêt, soit qu'ils vivent leurs lectures, soit qu'ils réfléchissent sur un pourquoi, un qui, un quand, un comment, à l'image de ce que fait l'homme de Dieu qu'est Daniel Couture.

Fascinée par la leçon de courage de ses ancêtres, Angella a écouté religieusement l'histoire de sa famille, en se disant qu'elle leur doit respect. Mais que lui réserve l'avenir à elle et à sa famille? Pour elle, tout n'est pas clair, bien des questions la tourmentent. Seront-ils vraiment mieux qu'à Montréal, comme leur assure leur mère? Comment est son grand-père, ses oncles, ses tantes, la maison où ils habiteront?

Que de questions pour une jeune fille de son âge qui ne demande pas mieux que de grandir auprès des siens. Il faut absolument qu'elle sache. Aussi, elle ose questionner :

— Pa, la maison où on va vivre, pis la ville, comment c'est?

Surpris par une telle spontanéité, tout le monde écarquille les yeux, sauf Flora qui sourit, non pas que ce soit drôle, mais bien parce que cela la rassure. Jetant un regard rapide à ses deux fils, elle saisit qu'eux, tout comme elle-même, sont plutôt satisfaits du questionnement d'Angella. Encouragée par cette réaction, rapidement, elle renforce les propos de sa fille tout en gardant l'espoir de connaître la raison du départ de son mari du Canton, sujet qu'il n'a pas encore osé aborder :

— Ouais, Henri, c'est bien beau de connaître l'histoire de ta famille, mais l'endroit où on va, dis-nous comment c'est : la maison, la ville, les gens, les magasins... Et fixant son mari, elle poursuit :

— Tu ne dois rien nous cacher, même s'il est trop tard pour revenir sur notre décision de quitter Montréal. C'est important pour nous tous.

Après tout ce qu'il vient de raconter sur ses ancêtres, Henri reste étonné. Pour un homme qui, pendant vingt ans, a fait le vide de ses proches, n'a-t-il pas fait un grand effort ? Maintenant, les siens en connaissent assez sur lui et sa famille. C'est ce qu'il croit mais... à bien y réfléchir, n'est-il pas normal que sa femme et ses enfants en sachent beaucoup plus ? Tout ce changement, ce déplacement si rapide, son mutisme des vingt dernières années, cela doit sûrement les intriguer. Lui-même ne se questionne-t-il pas sur son lieu d'origine, sur ce que sont devenus ceux et celles qu'il connaissait, qu'il fréquentait ? Prenant son courage à deux mains, il rétorque :

— C'est pas facile de répondre à ce que vous demandez. Vous savez que ça fait une vingtaine d'années que je suis parti du Canton et que je n'ai reçu aucune nouvelle depuis ce départ. Aussi, quand vous me demandez de vous parler de la maison et de tout le reste, je n'ai en mémoire que les souvenirs de mes vingt-deux ans.

À la recherche d'un signe d'approbation, aucun son ne sort de la bouche d'Henri, puis, comme satisfait, il reprend :

– J'espère qu'il n'y a pas eu de gros changements, car je peux vous dire que par rapport à notre logement de Montréal, la maison de mon père vous paraîtra immense avec ses grandes chambres, son salon, sa cuisine et sa cuisinette d'été. Elle a deux étages et fait face à la rivière avec des murs de madriers de pin empilés à plat et un toit de tôle galvanisée de style canadien. Une grande galerie en fait le tour protégée par un avant-toit supporté par d'imposants poteaux magnifiquement travaillés. Dans la cour arrière, la grange, faite de planches de cèdre lambrissées doit bien avoir cent pieds de long sur cinquante de large, et ce, sur deux étages. On peut facilement y abriter cinquante têtes de bétail et les équipements de la ferme ; un poulailler et un abri pour les cochons y sont rattachés.

Les yeux grands ouverts, fixant son père, Angella écoute avec attention, ne voulant manquer aucun détail. La boule de stress qui avait commencé à prendre forme en elle s'estompe au fur et à mesure qu'elle entend son père. Tranquillement, tous les muscles de son dos, de son visage, se relâchent, laissant place à l'espoir, à la confiance.

– Pour ce qui est des commodités, c'est sûr que l'on n'aura pas les mêmes qu'à Montréal : on va habiter en campagne, pas en ville ! Mais il y a une chose que je peux vous garantir, vous allez boire de la bonne eau, de l'eau claire, de l'eau sans arrière-goût, qui descend directement des montagnes, des sources... Dans mon temps, il y avait dans la cuisine une pompe à main dont l'eau sortait toujours fraîche, toujours bonne à boire ! J'espère qu'elle est encore là...

Henri s'arrête pour prendre une grande respiration et continue :

– L'année de mon départ, mon père a installé des toilettes à l'étage du bas afin de ne plus avoir besoin de courir dehors, surtout l'hiver ! Quant à l'éclairage, on avait seulement des petites lampes à l'huile et des cierges. Maintenant, il doit bien y avoir l'électricité, comme à Montréal ! Pour le chauffage, mon père avait installé un poêle à chaque étage, on les allumait tôt à l'automne jusqu'aux premiers jours d'été. Je me souviens que le poêle de la grande cuisine, lui, il en mangeait du bois, mais quelle bonne chaleur il libérait. Ah, j'oubliais que, dans la cour, entre la grange et la maison, on trouve un caveau à peu près de la hauteur d'Angella surmonté d'une petite case en bois de cèdre qui sert à la conservation des légumes et des aliments. Sur place, vous verrez bien !

Le visage d'Henri est resplendissant. On sent qu'il savoure le bonheur, la joie de se rappeler ses origines, son passé. Tout excité, avec un de ses plus beaux sourires, il ajoute vivement comme pour conclure :

— Je suis sûr que vous allez aimer la maison; le site est merveilleux avec la rivière, les montagnes et le coucher de soleil qui entre par les fenêtres de la cuisine. Concernant la ville, ou plutôt le Canton, c'est un petit village dont le centre est composé d'une soixantaine de maisons avec une superbe église en pierre, une école, un magasin général qui appartient d'ailleurs au mari de l'une de mes sœurs. Il y a plusieurs autres fermes comme la nôtre que l'on retrouve tout autour du village et dans les chemins longeant chacune des deux rivières qui relient le Canton à la ville de Chicoutimi. Notre ferme est située à environ deux milles du centre du Canton.

Étonnée par les dernières paroles de son père, Benjamin, ne laissant aucune chance à sa sœur qui s'apprête à répliquer, lance :

— Comme ça, on va être isolés, tout seuls. Deux milles, c'est loin de l'école. Comment on va faire ?

– *8* –

Canton, maison des Therrien

Encore très bas, le soleil brille de tous ses rayons dans un ciel sans nuage en cette matinée de juin. Assis dans sa chaise de rotin d'un vert forêt qui commence à pâlir avec le temps, le père d'Éliane fixe la montagne lui faisant face. Dégustant le café du pays préparé par son épouse, ses pensées s'entremêlent concernant le souper de la veille.

Du revers de la main gauche, il essuie les quelques gouttes de café qui ont trouvé refuge au coin de sa bouche lorsque Camille vient le rejoindre. Debout devant lui, elle lui dit :

— Tu as bien l'air pensif ce matin, tu n'as pas dit un mot du déjeuner.

Pareil à un sourd, Théodore ne bronche pas, garde la tête droite, le regard fixé sur la montagne, comme s'il était seul au monde.

Par expérience, Camille sait que, dans ces moments-là, il vaut mieux ne rien bousculer. Son mari, s'est levé du mauvais pied, et comme un guépard, il n'attend que le moment propice pour faire mal, griffer de toute sa hargne avant de dévorer sa proie. Aussi, d'un pas léger mais rapide, elle se dirige vers la porte donnant accès à un refuge plus sûr lorsqu'il l'interpelle :

— Reviens icitte tout de suite, il faut que je te parle.

Camille se sait prise au piège ; ses muscles se contractent, se figent au timbre imposant de la voix de son agresseur. Tranquillement, le temps de retrouver le contrôle de ses sens, elle pivote pour lui faire face et, tout en le fixant de ses yeux bleus, d'un pas sûr, elle le rejoint et lui dit calmement :

— Tu n'as pas le droit de me traiter de cette façon. Moi je ne te parle pas comme ça !

– Comment ça, tu penses que j'ai pas le droit? réplique Théodore, le sourire en coin tout en poursuivant avec fermeté. Tu es ma femme, j'ai le droit de faire ce que je veux. C'est moé qui te fait vivre! Aussi, tu feras bien ce que j'aurai décidé.

Ces paroles pénétrèrent les oreilles de Camille pour atteindre le plus profond de son âme. Jamais, l'homme qu'on lui a imposé comme époux n'a été si loin dans ses paroles. Il lui a déjà fait sentir sa domination à plusieurs occasions, mais toujours avec un mélange de sous-entendus. Non, jamais comme aujourd'hui. Les jambes tremblantes d'un mélange de crainte et de fureur, elle sent son cœur éclater et la colère surgir en elle; elle rougit et ses yeux lancent des éclairs meurtriers en direction de cet homme si méchant. Malgré tout, elle ne dit mot, comme toujours depuis le tout début de son mariage, prêtant ainsi le flanc aux humeurs de son mari.

– Écoute ben ce que je vais te dire, car je ne te le répéterai pas deux fois. Pus jamais, pus jamais tu reprends mon pére devant les enfants, pis quand je parle, tu m'appuies ou tu te tais. C'est moi, icitte, qui décide, c'est pas toi, compris! Je ne te l'répéterai pas. Tu as compris?

Se détournant pour la regarder, Théodore saisit le bras de Camille et ajoute d'un ton militaire:

– Maintenant, rejoins tes plats et va nous faire de la soupe aux légumes pour le dîner.

Sous le choc, celle-ci se sent incapable de bouger; et comme si rien ne s'était passé, son mari se lève, quitte le balcon et se dirige vers l'étable. Aussitôt qu'il disparaît par la porte de côté du bâtiment, les yeux en larmes, Camille regagne la cuisine. Rapidement, le vide de la pièce l'amène à se ressaisir, car il ne faut pas que les enfants et surtout les parents de Théodore la voient dans cet état, se dit-elle. Puis, jetant un regard par la fenêtre, elle constate que la hauteur du soleil doit donner proche de sept heures. Dans quelques minutes, les garçons devraient avoir terminé la traite. Plus de quarante bêtes à délester de leur liquide blanc qui sera immédiatement entreposé dans des pichets et que l'on transportera d'ici l'heure du midi vers la fromagerie-beurrerie du Canton.

Camille est encore sous l'effet des derniers moments lorsqu'Éliane fait sont entrée dans la pièce. Silencieusement, comme si elle connaissait l'état d'âme de sa mère, elle prépare son déjeuner: un café et une rôtie qu'elle dépose sur la grande table de bois. Camille ne dit mot, observe le drôle d'état d'âme de sa fille, se sert une tasse de café et s'assoit près d'elle. Se massant la nuque, l'air un peu embarrassé, elle rompt le silence d'une voix fragile:

– Ouais, ça fait bien longtemps que je t'ai vue te lever si tôt. Au moins deux ans! Oui, deux longues années! Depuis que tu es partie faire tes études chez les sœurs.

Éliane ne répond pas, elle reste silencieuse. Perdue dans ses pensées, en état stationnaire, coite, son pain rôti à la main, elle mâchouille lentement, très lentement sa bouchée.

Camille hésite, prend une gorgée de son fameux café et d'une voix interrogative, assez forte pour sortir tout rêveur de son état de contemplation, elle relance sa fille.

– Éliane! Éliane, ça va?

Celle-ci sursaute et, l'air étonné, semble prendre conscience de la présence de sa mère, la regarde et lui sourit.

– Oui, oui, ça va, excuse-moi, j'étais ailleurs!

Ces quelques mots et son sourire communicateur sont comme un baume sur le cœur meurtri de Camille.

– Man, qu'est-ce que tu as? Tu pleures?

– Ah, c'est rien! Je me suis levée un peu pleurnicharde, lui explique-t-elle.

Éliane se lève, réchauffe son café et s'assoit face à sa mère, la regarde, pour ensuite aller s'asseoir près d'elle.

Au même instant, les cloches de l'église du village annonçant la messe du matin remplissent tout l'espace de leur carillon. En raison de l'effet d'entonnoir que donnent les montagnes environnantes, ces cloches se font entendre à des milles à la ronde, guidant tout voyageur dans la bonne direction. Souvent, par les belles journées, quand un air léger accompagne le vent, le son des cloches double d'intensité comme si « la montagne répondait », disent les vieux du coin. C'est l'instrument de Dieu pour permettre aux fermiers dans les champs de connaître l'heure : à sept heures, elles valsent pour la messe; quinze minutes avant midi, elles reprennent leur danse pour avertir de se préparer pour l'angelus et les douze coups du midi à venir; quinze minutes avant le repas du soir de six heures, elles recommencent le même rythme du midi et à huit heures du soir, elles éclatent de huit coups doubles pour les retardataires. Il y a bien sûr d'autres circonstances où les cloches explosent. Ainsi, elles annoncent la joie d'une naissance, d'un mariage et même la douleur d'un décès.

Pour Camille, ce son matinal indique qu'il lui faut retourner à ses chaudrons pour préparer le déjeuner de ses fils et de ses beaux parents. Ses deux filles, quant à elles, sont assez grandes pour préparer le leur elles-mêmes.

Éliane pose sa main sur l'épaule de sa mère et après avoir croisé son regard :

– Man, tu pleures, tu as les yeux rouges! Il doit pas être content pour hier soir, hein ?

Pour toute réponse, les larmes remplissent à nouveau les yeux de Camille qui, prestement, freine leur coulée salée au haut de ses joues rougies par le soleil des derniers jours.

Éliane regardant sa mère avec un air que l'on prend lors de gros désastres, ajoute :

– C'est bien ça, lui pis ses vieilles idées... Il pense tout de même pas m'imposer un mari. Non jamais! Ça jamais !

– Eh bien, ma fille, ce que j'appréhendais se révèle bien réel.

Telle une mère qui veut protéger ses petits, elle prend Éliane par la main :

– Il est comme son père ! Il pense qu'une femme ça ne sert qu'à faire des enfants, des travaux ménagers, à servir les hommes! Ma fille, les études que tu as faites, c'est pour remplir le temps à ses yeux. Un chien savant, ça étonne, ça surprend, ça se prend bien !

– C'est ça qu'il pense?

– Oui, ma fille, il pense comme ça! Il me l'a déjà dit. Au début, je pensais que c'était pour rire, mais plus maintenant. Il est vraiment comme son père, comme mon père...

Les yeux d'Éliane s'agrandissent d'un mélange de surprise, de peur et de suspicion. Étonnée, le constat d'une réalité qu'elle refuse la rend craintive.

– Man, ça se peut pas, il m'a toujours encouragée dans mes études, il m'aime.

– Ah ça, il t'aime, c'est vrai! Mais à sa façon!

Le bruit sourd de pas sur le pavé sablé conduisant vers la maison se fait entendre. Reconnaissant l'ampleur de ces pas, Camille avale une dernière gorgée de café, se relève et chuchote:

– Éliane, il n'y a pas grand-chose à faire. Il va falloir que tu te prennes en mains. Compte sur moi, je vais t'aider du mieux que je peux. Là, les garçons arrivent, on continuera à en parler plus tard, cet après-midi, quand on ira à la gare, O.K.?

Éliane regarde sa mère, lui sourit malgré les larmes qui gagnent ses yeux, baignent ses pensées et tout doucement murmure:

– Cet après-midi. Ouais...

Wagon numéro 4, William rêve

Les réponses d'Henri à sa femme et ses enfants sont nombreuses et se veulent rassurantes: la distance qui séparait leur résidence de l'école se compare aisément à celle qu'ils parcouraient déjà à Montréal, soit environ une demi-heure de marche; Benjamin et Angella pourront aller faire des études avancées dans la ville voisine; William, s'il n'aime pas le travail à la ferme, pourra se trouver un travail au village ou à la ville.

Pour sa part, Flora s'accommode du regard enthousiasmé de son mari, et ce, même si probablement elle ne connaîtra jamais le pourquoi de son départ vers Montréal. Peut-être plus tard, une fois arrivé dans la maison familiale parlera-t-il... Qui sait? En attendant, soyons patients, bientôt le train arrivera au Canton, pour quatorze heures!...

Seul sur un des bancs situés à mi-wagon, William nage dans un tourbillon de pensées. Leur départ de Montréal, l'histoire de sa famille, la rencontre de l'ami de son père, l'incertitude face à un nouveau logis et à son nouveau travail s'entrecroisent avec une telle rapidité qu'il lâche prise à toute réflexion permettant ainsi à ses pensées de se diriger vers la dame de ses derniers rêves. Qui est-elle? Est-ce Perle? Cette dame, cette femme qui, au dire de son père, avait cette capacité de voir, de prédire. Prédire, oui prédire! Et lui? Oui, lui, pourrait-il lui aussi... Les yeux fermés, bien concentré au rythme du temps, William s'enfonce dans ses pensées à la recherche d'une réponse sensée.

Il en est presque sûr. Oui, ah oui, maintenant, il s'en souvient! Voilà environ deux ans, il a fait plusieurs rêves où lui et les siens, après une longue marche, se retrouvaient dans une grande maison entourée de montagnes, de forêts et de grands champs dorés. Il y avait beaucoup de gens, des gens qu'il ne connaissait pas, mais qui eux, curieusement, semblaient le connaître depuis toujours. Et cette femme, oui, cette femme qui... Mais oui, elle était là, ou du moins elle ressemblait étrangement à celle de son rêve dans le train.

Incrédule et sceptique, William ouvre les paupières et croit en sa folie. C'est impossible, voyons, de faire des rêves qui se suivent et, surtout, de pouvoir se les remémorer si clairement après tant de temps. C'est étrange, très étrange !

Cherchant une réponse à ses interrogations, il ferme les paupières et aussitôt ses pensées refluent vers ses rêves. Puis, soudain, comme un éclair perdu dans le ciel, une jeune fille lui apparaît dans tout son éclat. Elle est là, si jolie, trop jolie pour être réelle, qui lui sourit, marchant à ses côtés dans un champ immense... Beaucoup moins âgée, elle ressemble bizarrement à la femme avec ses longs cheveux noirs bouclés, son nez qui s'amalgame si parfaitement à ses yeux bleus et à sa petite bouche aux lèvres charnues. Sa démarche, malgré sa petite taille, lui donne une allure royale.

Réagissant de la même manière qu'un individu frappé par le tonnerre, William ouvre soudain les yeux et, tout en se redressant sur son banc droit, jette un regard autour de lui à la recherche de tout et de rien. Ayant la sensation d'être observé, il regarde les autres passagers avant de prendre conscience qu'il n'en est rien. Une fois calmé, il essaie de réintégrer l'état de bien-être dans lequel il était lorsqu'il pensait à la jeune fille. C'est alors qu'il se dit que si ces rêves concernant sa famille et leur nouvelle résidence se concrétisent, peut-être que la jeune fille sera réelle elle aussi. Doucement, très doucement, il s'enfonce à nouveau dans ses pensées, vers ses rêves...

« ... Il devait avoir six ans lorsqu'il rêva que son jeune frère se brûlait le bras gauche du haut du poignet au coude en renversant la cafetière brûlante. Quelques jours plus tard, l'incident arriva, mais il ne dit rien à sa mère ni à son père sur son rêve, le hasard pensa-t-il, et à cet âge, quelle importance? Plus tard, ce fut à Angella tombant de la clôture les séparant du voisin qu'il rêva et Angella tomba et se cassa un bras. Là encore, il n'a rien dit!...»

De tels rêves, il en avait eu plusieurs. Aujourd'hui, il se souvenait, oui, il se souvenait «... au feu, au feu...», criait la jeune fille qui courait dans toutes les directions dans la rue. Sans attendre, laissant sur place le repas du midi, William et tous les siens sortirent; le feu n'était pas loin, à deux maisons de leur résidence... l'intervention rapide des pompiers et de plusieurs hommes et femmes avait limité les dégâts à la maison des Bernier. Une dizaine de jours auparavant, il avait vu ce feu, il en avait rêvé très clairement, mais il ne s'en était pas soucié, même pas un mot à personne!...».

Combien de rêves semblables a-t-il fait? Il ne peut le dire, car jamais il ne leur a accordé d'importance. Mais aujourd'hui, suite au récit de son père concernant Perle, son ancêtre, peut-être que comme elle... Non, question saugrenue! Non impossible, ces rêves, ces événements, sont des coïncidences. «... Je suis tout simplement plus sensible que les autres, cela n'est qu'un ramassis de bêtises...», se dit-il tout en se massant les mollets.

Une fourmilière en pleine activité s'est installée à l'intérieur de ses jambes: picotements, élancements se succèdent de façon intermittente. Incapable de rester en place, William se lève, s'étire les bras, les épaules, les jambes et, sans trop réfléchir, se place dans l'allée centrale et commence à déambuler, allant d'une extrémité à l'autre du wagon.

Au bout d'une dizaine de minutes, les fourmis ont disparu, elles se sont envolées et en même temps, les picotements et les élancements. Il continue sa marche et face au banc de l'homme en robe noire:

— Ça va? C'est pas facile pour les jambes et le dos ces bancs. Surtout que vous êtes partis depuis un bon bout de temps.

— J'avais besoin de me dégourdir, mais maintenant, ça va mieux.

– Tant mieux, comme ça, vous allez demeurer chez votre grand-père?

Incertain de ce qu'il doit répondre, William émet un « Ouais » tout en souriant du bout des lèvres.

Sentant l'embarras chez celui-ci, le prêtre lui rend son sourire et relance la conversation:

– C'est la première fois que tu prenais le train?

– Oui.

– Comment trouves-tu ça?

– C'est pas mal comme moyen de transport, sauf peut-être la bouffe, pis l'eau.

– Ah, c'est sûr quand on fait un long voyage comme le vôtre...

Malgré la sensation de prudence ressentie lors de sa poignée de main, William s'avance afin de s'asseoir face au prêtre. Il sait qu'ici il ne court aucun danger et que l'homme peut l'informer sur bien des choses, aussi il demande.

– Je vous dérange?

– Bien sûr que non! Tu peux t'asseoir si tu veux, car avant qu'on arrive à Jonquière, on en a encore pour une bonne heure.

Sans attendre, William enchaîne comme s'il cherchait une approbation

– Ça m'a l'air d'être un bel endroit, là où on s'en va...

Dévisageant le jeune homme de ses yeux d'un brun qui, selon la couleur du temps, changent du foncé au pâle et inversement, Daniel s'avance sur son siège, prenant une posture qui envahit l'espace de ce dernier et, d'un ton se voulant sympathique, dit doucement:

– Un bien bel endroit! Sûrement l'un des plus beaux du Canton avec ses montagnes, ses champs et ses rivières. Et que dire de l'emplacement où est bâtie la maison de ton grand-père, c'est, je crois, l'un des plus magnifiques du coin. Vous allez aimer.

– Mais à ce que je sache, c'est assez loin du village.

– Non pas trop, ça se fait aisément à cheval, même à pied. Ton père et moi, on l'a marché souvent, très souvent même. Une bonne demi-heure à pas rapides! Pas plus!

– Ouais, vous semblez bien connaître notre famille. Mon grand-père, il est comment ?

Cette question surprend l'homme en robe noire. Hésitant à répondre, celui-ci se racle la gorge et marmonne enfin :

– Ton père ne t'en a pas parlé ?

– Non, mon père ne nous a jamais parlé de sa famille avant qu'on parte pour venir par icitte. Je connais ma grand-mère et mon grand-père du côté de ma mère, c'est tout. Ce que je sais de mon grand-père, c'est qu'il est malade et qu'il habite sur sa ferme.

– Eh bien! Moi ce que je peux te dire sur ton grand-père, c'est qu'il m'a toujours accueilli avec gentillesse. Jamais de gros mots. Dans le Canton, dans le temps où j'étais là, il était reconnu comme l'un des ancêtres qui avaient bâti le coin.

À la manière d'un oiseau qui couve son nid, les deux hommes se campent à leurs bancs respectifs puis pour un court moment, un profond silence s'installe avant que William ne reprenne :

– Vous avez l'air d'un prêtre à la mode, j'aime ça !

Daniel Couture, homme de Dieu depuis plus de vingt ans, accepte ces compliments sans broncher, si ce n'est un léger sourire aux coins de la bouche trahissant sa satisfaction.

– Ça ne vous importune pas si j'vous parle de cette façon ?

– Ça me fait rien. C'est parfait! Si c'est ce que tu penses.

– C'est ce que je pense, répond William qui a reconnu derrière la timidité prudente de l'homme la valeur du prêtre. Peut-être, tout comme son père, deviendra-t-il un ami de celui-ci. De son côté, Daniel se dit en lui-même: «Il n'est pas ordinaire ce gars-là! Il me fait penser à son grand-père, le même type de visage, un regard qui vous innonde, qui du premier coup d'œil, vient vous chercher, et sa démarche! Ouais, Henri a un super gars. J'espère qu'il va aimer la ferme ! Et... »

– Vous connaissez mon père depuis longtemps?

– Depuis toujours. Je l'ai connu à l'école en première et on s'est suivis jusqu'à ce que je parte pour mes études de prêtrise. Je me souviens que tous les étés, on passait nos vacances ensemble sur la ferme. Traire les vaches, faire les foins, courir après le taureau, les cochons, aller aux fruitages... on en a passé du bon temps!

Daniel s'arrête un moment, jette un regard par la fenêtre du wagon et ajoute:

– Ton père, c'était mon grand ami et je crois qu'il l'est encore, même si on ne s'est pas vus depuis qu'il est parti du Canton.

S'étant rapproché du prêtre de peur que le bruit continu du train ne lui fasse perdre des mots de leur conversation, William emprunte le procédé d'un enquêteur:

– Comme ça, vous allez être notre curé?

Quelque peu déboussolé, Daniel marque un temps de silence et se raclant à nouveau la gorge:

– Non pas votre curé, votre vicaire.

– Le curé lui, c'est qui? Est-ce qu'il est comme vous? reprend William comme s'il s'adressait à une vieille connaissance.

Curieux, très curieux ce jeune homme, pense Daniel qui aussitôt répond:

– Notre curé s'appelle Joseph Lampion. Il est en poste au Canton depuis plus de dix ans et il paraît qu'il est très autoritaire bien que l'on dise que les paroissiens l'aiment. C'est lui qui mène! Je ne le connais pas beaucoup pour l'avoir rencontré deux ou trois fois à l'évêché.

Semblant plus ou moins satisfait de la réponse du prêtre, William s'exclame:

– Ouais, en tout cas, si ça ne va pas, j'irai vous voir.

Du même coup, il se lève et ajoute:

– Je dois retourner auprès des autres. Je suis bien content de vous avoir parlé. Salut!

– Viens me voir quand tu voudras. Je serai là pour t'écouter et pour parler de choses qui t'intéressent. À la prochaine !

D'un regard observateur, Daniel détaille la silhouette du jeune William jusqu'à son banc.

Ensuite, il reprend la lecture de son bréviaire laissé en plan et, après quelques lignes, ses pensées se dirigent vers son ami Henri et sa famille.

« ... Bien qu'il connaisse la raison de son retour, il n'en sait pas beaucoup sur son départ du Canton voilà vingt ans. Un jour, il faudra bien qu'il en apprenne davantage. Aussi, il ne manquera pas d'aborder le sujet lors de leur prochaine rencontre. Et que penser de son fils, le jeune William à l'esprit si vif, aux yeux mystérieux... Que dire de cette marque, de ce point de beauté en forme d'étoile sur son cou! Il a déjà vu cette marque, ce signe, mais... il ne saurait dire où et sur qui? Bizarre, pour ne pas dire inaccoutumé! Où a-t-il déjà vu cette marque ? Où ? »

À quelques pas de là, assis à côté de la fenêtre, William voit défiler d'immenses champs sur un fond montagneux. Il se sent bien, léger, d'humeur joyeuse. Le sentiment d'être bientôt arrivé à bon port le rend heureux, ce qui semble être partagé à voir l'allure des autres membres de la famille. Ah ! Comme il a hâte de voir enfin sa nouvelle terre d'accueil.

Encore au moins trois heures à passer dans ce wagon avant l'entrée à la gare du Canton prévue pour quatorze heures. Après ces nombreuses heures de voyage, ce wagon est beaucoup moins agréable qu'au départ, surtout avec ses bancs droits et durs qui vous blessent les muscles du dos.

Pensif, William se dit qu'il doit être bon d'écouter son corps. Il ferme les yeux, ses paupières s'alourdissent et, rapidement, il sombre dans un sommeil profond qui lentement, très lentement, permet à l'esprit du rêve de s'installer...

– 10 –

Gare du Canton

Aussitôt le dîner terminé et la table desservie, Éliane et Camille attellent la jument. Il faut faire vite, car le train, cette horloge des voyages, s'arrêtera au quai de la gare à deux heures pile.

Au dîner, la soupe aux légumes et le pâté au poulet de Camille firent fureur. Connaissant les estomacs de ses dîneurs, elle en a préparé une quantité suffisante pour un deuxième repas, prévoyant servir le tout dans les jours suivants, car durant les temps chauds de l'été, la conservation des aliments dans le caveau était très difficile, voire impossible. Après deux ou trois jours, la nourriture se gâte, particulièrement la viande. Conserver celle-ci exige tout un art. Il faut soit la fumer ou la mettre en conserve dans des bocaux qui ferment à l'aide d'un caoutchouc, sinon pour se dépanner, on trouve facilement du lard salé, qu'on sert avec de la salade, ou en grillades avec de la sauce et des pommes de terre du pays.

À l'image de sa mère décédée, Camille aime cuisiner, diversifier ses repas, servir des bons mets aux siens. Tous ceux qui ont eu la chance de s'asseoir à la table des Therrien et de goûter à l'un des mets préparés par Camille en ont répandu la renommée.

«De bons repas nécessitent de bons aliments», voilà un adage que cette excellente cuisinière n'exclut pas. Aussi, quand Camille avait aperçu dans un des magasins généraux de Chicoutimi cette boîte dans laquelle on place de la glace, permettant ainsi de conserver des aliments à l'année longue, elle avait voulu en avoir une immédiatement. Quelle déception, celle-ci ne fonctionne que si on l'attache à un fil, qui lui-même se trouve à être le prolongement d'un autre fil qui amène cette merveille appelée «l'électricité». Mais ce long fil n'existe pas au Canton. En cette année 1924,

seules les grandes villes du Saguenay sont pourvues d'électricité. Ces chanceux peuvent profiter de la boîte à musique, de la lumière vive, de cet appareil qu'on appelle «le
téléphone» qui permet de parler à distance et de plusieurs
autres « gadgets », comme dit Arthur. Les résidants du
Canton devront patienter encore une ou deux années avant
de profiter de cette découverte. Pendant ce temps, ils
devront recourir aux cierges, aux lampes à l'huile, à leurs
« cavreaux »... au télégraphe, sous le contrôle du gardien
de la gare...

À l'heure promise, bien installé devant la gare, le train
ronronne pendant que Camille tire sur les cordeaux. Do-
cile, la jument ralentit immédiatement son pas permettant
ainsi à sa conductrice de la guider plus facilement vers un
espace de la rue de la Station où elle l'installera en attendant son retour.

Assise à côté de sa mère, Éliane observe attentivement
la fourmilière qui remue dans tous les sens. On se croirait
un jour de fête à voir le nombre de calèches, de carrioles,
de charrettes, pense-t-elle. Même l'automobile de monsieur Sirois, l'une des rares à des milles à la ronde, trône
sur la place de tous ses éclats dans sa robe brune. Sa forme
carrée et ses phares surélevés des ailes lui donnent une
allure de fonceuse. Haute sur roues, un marche-pied aide
les passagers et le conducteur à s'introduire à l'intérieur.
Des persiennes installées aux vitres arrières bloquent le
soleil et les regards indiscrets des curieux. Ses sièges rem-
bourrés sont recouverts d'un cuir brun très souple et le
plancher d'un nouveau tissu que l'on dit rare appelé «caoutchouc». En avant, là où se trouve la roue de conduite, des
cadrans indiquent clairement au conducteur l'état du véhi-
cule qui fonctionne grâce à l'énorme bloc de fer, «moteur»,
que l'on fait démarrer par en avant, tout à fait à l'extérieur.
Un tour de « crinque », deux tours et souvent plus sont
nécessaires. Éliane se souvient d'avoir déjà vu monsieur
Sirois tout en sueur à force de multiplier les coups de
« crinque ». Elle est belle à voir rouler mais pas très fonc-

tionnelle sur les routes étroites du Canton, même si elle peut atteindre une vitesse dépassant les meilleurs trotteurs. Les pluies diluviennes et plus particulièrement la neige et le dégel rendent très souvent son utilisation impossible. Malgré ces inconvénients, il serait agréable d'en avoir une, répète fréquemment Éliane à son père, lequel lui répond invariablement :

– Si tu en veux une, tu te l'achèteras quand tu travailleras. Moi, j'ai ma jument. Une automobile, ça coûte cher, pis ça fonctionne quand ça veut. Ma jument elle, elle m'écoute.

Pourtant, se dit Éliane « ... si quelqu'un dans le Canton peut s'en payer une, c'est bien lui. De toute façon, l'avenir appartient à ces engins et mon père fera comme tout le monde. Dans les grandes villes, comme à Chicoutimi, les automobiles ne prennent-elles pas de plus en plus la place ? »

– Éliane, dépêche-toi, le train est là, s'exclame gaiement Camille.

À l'image d'un réveil-matin, ces quelques mots ont eu pour effet de ranimer Éliane qui aussitôt descend de la calèche et suit sa mère qui se dirige vers l'entrée de la gare.

Recouverte de planches de cèdre enduites d'un brun rouge, sur deux étages dont l'un abrite le chef de gare et sa famille, elle fait environ 40 pieds sur 30. Une galerie de quatre pieds de large en fait le tour. Son toit en forme de diamant lui donne un air imposant en comparaison des autres bâtiments du centre du Canton. Malgré tout, elle reste une naine pour celui ou celle qui a déjà vu la gare d'un grand centre.

L'entrée principale donne sur une salle occupée par quelques bancs au service des voyageurs en attente ainsi que sur un poêle et un comptoir derrière lequel le chef de gare prend place pour répondre aux demandes.

Le poêle, ouvrage majeur de ce lieu, se veut irremplaçable avec son gros ventre rond que l'on peut remplir de bois ou de charbon. Celui-ci est assis sur un compartiment de même forme mais plus petit, lequel repose sur quatre énormes pattes de lion. Sur sa bouche qui s'ouvre pour donner accès à son gros ventre est inscrit en grosses lettres le mot

«STATION». Quiconque s'assoit sur un des bancs face à cette silhouette de métal croit y voir une dame tout en ventre portant une jupe qui descend au niveau des chevilles.

Cette salle donne accès au bureau du chef de gare dans lequel sont entreposés les colis destinés soit aux gens du Canton ou au transport vers d'autres lieux. Par cette même salle, on gagne la galerie donnant sur le trottoir formant le quai d'arrêt ou de départ des «gros chars», comme disent les vieux du Canton.

En ce bel après-midi de juillet, il y a foule sur ce quai : voyageurs, parents, amis, observateurs et «senteux» sont au rendez-vous.

Debout, face à cette foule, Éliane a reconnu plusieurs visages ; le cultivateur du bout du rang ; le postier et son épouse ; le cordonnier, sa femme et sa fille, le bedeau et sa dame ; là le fils...

— Ouais, il y a du monde aujourd'hui, constate Camille et tout en prenant la main de sa fille, elle ajoute :

— Viens Éliane, on va entrer voir monsieur Gervais. J'espère que mon colis est arrivé.

Mais Éliane ne bouge pas d'un pouce. Figée, les yeux grands ouverts, elle veut tout capter de la scène qui se déroule devant elle. Camille insiste et tire le bras d'Éliane, qui finit par bouger la tête mais reste sur place.

— Man, regarde, c'est la vieille fille Desbiens avec l'épicier. Il y a plein de monde avec eux qui ont l'air d'être arrivés par le train.

∴

Bien campés sur le quai, sa tante Germaine et le mari d'une autre de ses tantes sont là pour les accueillir. Les présentations s'effectuent avec une convenance plutôt amicale sauf entre Henri et sa sœur qui se serrent fortement dans une accolade qui dure un bon moment. Lorsqu'ils se séparent, des larmes coulent sur leurs joues.

Le quai de la gare déborde d'activités et paraît trop petit pour le nombre de personnes qui s'y trouvent. Il doit bien y avoir près d'une centaine de personnes, observe William. Bien que peu différents des gens de Montréal quant à leur habillement, on sent chez eux beaucoup moins de nervosité. D'ailleurs, le premier contact avec sa tante et l'homme nommé Edgar, malgré la grande émotivité qui en ressort lui permet de saisir le calme, la grande quiétude de ces gens et cela lui plaît.

La discussion sur le déroulement du voyage et sur le fait qu'il faudra revenir demain chercher le reste des bagages vont bon train lorsque William sent qu'on l'observe. En lui, une voix lui dit de chercher d'où provient ce regard inquisiteur.

Tranquillement, il déplace son regard et le pose d'abord sur sa tante, et puis là devant lui, à environ une vingtaine de pieds, il voit ce qu'il n'aurait jamais pu croire. C'est elle : elle ne mesure pas beaucoup plus de cinq pieds, porte une robe verte, longue jusqu'à mi-jambe ; des cheveux longs bouclés entourent son visage aux lignes parfaites rehaussé par des yeux en amande d'une couleur indéfinissable à cause de la distance et d'une bouche aux lèvres charnues et entrouvertes découvrant deux rangées de dents bien blanches et droites. Oui ! Elle est là, vivante et toute gracieuse, la jeune femme de son rêve.

Une vision impossible ? Non, elle est bien là sur le quai, toute en chair, le regardant. Il croise son regard, le sang lui monte à la tête, le rythme de son cœur s'accélère et les fourmis gagnent ses membres. Oh ! Quelle fascination, quelle beauté ! Cette femme, cette jeune fille bien réelle le poursuit !

Puis pendant un court instant, William détache son regard de la jeune fille pour répondre à son père et revient vers celle-ci...

.·.

Surprise par tant d'émotion de la part de sa fille, Camille se retourne.

Lui faisant face, l'épicier et la vieille fille discutent avec un homme et une femme qu'elle aperçoit de dos. À droite, tout à côté de la vieille fille, se trouvent un jeune homme et une jeune fille et sur sa gauche un autre jeune homme qui, par son allure, fait plus vieux.

Lorsqu'elle l'aperçoit, Camille, embarrassée, fige sur place.

Sentant la main de sa mère la délaisser, Éliane se tourne vers elle :

— Man, qu'est-ce qu'il y a ?

Ses pensées défilant à la vitesse d'un éclair, Camille se sent incapable sur le moment de sortir un son de sa bouche entrouverte. Reprenant dans la seconde même ses esprits :

— Ah ! rien, viens-t-en, il faut aller voir si mon paquet est arrivé.

À l'unisson, d'un pas plutôt lent, la fille et la mère se dirigent vers le guichet des colis à l'abri de l'affluence régnant sur le quai.

∴

Après quelques minutes de recherche, Estelle Gervais, la fille du chef de gare et amie d'Éliane, trouve le fameux colis et le remet à Camille.

— Ce sera dix dollars et dix sous madame Therrien.

— Dix dollars et dix ! Voyons, on m'avait dit que ça serait quatre dollars cinquante sous.

Scrutant la facture qu'elle tient dans ses mains, Estelle confirme d'un ton poli et qui se veut compréhensif :

— Ils ont bien indiqué dix dollars et dix sous, madame Therrien !

Encore sous le choc, Camille ne répond pas immédiatement. D'un geste posé, elle prend la facture dans ses mains pour y jeter un coup d'œil. Au bout d'un moment, d'un ton mi-triomphateur :

— Ah, ah ! Ils se sont trompés ! J'en ai commandé une pis ils m'en ont envoyé deux.

Saisissant le colis entre ses deux mains, elle le retourne dans tous les sens, le scrute de tous les côtés et lève les yeux vers Estelle en lui demandant :

– Je fais quoi avec ça ?

Perspicace, Estelle sent de l'insécurité dans la voix de Camille. Naturellement, sans effort, elle dit :

– Eh bien, vous allez prendre ce que vous voulez, pis on renvoie le tout avec une note indiquant ce que vous avez gardé. Comme ça, vous ne paierez que ce que vous aurez conservé.

Sans attendre la réponse de Camille, elle remet la facture sur le comptoir et entoure le prix d'un article plus les frais de transport.

– Ça va faire quatre dollars et soixante-cinq sous.

« Elle connaît son affaire », pense Camille étonnée de la rapidité avec laquelle la jeune fille a trouvé une solution à son problème.

– Ouais, ça a du sens. Je vais faire ça.

Elle prend le paquet et, suivant les instructions d'Estelle, entre dans la salle des colis afin de faire le nécessaire.

∴

Bien qu'Éliane soit là physiquement debout près du comptoir, son esprit est ailleurs. La scène de la famille Desbiens l'a troublée, rendue curieuse pour ne pas dire fébrile. Que font-ils là ? Ces nouveaux sont-ils, eux aussi, des Desbiens ? Et ce jeune homme aux grands yeux noirs ou bruns, aux cheveux noirs, à la bouche épaisse et souriante, au dos droit, à l'allure réfléchi... Fixer un inconnu, ça ne se fait pas, un manque flagrant de discrétion... Mais ce jeune homme l'attire, son cœur, ses membres, tout son être vibre à sa simple vue !

– Éliane ! Éliane ! Él...

– Quoi ! Quoi ! Oui, oui, je suis là !

Satisfaite de cette réaction, Estelle rit de bon cœur, déclenchant chez son amie un sourire interrogateur.

– Tu pensais à quoi ?, lui demande Estelle.

Bizarrement, Éliane ne répond pas. Elle se retourne et dirige son regard vers la porte donnant sur le quai dans

147

l'espoir d'apercevoir encore une fois celui qui, quelques instants auparavant, occupait ses pensées ; mais tout ce qu'elle voit, c'est le père d'Estelle qui discute avec la femme du bedeau. Déçue, elle revient vers Estelle :

– Les gens avec la vieille fille Desbiens et l'épicier, sais-tu qui c'est ?

– Tu veux parler du beau jeune homme et de sa famille.

– Quel beau jeune homme ?

– Voyons, voyons Éliane, fait pas la cachottière. Si je l'ai vu, tu l'as sûrement vu toi aussi. Abaissant le ton comme si cela devait être un secret, «il a des yeux superbes ce gars-là » et baissant le ton encore plus bas : « Je sais pas si tu les as aperçus ensemble, lui pis son père, ils se ressemblent comme deux gouttes d'eau. Hier, j'ai entendu mon père parler avec la sœur de la vieille fille, la femme de l'épicier. Elle voulait s'assurer de l'heure d'arrivée du train de Montréal, car son frère et sa famille seraient dedans. Quand mon père lui a demandé des nouvelles du vieux monsieur Desbiens, elle a répondu qu'il n'en avait plus pour très longtemps et que son frère revenait dans le coin pour prendre la relève...».

Attentive à ces commentaires, Éliane ne laisse paraître aucune émotion, comme si ce qu'Estelle vient de lui transmettre n'avait aucune importance. Sans attendre, du même ton que celui de son amie :

– Este..., il faut que je te parles, c'est très important. Hier, j'ai eu une terrible discussion avec mon père. J'en ai parlé avec ma mère en venant icitte, mais ce n'est pas clair dans ma tête. Il faut absolument que je te vois. J'ai besoin de tes conseils !

– Oui, mais là, avec tout ce monde, j'ai pas grand temps. Quand reviens-tu au village ?

– Demain, je dois rencontrer le curé, pis la mère supérieure de l'école. Ma mère m'a dit ce matin qu'ils veulent me parler. Pourtant, j'ai déjà vu le curé hier.

– Tu as vu le curé, pourquoi faire ?

– Ah, avant tout, j'aurais dû t'informer que j'avais eu le poste à l'école du rang.

– Hein! C'est formidable ça! Tu es bien chanceuse!

– Ouais, c'est sûr!

Prenant un ton encore plus sérieux, Éliane ajoute:

– Estelle, ne me laisse pas tomber, il faut qu'on se parle!

Consciente de l'importance de la demande de son amie, Estelle la rassure:

– Demain, après ta rencontre avec le curé et la sœur, passe par icitte. Je m'arrangerai pour qu'on se parle.

Souriante à la proposition, Éliane s'approche de son amie pour lui chuchoter à l'oreille:

– En passant, c'est vrai qu'il est beau le jeune homme!

Sur l'entrefaite, Camille apparaît tenant dans ses mains le résultat de son travail, la transformation d'un colis en deux colis. Elle paye la somme due à Estelle et, en compagnie de sa fille, regagne la calèche. Les deux complices s'installent sur la banquette et aussitôt, on entend: Hue, hue... Tout au long du trajet, les deux femmes restent silencieuses, l'une captée par l'esprit de la beauté et l'autre...

∴

La famille Couture au complet attend patiemment à la gare, cœur de l'économie agricole et commerciale du Canton, pour accueillir le nouveau vicaire. Albérick Couture, seul cordonnier de la place, a fermé sa boutique pour être présent. Comme sa femme, il exprime beaucoup de fierté envers son fils, l'unique fils du village ordonné prêtre au cours des vingt dernières années et, aujourd'hui, désigné vicaire du Canton. Quel honneur, quelle joie pour cette famille qui, aussitôt l'élu débarqué, ne se gêne pas pour l'exprimer sans retenue par ses nombreuses embrassades et accolades.

Ce n'est qu'au bout d'une vingtaine de minutes, qu'ils se séparent, Albérick et sa femme pour la maison et

Daniel avec le bedeau qui suite à la demande est revenu chercher le nouveau vicaire.

Dès son arrivée au presbytère, la servante remet à Daniel une note du curé Lampion: celui-ci lui souhaite la bienvenue et l'invite à une rencontre à son bureau le lendemain vers les dix heures.

Épaulé par le bedeau, le nouveau vicaire monte ses bagages et passe le reste de l'après-midi à organiser sa chambre. Vers dix-neuf heures, il descend souper, remonte finir de lire son bréviaire et gagne son nouveau lit.

« ... Voilà une journée chargée mais prometteuse, pense-t-il en fermant les yeux... ».

Maison des Desbiens

Tout au long du trajet qui le conduit de la gare à sa future résidence, William conserve un silence religieux. Observant avec ses grands yeux noirs l'espace défilant devant lui et buvant l'air qui s'ouvre au passage de la calèche, il se laisse bercer au gré du roulement des roues. En quittant la gare, il aperçoit quelques maisons, puis un énorme bâtiment en bois sur lequel il peut lire «Magasin général Boivin». Tout à côté se trouve un long bâtiment de bois latté, lui aussi surmonté d'un écriteau: «Hôtel Girardin». Un peu plus loin, un hangar fait face à la route. Sur sa devanture est inscrit: «Forgeron Girard», puis un autre magasin général: «Magasin général Gagné» et suivent d'autres maisons presque toutes semblables. «... Ouais, au nombre de bâtiments et de maisons, il y a du monde icitte...», se dit William. La calèche a presque atteint la dernière maison quand apparaît un bâtiment qui semble tout neuf: «Fromagerie Côté». Au même moment, ils prennent de la vitesse. Maintenant, devant eux, prennent place d'immenses champs pavés de quelques arbres et encadrés par de majestueuses montagnes.

Pendant qu'il admire la beauté du paysage, du décor qui fait maintenant partie de lui, de sa vie, la calèche conduite par Germaine poursuit sa route et suivant quelques détours longeant un cours d'eau, une descente, une montée, surgit une toiture d'un rouge vif.

– On arrive les enfants, lance Germaine à ses neveux et à sa nièce.

William n'est pas déçu par ce qu'il voit; la maison à ras de sol sur deux étages habillée d'un bardeau de papier gris, les bâtiments en planches de pin noircies par le temps, le paysage... tout lui semble coutumier, faire déjà partie de sa vie, de lui.

Germaine amène la calèche directement derrière la maison. Son beau-frère, chauffeur de Flora et d'Henri la suit.

Laissant les bagages en place, tous, Germaine en tête, se dirigent vers la porte donnant sur la cuisine. Au même moment, celle-ci s'ouvre et, pas trop grand, mesurant environ cinq pieds presque et demi, le dos courbé, marchant d'un pas chancelant, apparaît un homme aux cheveux blancs.

– Pa! Pa! t'aurais pas dû te lever, c'est pas bon pour toi, rabroue Germaine tout en accélérant le pas.

Celui-ci ne répond pas, il s'avance malgré sa faiblesse évidente vers Henri et lui dit :

– Salut, mon gars! Le visage radieux, il lui sourit de ses dents étonnamment blanches pour un vieillard de son âge et l'entoure de ses bras fragilisés par la maladie.

Surpris par tant d'émotions, Henri hésite un court moment avant de lui répondre dans un même geste. L'accolade dure un bon moment jusqu'à ce que le vieil homme s'exclame gaiement :

– Quel plaisir de vous voir tous là! Henri, tu me présentes ta famille?

– Avec plaisir...

Les présentations faites, tout le groupe suit le vieil homme à l'intérieur de la maison. De forme carrée, la cuisine fait bien quinze pieds par vingt. Le plafond et les murs recouverts de bouleau teint de la couleur naturelle de la laine de mouton en amplifient la grandeur.

Donnant sur le nord-ouest, deux grandes fenêtres à six carreaux s'ouvrent dans les murs de plus d'un pied d'épaisseur, permettant l'entrée de la lumière du jour et aux occupants de la maison d'observer les mouvements en provenance de la cour arrière.

Non loin du comptoir de travail de la ménagère de ce lieu doté d'un évier et de l'eau courante, se trouve la pièce maîtresse, un imposant poêle à bois; William n'en a jamais vu de si gros, de si beau. Une plate-forme comprenant six ronds, un « bowler » et un grand fourneau encadre le nid du feu qui peut facilement contenir quatre à cinq bûches de bois. Perchée sur son cou à environ cinq pieds, sa tête s'ouvre telle une grande bouche dans laquelle on peut garder au chaud les mets cuisinés. L'ensemble, façonné par un forgeron, repose sur six pattes dont l'allure imprécise n'est ni humaine, ni animale.

De cette pièce se dégage une chaleur qui apaise, gratifiant celle-ci d'une atmosphère qui vous calme les esprits. Est-ce le fait qu'ici chez les Desbiens, tous les repas, sans exception se prennent dans ce lieu ; que la table soit le centre des discussions; que le premier Desbiens y laissa, assis dans la chaise berçante, son dernier souffle ?

Une fois entrée à l'intérieur, Germaine prend la parole et, avec son plus beau sourire, dit :

– Je vous ai préparé une petite collation. C'est pas grand-chose, mais ça va vous faire du bien après un si long voyage. En attendant que je vous serve, vous pouvez vous asseoir, la table est en masse grande ! Puis, s'adressant à la plus jeune :

– Angella, tu viens m'aider !

Pains, fromages, gâteaux, biscuits, café et thé sont offerts en grande quantité. Debout ou assis autour de la grande table de bouleau, la conversation s'anime. Bien que fragile, le vieil homme suit les discussions, souriant, lançant parfois des rires fous, resplendissant d'un bonheur contagieux.

William observe la scène en mettant tous ses sens à contribution. Il voit le bonheur dans les yeux de son grand-père. Revoir son fils, voir ses petits-enfants et leur mère lui a donné des ailes. Cette fin de journée s'annonce sans douleur pour ce grand malade. C'est le retour de l'enfant prodige, pense William.

Quant à son père Henri, la satisfaction se lit dans ses yeux, sur son visage et dans tous ses gestes, laquelle se propage à Flora, à Edgard et à Benjamin, qui démontrent par leur comportement une certaine complicité.

Gavé par les événements qui se sont enchaînés d'heure en heure, William se lève d'un air qui donne à penser qu'il est embarrassé. Il s'avance vers sa tante qui travaille au comptoir et s'adresse à elle presque en murmurant.

– Est-ce que je peux visiter?

Sans quitter des yeux le plat de hors-d'œuvres qu'elle prépare, elle lui répond d'un ton tout aussi silencieux:

– Pas de problème, tu es chez toi icitte, mon garçon.

Et, tout en se massant la nuque, elle ajoute:

– J'aimerais mieux que tu m'attendes pour monter au deuxième, d'accord?

– O.K.!

∴

D'un pas léger, de façon à ne pas trop attirer l'attention, William se dirige vers la pièce adjacente. Il quitte la cuisine et découvre à sa droite le vestibule de la porte d'entrée pouvant contenir de cinq à six personnes. En face se trouve l'escalier donnant accès au deuxième étage. Ses marches faites de bois d'érable enduit d'un protecteur sont assez larges pour accueillir trois personnes de front. William remarque que quelques-unes ont perdu de leur éclat avec le poids des années. Le parapet, fait du même bois, protégeant les utilisateurs du vide, se démarque par ses pièces façonnées qui donnent à l'escalier une stature gigantesque. S'avançant dans la pièce servant à première vue de salon, il est surpris à la fois par sa petitesse et par le mur du fond dans lequel s'incrustent deux portes vitrées. Ce salon contient deux grands sofas, quatre ou cinq fauteuils et des tables qui le font paraître encore plus petit. Sans ouverture extérieure, le revêtement des murs de cette pièce sur lesquels plusieurs cadres sont installés ainsi que le plafond sont du même type de matériau que la cuisine; seule différence: la teinte foncée tirant sur le brun. Poussant sa réflexion, William en déduit que tous les murs de la maison doivent être construits avec ce matériau. Progressant plus profondément à l'intérieur de la pièce, son regard se pose sur les cadres; sûrement de ses ancêtres, peut-être de son arrière-grand-père et pourquoi pas de son épouse Perle. Il scrute, cherche des signes, des indices, mais ne trouve rien. Il faudra demander, se dit-il, tout en continuant sa visite qui l'amène devant les deux portes vitrées à quinze carreaux. Obstruées de l'intérieur par des rideaux d'un brun vieilli par le temps, elles ne laissent rien découvrir du contenu de la pièce voisine.

William cherche les poignées, n'en trouve pas, pousse sur les portes, mais rien ne bouge. Jamais il n'a vu de porte semblable, il recule, regarde attentivement et, après quelques secondes, il trouve; il suffit de les faire glisser pour les voir disparaître l'une à gauche, l'autre à droite, à l'intérieur du mur. Puis aisément du revers de la main gauche qui, depuis sa naissance, a toujours été la plus habile de ses deux mains il tasse l'obstacle de tissu.

Plongée dans la pénombre, la pièce dont le silence est habité par une horloge qui égraine ses tic-tac lui apparaît beaucoup plus grande que celle qu'il vient de quitter. Sur le mur de gauche, deux grands rideaux fabriqués dans le même tissu que ceux des portes d'entrée paraissent être les coupables du manque de lumière. Il s'avance et, sans être le grand créateur, fait que la lumière du jour puisse pénétrer dans son nouvel univers, permettant au visiteur qu'il est de découvrir une pièce décorée avec goût. Divans, fauteuils, armoires, tables, boiseries de style victorien s'harmonisent parfaitement avec un coloris de vert, de jaune et de noir. Cette pièce, ce deuxième salon, respire le calme et dégage une sensation de paix intérieure. William s'abandonne à ce silence qui l'envahit doucement, lui donnant l'étrange impression de déjà vu. Il avance dans la pièce faisant parfois craquer le plancher de bois, pose délicatement une main sur le dos du divan et reconnaît à son contact la douceur du velours. S'arrêtant devant une immense armoire vitrée dans laquelle les maîtres des lieux ont rangé de la vaisselle, il remarque qu'elle est unique par son style et surtout par le grand D de couleur brune incrusté sur chaque morceau. Hésitant à en ouvrir les portes, il avance prudemment sa main gauche vers l'une des poignées. Confectionnées dans le verre, il constate qu'elles ont la forme d'un D, le même que celui de la vaisselle. La vue de cette lettre que l'on a, semble-t-il, répandu à divers endroits, fait reculer William qui n'ose plus ouvrir la porte de l'armoire. L'incertitude et la peur de briser un quelconque morceau de ce qu'il croit être d'une grande richesse aux yeux des propriétaires le paralysent tout à coup. Continuant son examen dans la pièce à la recherche d'un possible trésor insoupçonné, ou de il ne sait quoi, il s'approche pour voir de plus près les deux cadres accrochés au mur en face de la porte. Il jette ensuite un regard rapide sur les autres murs et ne remarque aucun ornement de ce genre. Ces cadres, fabriqués en érable du pays, ont bien deux pieds dans le plus long de leur forme ovale. Le premier montre la photo d'une jeune femme aux longs cheveux et l'autre d'un homme à l'allure plutôt jeune. Bien que jaunies par le temps et plus ou moins claires, à la façon de l'hypnose, elles imprègnent tellement l'esprit de William qu'il sent ses jambes se dérober sous lui, l'obligeant à trouver refuge sur l'un des fauteuils.

C'est la fatigue du voyage, se dit-il, les paupières lourdes d'un sommeil qui, sans avertissement, l'envahit et le conduit dans le pays du rêve avec une rapidité étonnante.

« Debout, les deux pieds dans la couverture de neige, devant lui une maison au toit rouge se détache d'un paysage brumeux. S'avançant vers celle-ci, il s'étonne de la légèreté de sa démarche et constate que ses pas ne portent pas sur le tapis de neige : il flotte. Quelle merveilleuse sensation! Il poursuit sa course... monte un palier, fait face à une porte entrouverte et s'arrête. Prudemment, il pousse la porte, pénètre dans la maison et traverse une pièce pour se retrouver dans ce qui semble être la cuisine.

Il aperçoit un homme attablé, l'observe un moment, s'en approche, croyant qu'il pourra le reconnaître à travers ce brouillard, mais impossible, l'homme n'est qu'ombrage. William cherche à se faire voir de l'homme, il crie, hurle, tape sur la table et, malgré tous ces efforts, celui-ci ne bronche pas. Rapidement, il comprend que l'homme ne peut le voir ni l'entendre, que pour lui, il est un fantôme.

Se croyant seul dans la pièce, l'homme poursuit ses activités; il ouvre un petit flacon bleu et verse plus du quart de son contenu dans une tasse fumante. Sans attendre, il se lève, se dirige vers une armoire, ouvre un tiroir et dépose soigneusement tout au fond le petit flacon bleu. Ramassant au passage la tasse sur la table, il sort de la pièce. Curieux d'en savoir plus sur ce flacon, William se dirige vers l'armoire et, tout naturellement, comme un courant d'air qui s'infiltre par les fentes des murs, il s'introduit dans le tiroir. Avec ses yeux qui ont acquis cette capacité de voir dans la noirceur, il lit l'étiquette apposée sur le flacon bleu le mot écrit délicatement et très lisiblement à la main avec de l'encre noire : « campaniolus ». Sûrement un médicament pense-t-il. Sans hésiter, il rejoint l'homme tout en haut de l'escalier menant au deuxième étage. À la droite et à la gauche de cet escalier se trouve un corridor qui traverse la maison sur toute sa longueur. Prenant le corridor de gauche, il suit l'homme et passe devant une porte. À la hauteur des yeux, il y a une petite plaquette de bois incrustée des lettres suivantes : « Augustin ». En face, une autre porte et une autre plaquette fixée à l'aide de clous de cuivre indique « Louisette ». Se retournant, William survole en un éclair le corridor de droite sur toute sa longueur et découvre trois autres portes. Sur les deux premières, on peut lire les prénoms Marie-Ange et Jeanne; quant à la troisième située à l'extrémité, elle ne porte aucune inscription. Voyant que cette incursion lui a fait perdre l'homme de vue, il retourne sur ses pas et l'aperçoit qui referme la porte d'une chambre. Devant la porte close, il s'arrête et lit les mots suivants sur la plaquette : « Joseph – Perle ». Sans effort, il glisse par le bas de la porte pour se retrouver dans la pièce. À l'intérieur se dégage une douce chaleur venant d'un petit poêle en fonte noi:e. S'approchant du lit enveloppé d'un dais étoilé, il entrevoit deux formes humaines.

Intrigué, William s'infiltre dans l'espace qu'occupe le lit et ressent à son contact une atmosphère lourde et pleine de chagrin. L'homme est là, assis sur le rebord, tout près d'une femme; celle-ci, plutôt jeune, respire difficilement; elle souffre. Son mal lui arrache des tremblements qu'elle peut difficilement contrôler, ce qui, cependant, ne l'empêche pas de sourire à l'homme qui lui soulève la tête et glisse un oreiller pour la soutenir. Tranquillement, sans presse, la jeune femme prend la tasse que lui tend l'homme et boit une, deux, trois gorgées de son contenu. L'homme reprend la tasse, la dépose sur le lit et prenant les mains de la femme, il les couvre de baisers. La femme continue de lui sourire, lui parle et, tout doucement, elle...».

.˙.

Flora a vu son fils sortir de la pièce. Prise dans le courant de la conversation avec sa belle-sœur Germaine, elle ne réagit pas. Mais aussitôt que son beau-père prend le chemin de sa chambre, grimaçant de la douleur que lui cause la fourmilière qui s'affaire dans tous ses os, elle part à la recherche de son fils William. Rapidement, elle trouve l'entrée du salon principal où il est assis, le teint pâle, engourdi par le sommeil, le corps figé, comme une statue de sel. Flora hésite un moment, peut-être dix secondes, et de sa main droite lui touche l'épaule.

Au contact de cette main qui répand dans son épaule une douce chaleur, William sort de son état de sommeil et entend :

— Wili... William, réveille-toi, y faut aider ton père et ton frère à rentrer les bagages.

– *12* –

Chambre à coucher d'Augustin Desbiens

Les yeux fermés, allongé dans son lit confortable, Augustin médite sur les événements de la journée. «Une extraordinaire et merveilleuse journée», pense-t-il. Après plus de vingt ans d'attente, revoir son fils et sa famille avant le grand départ, quelle joie, quel soulagement! Bien qu'il connaisse la force de ses rêves et leur capacité de se réaliser, de se concrétiser, tous ceux reliés à son fils l'ont toujours laissé dans l'incertitude. Si un individu lui en demandait la raison, il ne saurait que répondre.

Enfin, oui, enfin, il est là, que de joie! «Maintenant, je peux partir en toute quiétude, ne plus avoir à souffrir de la douleur de ces vieux os», se dit Augustin, tout en s'abandonnant à la douceur du sommeil.

Pénible nuit où la douleur est si vive qu'elle arrache Augustin de son sommeil à plusieurs reprises. Vers quatre heures, peu avant le lever du jour, une forte crise s'empare de tout son corps et, pour la première fois depuis le début de son long calvaire, il laisse échapper des gémissements. Malgré les soins prodigués par Germaine assistée d'Henri et de Flora, la crise se prolonge jusqu'au petit matin. Rapidement, ces derniers comprennent le sens de l'expression «se sentir démuni devant la douleur», ne regagnant leur chambre que lorsque la lumière du jour a triomphé de la noirceur de la nuit à l'image du bon sur le mauvais ou l'inverse!

Sortant de l'état de demi-sommeil qui se voulait réparateur du mal qui le gruge, comme le castor d'un tronc d'arbre, Augustin comprend que bientôt, très bientôt, la vie lui échappera. Cette dernière crise l'a imprégné d'une marque profonde, indélébile, fragilisant son cœur, fatigué par ce combat perdu d'avance.

Allongé, l'esprit bien clair, Augustin pense tour à tour à son père, à ses enfants, à son épouse, lorsque soudainement l'image de son petit-fils William se manifeste, occupant toutes ses pensées. Il se souvient qu'à plusieurs occasions ses rêves l'ont amené à croire que d'autres membres de sa famille, comme lui, comme sa mère et peut-être d'autres avant elle, possédaient le pouvoir de connaître. À la recherche d'une réponse, très souvent, il avait forcé l'état du rêve, mais... aucune réponse. Ce n'est que dans les derniers mois qu'était apparue la silhouette d'un homme habitant une grande ville, de grandeur respectable et ayant la démarche d'un jeune dans la vingtaine. Impossible pour Augustin de reconnaître l'homme même si, malgré l'épaisseur du brouillard, sa démarche et ses traits lui disaient qu'il se trouvait en terrain connu. Les yeux fermés, étendu de tout son long sur son lit, il cherche. Faisant appel à ses souvenirs, l'image de ses rêves se recompose, tout d'abord floue, elle s'harmonise pour devenir un tout cohérent et, là, elle s'éclaircit, à tel point qu'il peut croire à la présence de l'homme dans la chambre. Il s'avance, se penche sur Augustin, le fixe d'un regard perçant, lui sourit et, tout à coup, son petit-fils William se retourne pour disparaître dans un épais nuage blanc. Quelques instants plus tard, dans ce même nuage, apparaît toute vêtue de blanc, cheveux longs et se dirigeant lentement vers Augustin, une femme aux traits incertains. Peu à peu, ses traits se précisent, laissant Augustin pantois.

En voyant le regard de la femme qui lui fait face, ses yeux se remplissent de larmes. Incrédule, il veut parler, mais aucun son ne peut sortir de sa bouche, tellement il est subjugué par la vision de celle qui a été l'amour de sa vie. Morte depuis quarante ans, ses rêves, pourtant si puissants, ne lui ont jamais permis de se rapprocher d'elle. Combien de fois il aurait aimé pouvoir lui parler, l'observer. À sa mort, ils s'étaient pourtant dit qu'elle viendrait le rassurer, lui donner des nouvelles de l'au-delà ; mais rien, aucune nouvelle, aucun message, aucun rêve, aucun signe ! Comment se fait-il qu'aujourd'hui, en ce moment même, après quarante ans d'attente, elle se manifeste, toujours aussi jeune, aussi belle ?

Les yeux nageant dans l'eau salée de ses larmes, il est désemparé lorsque, sûrement consciente de son effet sur Augustin, la femme toute souriante s'exprime en ces termes : « Auguste... Auguste... mon bien-aimé... C'est bien moi, Claire ! Ne soit pas triste mon amour, sèche tes larmes car bientôt nous serons réunis pour toujours. Je t'attends depuis si longtemps ! Sache que nous avons pris la bonne décision. À très bientôt... bientôt... »

Ce mot résonne dans l'esprit d'Augustin, transformant ses larmes de douleur en larmes de soulagement. Il ferme les yeux un court instant, les ouvre et, devant lui, toute souriante, avec ses cheveux et ses yeux de charbon, à la place de Claire, il aperçoit les yeux, le visage de sa mère Perle !

– *13* –

Presbytère du Canton

Daniel célébra l'office divin vers les sept heures trente, regagna le presbytère pour déjeuner et vit que le soleil remplirait en solitaire tout l'espace du ciel et ce, à l'image des quinze derniers jours. Avant sa rencontre avec le curé, prévue pour dix heures, il en profite pour faire quelques pas autour de l'église et du presbytère. Dès son jeune âge, il venait presque tous les jours dans cette église, répondant à l'appel de son clocher surmonté d'une croix et d'un majestueux coq cuivré recouvert par le temps de vert-de-gris. Servant de messe, il se souvient qu'il la trouvait belle cette église, mais sans plus ; quant au presbytère, il n'y avait jamais tellement porté attention. Mais aujourd'hui, comme sa nouvelle demeure lui semble imposante !

Le revêtement des deux bâtiments fait de pierres des champs et leurs toits de tôle grise leur donnent un certain charme et une simplicité qui les rendent exceptionnels. L'église, construite au début des années 1860 sur l'emplacement de la première chapelle, s'inscrit dans la tradition de l'époque ; une sacristie et des vestiaires ; un chœur en rond-point séparé de la nef par deux marches protégées par une balustrade ; une nef qui donne accès par le chœur à un maître-autel central et aux autels latéraux tous de bois peint en doré ; un jubé de style amphithéâtre et de longues galeries latérales ajoutées au début des années 1900 qui font le tour de la nef ; une fausse voûte ornée d'éléments décoratifs, de dorures et tout l'ensemble de la construction intérieure d'une finition de plâtre.

Le mobilier de cette église se compose, entre autres, d'une majestueuse chaire que l'on atteint en montant un escalier en forme de colimaçon, de fonds baptismaux, d'un prie-Dieu, de bancs pour la nef et d'un chœur construits et sculptés dans du bois du pays.

Pour sa part, Daniel a toujours été impressionné par les tableaux qui ornent le chœur de l'église, l'*Immaculée Conception*, l'*Éducation de la Vierge*, *La Visite de Marie* et, plus particulièrement, par le dernier installé durant ses études au Séminaire *La Pieta*. Encore aujourd'hui ces tableaux remplissent son être d'espérance et de joie.

Datant de la même période, le presbytère, sur deux étages, se distingue par son rez-de-chaussée surélevé et la symétrie de ses fenêtres, l'originalité de ses lucarnes et l'emplacement de ses cheminées. En façade et du côté droit, on remarque une galerie recouverte par le prolongement du toit, donnant l'impression qu'elle fait corps avec celui-ci.

Daniel, grand blond de six pieds aux yeux bruns, né en 1882, a grandi dans ce milieu. Ici au Canton, il est maintenant chez lui, près de ses parents, près des gens qu'il connaît ; il songe au premier contact, à sa première montée en chaire en tant que vicaire de son patelin. Quoi dire, comment se comporter face à ses parents, ses amis ou ses anciens copains d'école ?

Bientôt dix heures à sa montre, il doit être à l'heure, surtout pour cette première rencontre officielle. Il connaît la réputation du curé Lampion concernant sa lubie de la promptitude et du respect des règles. En place depuis plus de quinze ans, ce grand et gros curé qui doit avoir près de 60 ans est reconnu pour être très conservateur et surtout très autoritaire. Quel beau ménage avec Daniel qui est tout à l'opposé !

∴

Le curé Lampion, de sa grosse main moite, serre la main que lui tend Daniel. D'un geste courtois, il lui désigne une chaise qui fait face à son bureau derrière lequel il trône dans probablement le seul fauteuil apte à accueillir ses deux cents cinquante livres.

La pièce, recouverte de planches embouvetées teintes en vert, s'impose par son ampleur. Les imposants meubles en chêne, un ensemble unique du pays, laissent transpirer le froid, l'autorité de l'occupant des lieux.

– Votre arrivée s'est bien passée ? s'enquiert le curé.

Bien assis, les jambes croisées, Daniel lui répond :

– Oui, très bien. Merci pour le transport.

Le curé, les mains jointes, fixe Daniel et tout en tâchant de ne pas laisser paraître le dédain que celui-ci lui inspire, il lui dit sans hésiter ;

– Notre bedeau est un homme discipliné qui connaît le travail qu'il a à faire, bien qu'il faille le rappeler à l'ordre parfois.

Continuant à regarder ostensiblement son nouveau vicaire, il marque une pause par un moment de silence et ajoute d'un ton ferme :

– Personnellement, je n'aime pas avoir de problème, aussi, si vous avez des choses à lui demander, passez toujours par moi. Vous savez, moins il y a d'intermédiaire...

– Je comprends.

Conscient de son autorité, le curé Lampion se lève pour aller vers la fenêtre donnant sur la cour avant du presbytère. Il tire le rideau de velours noir, jette un regard à l'extérieur et revient vers Daniel toujours assis.

– On m'a dit que vous aviez fait de belles choses à Roberval. Votre implication dans la construction de l'hôpital a fait beaucoup jaser, y paraît.

Arrivé à la hauteur de Daniel qu'il surplombe, il ajoute :

– Ici au Canton, je vous demanderai d'être prudent. Vous êtes de la place et il suffirait d'un rien pour faire parler. Actuellement, il y a un projet de construction pour une nouvelle école et mes paroissiens sont divisés. Aussi, après mûre réflexion j'ai pris la décision de reporter votre montée en chaire, le temps que l'on se connaisse mieux et surtout que la situation se tasse.

Surpris d'entendre ces paroles, Daniel sent la colère s'installer en lui: «Ce curé est bien comme on le dit, mais, en plus, c'est un envieux!» Expérimenté par ses dernières années dans le poste de curé, Daniel sait qu'il vaut mieux flatter, être beau joueur, surtout qu'il vient d'arriver.

— Je respecte votre décision. Je me conduirai comme vous le voulez. Je suis ici sous vos ordres pour rendre service à la communauté et vous avez sûrement assez de travail à me confier pour éviter les conflits avec les paroissiens.

Content de constater que son nouveau vicaire se plie à son autorité, le gros curé boit ces paroles et laisse voir sa satisfaction par un léger soulèvement du coin des lèvres. Toujours assis, Daniel voit à son tour que sa parade a fait son effet.

Se dirigeant vers la porte, le curé Lampion signale à son vicaire qu'il peut prendre congé et, avec son plus beau sourire, lui adresse les paroles suivantes :

— Comme je peux voir, on va certainement bien s'entendre. Vous m'excuserez mais je dois mettre un terme à notre rencontre. Je vous reverrai cet après-midi vers quinze heures. Ça va ?

Daniel se lève et, tout en se dirigeant vers la sortie, donne comme réponse :

— Cet après-midi quinze heures... Encore merci pour votre accueil !

Il sourit au curé puis quitte la pièce en se disant intérieurement que cette rencontre n'est en fait qu'un ramassis de sottises, que si cet homme veut jouer au curé, lui de même peut jouer au curé. N'a-t-il pas été aussi curé, curé d'une petite paroisse de la ville de Roberval, mais tout de même curé ?

– 14 –

Canton, maison d'Augustin

Grimpant les montagnes devant la maison des Desbiens, le soleil explose de tous ses rayons, lorsque William quitte son lit. Un sommeil profond et sans rêve lui a permis de retrouver toute son énergie. Debout devant son lit, il prend conscience de la grandeur de sa nouvelle chambre. Pourtant, la veille, lorsque sa tante Germaine avait attribué les chambres de la maison, elle lui avait semblé petite ; ce devait être à cause de l'éclairage de la lampe à l'huile qui diffuse moins de lumière que l'électricité. D'ici quelques jours, ses yeux seront habitués et il ne verra plus la différence.

Arpentant son nouveau domaine, William constate que cette chambre carrée mesure bien douze pieds sur douze. Les murs en lattes de bouleau, identiques aux autres pièces de la maison, sont ici teintes en blanc se mariant naturellement avec le plancher et le plafond du même bois. Habillée d'un rideau de coton d'un brun presque identique à la couleur du lit et de l'armoire qui meublent la chambre, l'unique fenêtre à six carreaux donne sur la cour arrière et les bâtiments de la ferme. « Elle m'offrira de merveilleux couchers de soleil », pense-t-il.

Après avoir fait son lit, William entreprend de ranger dans l'armoire le contenu de sa valise et constate qu'elle pourra facilement recevoir le contenu de son autre valise, toujours à la gare. En effet, il reste au moins quatre valises et une dizaine de boîtes en gare et il ira les chercher en matinée en compagnie de son frère.

Il descend à la cuisine où déjà sont attablés ses parents et sa tante Germaine ; l'odeur du café frais remplit ses narines.

– Salut, tu as passé une bonne nuit ? lui demande Flora.

Se dirigeant vers les armoires à la recherche d'une tasse, William reconnaît la voix de sa mère et lui répond :

– Oui, man, une excellente nuit. J'ai dormi comme un bébé, sauf peut-être vers le matin. Il me semble avoir entendu quelque chose bouger.

– Tu cherches quelque chose ?

– Ouais, une tasse, j'ai le goût d'un bon café.

En entendant ces mots, Germaine se lève en lui disant :

– Va t'asseoir, je vais t'en servir un.

William choisit la chaise qui se trouve en face de son père qui l'accueille avec un large sourire, laissant paraître toutes ses dents encore bien blanches pendant qu'il porte à ses lèvres une tasse de café fumant. Henri aime prendre son premier café de la journée chaud, sans lait ni sucre. Cette boisson matinale le remplit d'énergie. Après avoir ingurgité une gorgée, il lui dit :

– William, ta mère, ta tante et moi, nous nous demandions comment vous avez trouvé votre arrivée au Canton ?

Au même moment, Germaine dépose devant son neveu une tasse en grès noir remplie aux trois quarts de café.

– Merci, ma tante !

Il y ajoute une cuillère à thé de sucre et du lait à ras bord, puis répond à son père :

– Moi, ça me plaît. Je crois bien que je vais aimer ça icitte.

Puis, tout en prenant une gorgée de café humectant ses lèvres charnues, il ajoute :

– Il est pas mal bon votre café, ma tante.

– Ah, j'ai ma recette ! Ton grand-père dit que je fais le meilleur café du Canton. Il paraît que même ma mère ne le faisait pas aussi bon.

Sentant la bonne humeur de sa tante, William s'aventure à lui demander :

– Ma tante, les noms sur les portes des chambres, est-ce qu'ils ont toujours été là ?

– Aussi longtemps que je m'en souvienne, oui. Je crois que ça remonte à la construction de la maison par ton arrière-grand-père. Ça t'intéresse ?

Souriant, William acquiesce en silence et en profite pour continuer d'interroger sa tante.

– Grand-père, il avait l'air pas mal fatigué hier. Il a été pas mal malade cette nuit, n'est-ce pas ?

Déconcertée par la question de William, Germaine hésite, ne sachant comment répondre. Elle jette un regard vers Henri et Flora, prend sa tasse de café entre ses deux mains, la porte à sa bouche et dit :

– C'est peut-être une idée que je me faisais, mais depuis que le père savait qu'Henri viendrait habiter icitte pour prendre la relève, il prenait du mieux. Mais, après la crise de cette nuit, je crois bien que je vais demander au médecin de venir, des fois !

– Ouais, tu as raison, on serait mieux de faire venir le médecin. Est-ce que c'est encore le même ? demande Henri.

– Oui, Médore Girard, le même avec ses cheveux bouclés. Maintenant y sont tout blancs. S'il portait la barbe, on pourrait croire au père Noël !

Henri sourit en entendant les propos de Germaine tout en se souvenant qu'à sa connaissance le seul homme pour qui le cœur de sa sœur avait un jour palpité était pour le fils de ce médecin. Malheureusement pour Germaine, il quitta le Canton pour faire des études à Québec et n'en revint jamais... Henri reprend :

– William, quand tu vas aller à la gare chercher le reste des bagages, tu passeras voir le médecin pour lui demander de venir. Il reste sur la même rue que la gare...

Germaine précise :

– Sa maison, c'est la seule peinte en bleu. De plus, tu verras sur la porte de devant une pancarte avec son nom « Docteur Médore Girard ».

Tout en continuant de déguster son café, William enregistre ces données. Il se sent à l'aise, tout son corps, son être... Cette cuisine, cette maison, c'est comme s'il y habitait depuis toujours. Oui, il connaît bien cette demeure !

À cet instant, les premières cloches de la journée se font entendre. Malgré leur éloignement, l'écho des montagnes en amplifie tellement la tonalité qu'un étranger des lieux pourrait croire qu'elles se trouvent dans le voisinage.

Réagissant comme un soldat qui répond à l'appel d'un commandement, Germaine lance :

– Ouais, les cloches de sept heures moins quart. Vous devez avoir faim. Je vais vous préparer un bon déjeuner avec mon pain et mon beurre du pays. Raphaël va bientôt arriver avec les bœufs.

Intrigué par ces dernières paroles, Henri observe sa sœur ouvrir un des tiroirs du comptoir et lui demande :

– Raphaël ! C'est qui celui-là ?

Germaine, une nappe à la main d'un vert délavé, s'avance vers la table pendant que Flora qui surveille la scène se lève pour aider sa belle-sœur à dresser la table.

– Raphaël ? C'est notre aide de ferme. Il y a deux ans, quand le père a commencé à ne pas filer trop bien, il l'a engagé. Au début, il s'occupait surtout des champs, mais, maintenant, il vaque à tout, sauf aux cochons pis au jardin : ça, c'est moi ! Tu sais, Henri, la ferme, c'est gros à entretenir. À chaque année, on cultive une vingtaine d'acres à part les champs de foin qui servent à nourrir les bêtes. Si je ne me trompe pas, à part la jument, il y a les deux boulonnais ; on a aussi quatre ou cinq bœufs et une vingtaine de vaches ; les poules pondeuses doivent être au moins une quarantaine sans compter les petits et les coqs. Tout ça fait pas mal d'ouvrage !

– Ouais, je pense bien qu'aussitôt que j'aurai déjeuné, je vais aller jeter un coup d'œil à tout ça.

– Moi aussi je veux y aller, ajoute William.

– Oublie pas qu'il faut que tu ailles à la gare avec ton frère ; tu viendras me rejoindre après...

Des pas lourds se font entendre à l'extérieur ; quelqu'un monte l'escalier conduisant à la porte de la cuisine.

Aussitôt, tout naturellement, comme elle le fait chaque matin, Germaine va ouvrir la porte ; apparaît, comme si le tout avait été orchestré, celui qui occupe la conversation depuis quelques instants. De petite stature, musclé, les cheveux longs et noirs, les yeux bridés du même noir que ses cheveux, la peau du visage aussi ridée que l'écorce d'un vieux tronc d'arbre, l'homme entre et dépose sur le comptoir un vieux chapeau contenant des balles plus brunes que blanches...

– *15* –

Au cœur du Canton, au presbytère

Bien qu'il aime son trotteur, Théodore Therrien le conduit assez durement et, en cette matinée frisquette de juillet, sa façon de faire ne change pas, tout comme le fait l'eau qui s'écoule depuis de nombreuses années en se moulant au lit de la rivière.

Assise à ses côtés se trouve sa fille Éliane qui, depuis le départ, n'a pas prononcé un seul mot. Bon train, la calèche passe devant la maison des Desbiens sans que Théodore n'ose jeter un regard sur ce qui représente les démons de sa vie. Les anéantir, voilà l'idée qu'il poursuit depuis que son père Arthur l'a instruit de ce que veut dire le mot «vaurien». Dès le berceau, son père, ce bâtisseur du Canton l'a formé au sens des vraies valeurs de la vie; «grandir, travailler, posséder», tout à l'opposé de ces vauriens de Desbiens. Cette famille, des paresseux, des profiteux des bonnes gens et tout cela, parce qu'ils se croient les seuls premiers arrivants de la place. Pourtant, comme dit souvent son père, ces montagnes, ces forêts, ce sont eux les Therrien qui, avant même ce grand feu, les ont défrichés, semés et ont aidé des dizaines de familles du Canton à vivre de l'exploitation du bois.

Contrairement à son père, Éliane pose un coup d'œil discret à la maison de leurs voisins. «Peut-être verra-t-elle les nouveaux arrivés d'hier», pense-t-elle. Mais rien ne semble avoir changé dans le calme plat qui règne normalement autour de cette maison.

La tête droite, les yeux grands ouverts sur la route, Théodore brise le silence de sa voix grave et autoritaire:

— Je vais te laisser chez le curé et tu viendras me rejoindre chez le maire. J'en ai pour une bonne heure environ.

— Mais, j'avais pensé que tu passerais me prendre à la gare. Je voulais aller voir Estelle après ma rencontre.

Toujours la tête bien droite et regardant directement devant lui, Théodore semble hésitant à répondre quand enfin il dit :

— Ouais, tu fais mieux d'être là, parce que je courrai pas après toi longtemps.

Un profond silence se réinstalle entre les deux, laissant tout l'espace au souffle du vent et aux bruits sourds des sabots du trotteur et des roues de la calèche sur le sol terreux de la route.

.˙.

Une trentaine de minutes plus tard, Éliane se retrouve dans la même pièce que deux jours avant. Devant elle, bien campée sur la même chaise, la même personne aux cheveux blancs, le curé Lampion, et à sa droite, à la place qu'occupait le maire, une femme qu'Éliane connaît bien. Ah oui, cette femme en robe noire, elle la connaît bien ! Au cours des trois dernières années, combien de fois lui a-t-elle fait des remontrances sur sa façon de vivre, de manger, de grandir... ? Elle ne peut le dire, mais voir réapparaître à ses côtés, quand on pense que c'est fini, la personne la plus condescendante qu'on connaît, peut laisser n'importe qui songeur sur ses ressentiments. Mais Éliane ne peut aller plus loin dans ses pensées, car le curé entame la conversation :

— Mademoiselle Therrien, vous reconnaissez sûrement sœur Saint-André, directrice des études du Bon Conseil chez qui vous avez obtenu votre diplôme d'institutrice.

Éliane acquiesce d'un signe de tête tout en cachant derrière un sourire sa répugnance, son dégoût, pour ne pas dire sa colère.

— Je vous ai fait venir, car des changements sont survenus depuis notre rencontre d'avant-hier. Sans plus tarder, voici la situation : le soir même de notre rencontre, monsieur le maire avec ses conseillers et les commissaires d'école ont pris la décision de fermer l'école du rang, considérant que le nombre d'élèves ne justifie plus son ouverture. Ces élèves seront localisés à l'école principale du Canton. Ils se trouveront peut-être un peu à l'étroit pour cette année, mais avec la nouvelle école que l'on s'apprête à construire, l'espace ne manquera pas.

Calé dans son fauteuil, le curé Lampion fait une courte pause, savourant sa situation, puis il enchaîne d'un ton ferme et sans équivoque :

— Un autre grand changement et aussi un plus pour notre paroisse : l'arrivée de mère Saint-André. Celle-ci va diriger l'école principale dès cette année. L'an prochain, des sœurs de sa communauté se joindront aux professeurs qu'elle voudra bien retenir.

En entendant ces paroles, Éliane ressent déjà la pression qu'on veut exercer sur elle. Le curé, la tête bien raide, les lèvres sèches, la fixe tel un hypnotiseur de ses yeux de charbon qui contrastent avec ses sourcils blancs qui trahissent son âge. Intimidée par ce climat et cherchant un certain réconfort, elle s'enfonce plus profondément dans sa chaise au bois d'érable durci par le temps. Après quelques instants de silence, celui qui se dit son protecteur prononce les mots suivants :

— Mademoiselle Therrien, mère Saint-André et moi avons discuté longuement et nous sommes mis d'accord pour vous faire la proposition de venir compléter l'équipe de professeurs de l'école principale. Vous êtes jeune, vous venez d'une famille pratiquante, vous connaissez bien les gens du Canton pour y être née et vous avez reçu une excellente formation.

Ensuite, il se tourne vers la religieuse et poursuit en ces termes :

— Selon mère Saint-André, vous deviendrez une excellente institutrice.

Absorbant ces paroles avec une certaine émotion, Éliane sent monter en elle une gêne mêlée de fierté et de crainte. La pensée que le curé et la religieuse peuvent lire son trouble sur ses joues devenues écarlates l'embarrasse grandement.

Continuant de la scruter, le curé conclut de sa voix pénétrante :

— Ce sont, mademoiselle Therrien, tous ces points mis en commun qui font que notre choix s'est posé sur vous.

Saisissant le poids de ces paroles, sans attendre, Éliane s'avance sur sa chaise, regarde la sœur, puis, prenant son courage à deux mains, s'adresse directement au curé :

— Monsieur le curé, je suis surprise de tant d'attention à mon égard, mais il me faut du temps avant de vous donner ma réponse.

Prenant de l'assurance, elle ajoute :

— Voilà deux jours, j'ai accepté pour l'école du rang, et vous savez qu'elle est située à moins d'un mille de chez moi, contrairement à l'école principale.

De plus en plus sûre d'elle-même, elle continue :

— Si j'accepte, je dois déménager. J'ai bien des connaissances au village qui peuvent m'accueillir, mais, auparavant, il va falloir leur en parler.

— Je vois, mademoiselle Therrien! Je comprends votre situation, mais nous devons recevoir votre réponse rapidement. Mère Saint-Andrée veut connaître ses professeurs le plus tôt possible afin de bien préparer la rentrée scolaire. Vous n'ignorez pas la quantité de travail que cela exige.

Sortant de son mutisme, la sœur échappe :

— Monsieur le curé, vous m'excuserez de prendre la parole...

— Allez-y mère Saint-André, continuez, on vous écoute.

— Eh bien, afin de permettre à mademoiselle Therrien de prendre une décision éclairée, je crois qu'on peut lui donner une semaine de réflexion. Après ce délai, il sera trop tard.

Posément, après un moment de silence, le curé Lampion approuve en ces termes :

— O.K.! Je n'y vois aucun inconvénient.

Puis il ajoute :

— Ça fera votre affaire mademoiselle ?

– Bien sûr. Je vous remercie vous et sœur Saint-André de votre compréhension. D'ici une semaine au plus, je vous donnerai ma réponse.

Quittant son siège, Éliane se dirige vers la sortie mais non sans oublier de saluer sœur Saint-André et le curé. La sœur, qui a peu parlé durant cette entrevue, s'adresse alors à elle d'un ton direct et percutant :

– Mademoiselle ! À votre habillement, on voit que vous aimez suivre la mode des grandes villes. Cependant, sachez qu'en tant qu'institutrice les robes découvrant les mollets ne conviennent pas. Si vous acceptez le poste à l'école principale, le costume que vous vous devrez de respecter comporte une robe noire assez longue pour couvrir la cheville, avec une encolure serrée au cou et des manches longues jusqu'aux poignets. De plus, pas de parfum, ni de vernis à ongles et surtout pas de cheveux en boucles comme vous portez actuellement. Vous saisissez l'importance de ces règles j'espère ?

Réprimant sa colère et prenant un air très sérieux, Éliane répond :

– Oui, je comprends bien l'importance de ces règles. La formation que vous m'avez donnée répondait à celles-ci et, si j'accepte ce poste, je m'y conformerai.

– Voilà qui est bien répondu, mademoiselle, félicite le curé qui comme un supérieur dicte à sa subordonnée :

– Veuillez transmettez mes salutations à votre père et dites-lui que j'aimerais qu'il passe me voir.

– *16* –

Au cœur du Canton ; chez le maire

Assis confortablement, Théodore soulève la tasse de café que vient de lui servir Simone, la femme du maire, et la porte à ses lèvres. Bien qu'il trouve cette boisson trop chaude, il en boit une pleine gorgée, afin d'être poli. Son père et sa mère, mais surtout son père, lui ont enseigné ces règles: saluer les dames; offrir son siège; ouvrir les portes; dire oui quand c'est essentiel ou quand cela peut rapporter; respecter l'autorité, ses parents, le curé, le maire, le député...; reconnaître que les plus vieux ont la sagesse, et bien d'autres.

En ce début d'été 1924, Théodore a besoin de l'appui de son vieil ami le maire et même si la réciproque est aussi vraie, il lui faut être ingénieux pour ne pas le faire paraître.

– Ouais, ça, c'est du café! Madame la mairesse, vous préparez assurément le meilleur café du Canton.

– Merci, monsieur Therrien, répond-elle en quittant le bureau de son mari afin de laisser seuls les deux hommes.

Simone possède cette faculté de savoir reconnaître l'importance du moment et surtout de sonder le cœur des hommes. En cette matinée de juillet, bien que Théodore Therrien soit un habitué de la maison, elle veut se faire discrète, à voir l'impatience qui se dégage de ses gestes et de ses paroles. «... Ça paraît très important... », pense-t-elle en retournant à la cuisine. Oui, vaut mieux laisser à son mari le soin de traiter avec lui. Ces deux «magouilleux» ne se connaissent-ils pas depuis leur enfance, depuis leur entrée à l'école primaire?

Petit, mesurant cinq pieds quatre pouces, les yeux brun noisette, la barbe longue poivre et sel, Cyrille Poitras, cultivateur aujourd'hui retraité, en est à son deuxième mandat comme maire. C'est sous sa gouverne que l'eau courante et un système d'égout furent installés pour les résidants du centre ; que des trottoirs de bois d'une largeur de trois planches de six pouces chacune ont été construits sur près de un mille de chaque côté de la rue menant à l'église ; qu'une structure pour combattre le feu, montée sur une voiture à cheval a vu le jour ; que les chemins des rangs ont été refaits en bon sable et que le grattage d'hiver pour les voitures à chevaux a vu le jour. Pour les uns, particulièrement ceux du centre du village, c'est un bon maire, mais, pour les autres, ce n'est pas si catégorique.

Il faut mentionner pour sa défense que quel que soit le travail réalisé, le Canton, à l'image de la politique provinciale, se partage en deux camps : les bleus et les rouges.

– Comme ça, le curé travaille fort pour notre projet?, demande Cyrille à Théodore.

– C'est ça, je l'ai rencontré la semaine dernière, on en a parlé une bonne heure ; il devait rencontrer nos opposants.

– Penses-tu qu'il va réussir à convaincre les Gobeil de rallier notre camp ? En passant, le conseil municipal a appuyé les commissaires pour la fermeture de l'école de ton rang. C'est déjà un bon pas de fait! Pour le poste de ta fille, le curé doit y voir. Je pense qu'il va la placer icitte à l'école principale.

Assis autour d'une petite table en bois d'érable comme le bureau et les chaises meublant la pièce dont se sert Cyrille pour rencontrer ses concitoyens, les deux hommes en attente se regardent dans les yeux. Cyrille n'a pas le temps de prendre une gorgée de café que Théodore s'exclame sur un ton qui n'inspire pas à la gaieté :

– Ouais, j'espère qui vont arranger ça pour ma fille. Y me doivent bien ça! Pour les Gobeil, je ne sais pas ! Mais si le curé ne réussit pas, il va falloir mettre de la pression. Le temps va commencer à manquer si on veut que l'école et la salle communautaire soient bâties. Je sais bien que le député nous a promis l'argent, mais il faut, dès cette année, mettre debout cet édifice, pas dans dix ans, autrement il sera trop tard !

– Ouais, tu as bien raison... Mais comment on va faire ? Moi, dans mon rôle de maire, il faut que je démontre de la neutralité. Je représente autant le monde du village que ceux des rangs, pis les élections, c'est pour l'an prochain !

Baissant le ton, Cyrille, tout en se massant la nuque, poursuit :

– Même si je t'appuie, je dois être prudent avec ce projet-là. Tu sais bien que la construction de la nouvelle école va amener la fermeture des écoles de rangs et que les gens n'accepteront pas ça facilement ! Tu sais, Théodore, c'est pas évident de faire voyager les jeunes pour aller à l'école sur un, deux pis trois milles. L'été, ça va, mais l'hiver, faire ça à pieds avec la neige, la neige que le vent monte en bancs sur deux, trois et même cinq pieds, je ne suis pas sûr que...

Théodore écoute sans être surpris outremesure, car c'est depuis le début du projet d'école et de salle communautaire qu'il traîne Cyrille ; sa «mollesse» ne lui est pas étrangère.

Coupant la parole à son vieil ami, il le regarde avec insistance et lui dit avec fermeté :

– Écoute, Cyrille, ce projet-là, il est autant pour toi que pour moi. Le député a promis de l'argent pour la construction à ton conseil de ville pis aux commissaires d'école sur mes recommandations. Tu sais qu'il suffit d'un mot de ma part pour que le projet s'envole en fumée. Mais, moi, je ne veux pas perdre cet argent, et toi non plus d'ailleurs, j'en suis sûr ! Actuellement, c'est vrai qu'il y a du sable dans l'engrenage, mais avec un peu d'astuce, on va relancer le projet dans le bon sens.

– Ouais, tu as bien raison. Mais, comment on va faire ? questionne Cyrille, à la recherche d'idées qui pourraient lever les barrières mises en travers de leur projet.

– Pour commencer, je vais retourner voir le curé en espérant qu'il a réussi à rallier les gens des rangs. Dans son cas, on n'a pas à s'en occuper, tant qu'on conserve l'idée de construire en face de l'église et que les bonnes sœurs vont venir, il va être de notre bord. Pour ça, je communique avec ma sœur Bernadette afin de m'assurer que sa congrégation reste toujours dans le coup pour venir gérer la future école malgré les opposants. Toi, de ton bord, tu consolides notre position auprès de ton conseil et des commissaires : il ne faut pas en perdre un.

– Ça va ! L'idée est bonne.

Regardant Cyrille de ses yeux bruns et profonds, Théodore, avec un ton autoritaire, renchérit :

– L'idée est plus que bonne ! C'est ce qu'il faut faire ! Imagine qu'on perde la majorité au conseil, c'est fini, parce qu'on ne pourra jamais imposer notre vision aux gens des rangs. Adieu tout le « foin » qu'on aurait pu faire avec le projet.

Toujours assis en face de Théodore, Cyrille appuie ses propos d'un signe de tête pendant que ce dernier enchaîne :

– Il ne faut pas oublier qu'en ce qui concerne la venue des sœurs du Bon Conseil, en tant que maire, tu peux dire aux gens que le projet va permettre aux enfants de recevoir la même éducation qu'en ville.

Fiers du plan proposé, un large sourire éclaire le visage de chacun des complices. Puis, savourant leur plan, ils lèvent leurs tasses de café comme on porte un toast après un triomphe.

Après quelques instants de contemplation, Cyrille porte à sa bouche une de ses précieuses boulettes de tabac. Il se met à mâchonner, faisant travailler lentement les muscles de ses mâchoires et de son cou. Puis ayant repris un air sérieux, il relance la discussion :

– Théod, si jamais il faut faire pression, tu penses faire quoi ?

– Eh bien, j'ai déjà pas mal réfléchi à ça et j'en suis arrivé à la conclusion que je devrais me servir de mes moulins. Tu sais que j'ai un moulin à farine et un moulin à scie qui font travailler pas mal de gens du Canton. Si nécessaire, ce sera la clé qui réglera nos soucis.

Fier d'être si créatif, Théodore baisse le ton et s'approche de Cyrille :

– Écoute bien : je ne me servirai pas du moulin à farine pour faire pression sur les cultivateurs du Canton mais du moulin à scie. La farine, c'est la vie et avec la récolte des semences à l'automne, le moulin rapporte gros. Mais la coupe de bois en planches et en madriers, c'est autre chose. À l'automne, mon moulin à scie sert surtout pour la coupe du bouleau. Depuis deux ans au moins, je ne fais plus d'argent avec ce bois qu'on utilise pour fabriquer des fuseaux de fil et des manches de vadrouilles et de balais. Le nouveau moulin des Gagné du Lac-Kénogami me rentre dans le corps ! J'ai gardé ce moulin-là ouvert strictement parce que ça donne de l'emploi à plusieurs personnes du coin. Grâce au moulin à scie, les cultivateurs des rangs et leurs familles sont bien contents d'avoir de la job. Mais qu'est-ce qui arriverait si je fermais celui-ci à l'automne qui s'en vient ?

Théodore saisit la tasse de café dans sa grosse main d'ours semblable à celle de son père et avale une dernière gorgée de café. Il s'approche du maire, baisse encore le ton et s'adresse à lui comme s'il s'agissait d'un secret :

– Écoute bien, Cyrille : si rien ne bouge, en septembre, je m'organise pour faire circuler la rumeur que je ne suis plus capable d'ouvrir mon moulin à scie et que le seul moyen de sauver celui-ci pis les jobs avec, c'est que l'école soit bâtie avec le bois qu'on pourrait couper au moulin. Qu'en penses-tu ?

– Ça, c'est bon ! C'est certain que si ça commençait à circuler dans le Canton, plusieurs changeraient d'avis.

– Comme ça, Cyrille, ça fait ton affaire !

– Oui, oui, c'est un sacré bon plan.

– Dans ce cas-là, si on est d'accord, on attend de voir comment ça va se passer et si d'ici la mi-août, ça ne va pas dans le bon sens, on brasse la cabane. O.K. !

– O.K. !

Les deux hommes, fiers d'eux, se serrent la main, scellant un pacte auquel ni l'un ni l'autre ne pourront déroger.

Encore bien assis, les deux jambes mi-allongées, Théodore tire de sa poche de pantalon une montre rattachée par une chaîne à sa ceinture ; ce cadeau de son père représente un bien précieux pour lui. L'inscription sur le boîtier « LJT 1895 » lui rappelle chaque fois qu'il la lit que c'est lors de ses vingt et un ans que son père a fait de lui l'héritier des terres de la famille. « Tes frères et sœurs ne démontrent aucun signe d'intérêt pour les terres », avait dit son père tout en ajoutant : « toi, Théodore, le cadet de la famille, tu possèdes ces capacités qui font que l'on devient des grands. Tu es de la bonne graine des Therrien et si tu suis mes traces, tu apprendras vite. » Et c'est ce que celui-ci avait fait en profitant du fait que la place était vide. Lucien, l'aîné de la famille, n'aimant pas la terre, quitta la maison familiale dès qu'il eut atteint la majorité pour ouvrir un petit commerce de vêtements à Roberval. Wilfrid, le deuxième, prit la vocation de religieux et exerçait son apostolat dans une petite municipalité du Lac-Saint-Jean du nom de Saint-André. Il donnait des nouvelles périodiquement et venait prendre un repas à la maison familiale chaque fois qu'il se rendait à l'évêché de Chicoutimi. Théodore l'aimait bien ce grand frère avec son air toujours jovial et ses propos religieux. Le troisième, Bernard, l'enfant gâté de la famille, vivait dans la grande ville de Montréal. Avocat, célibataire, il jouait au don juan. Sa dernière visite dans le Canton remontait bien à cinq ans ; en revanche, il ne manquait jamais d'envoyer un colis pour souligner l'anniversaire de sa mère qu'il surnommait « Elvi », diminutif de Melvira. Quant à l'unique fille de la famille, Bernadette, elle était religieuse chez les sœurs du Bon Conseil. Elle avait causé bien du chagrin à sa mère. « Pourquoi, pourquoi, on avait déjà un curé dans la famille », répétait encore sa mère quand on parlait d'elle. Théodore appréciait sa sœur ; d'ailleurs, il ne manquait jamais d'aller la visiter quand l'occasion se présentait. Elle savait être une complice avertie, une confidente des secrets les plus compromettants.

– Onze heures. Ouais, j'ai encore le temps de rendre visite au notaire, en espérant qu'il sera là!

– Tu brasses encore des affaires?

– Ah, pas grand-chose!

Théodore hésite avant de parler de son projet concernant les terres des Desbiens: Cyrille est un mou et il pourrait le vendre. D'ailleurs, son père lui a toujours dit: «Quand on a un projet en tête, il faut mettre le moins de monde possible au courant. Il se trouve toujours des envieux pour nous mettre des bâtons dans les roues!» Mais il passe outre ses appréhensions et se laisse aller:

– Il paraît que le vieux Desbiens va bientôt y passer. Je veux prendre des informations concernant ses terres.

Ces paroles font sourire Cyrille. Natif du Canton, il connaît bien le propos de la querelle qui hante ces deux familles et divise même les gens de sa communauté. En tant que maire, il sait qu'il doit jouer un rôle de rassembleur mais, en privé avec son ami, son organisateur politique:

– C'est bien pensé! C'est l'occasion rêvée..., laissant les derniers mots en suspens, sachant que Théodore comprend bien ce qu'il veut dire.

Les deux hommes se lèvent de leur siège d'un même bond pour se diriger en silence vers la sortie. C'est alors que les propos tenus par sa femme, Simone, lors du souper de la veille reviennent à l'esprit de Cyrille. Saisissant par le bras Théodore qui le dépasse d'un bon pied, il lui dit:

– J'y pense, ça me revient à l'esprit. Simone m'a dit hier qu'il paraît que le fils du père Desbiens, tu sais, celui qui était parti sans qu'on sache où, est de retour. Il serait arrivé par le train avec sa femme et ses enfants hier ou avant-hier...

– 17 –

Gare du Canton

Éliane quitte le presbytère songeuse. Au cours des dernières quarante-huit heures, sa vie, jusque-là sans histoire, s'animait drôlement. Tout comme la veille, elle va à la gare, mais cette fois-ci pour une raison différente : rencontrer son amie tel qu'elles ont convenu.

Le père d'Estelle est occupé, comme tous les matins, à transmettre ou à recevoir des télégrammes lorsqu'elle entre dans la gare. En tant que chef de gare, il a une importance capitale pour le Canton, municipalité éloignée des grands centres. Les bonnes et les mauvaises nouvelles entrent et sortent de la municipalité grâce à lui, le seul individu à des milles à la ronde à savoir manipuler le télégraphe et son code de signaux.

Éliane ne cherche pas son amie longtemps; elle l'aperçoit dans la salle d'attente encore déserte malgré l'heure avancée de la matinée. Il faut savoir que le prochain train n'entrera en gare qu'à quatorze heures et que, normalement, les voyageurs, curieux et autres se présentent environ une heure avant.

Se disant que l'écoute d'Estelle et sa capacité d'évaluer l'ampleur des événements vont sûrement l'aider, Éliane a décidé de tout lui raconter. Aussi, lorsque Estelle déclare que jamais, non jamais, elle ne se laisserait imposer un mariage, surtout avec quelqu'un qu'elle n'aime pas, cela plaît à Éliane. Pour ce qui est de l'acceptation ou du refus d'Éliane du poste d'institutrice, Estelle lui conseille la prudence, pourquoi ne pas se donner du temps, une période de réflexion, question de voir venir.

« ... Si tu trouves à te loger, tu pourras accepter. Il sera toujours temps de revenir sur ta décision si tu n'aimes pas... ».

Installées sur l'un des bancs de bouleau de la salle d'attente, les deux jeunes filles discutent calmement; elles sont bien ensemble, échangeant des confidences sans gêne, sans détour. Cela fait bien une bonne dizaine de minutes qu'elles bavardent ainsi lorsqu'un grincement provenant d'une friction de métal contre métal attire leur attention. Recherchant la source de ce bruit, leurs regards se posent sur la porte donnant sur l'appontement aménagé pour débarquer ou embarquer les voyageurs et les marchandises. À ce moment apparaissent deux jeunes hommes. À la vue du plus grand des deux, Éliane sent le sang lui monter à la tête, non pas à cause de la colère mais à cause de la gêne: elle le trouve beau, encore plus beau que la première fois.

Consciente du trouble de son amie, Estelle lui touche la main droite du bout des doigts. Calmement, elle se dirige vers le comptoir afin d'accueillir les nouveaux arrivés.

— Bonjour, messieurs. On peut vous aider?

— Oui, on vient chercher le reste de nos bagages, répond le plus grand des deux.

— J'imagine que l'on vous a dit que vos bagages seraient disponibles aujourd'hui.

— C'est ça, mademoiselle. Lors de notre arrivée hier après-midi, le chef de gare a dit à mon père que tout serait prêt aujourd'hui.

Aussitôt Estelle prend le grand livre noir dans lequel son père inscrit les entrées et sorties des différents bagages et colis passant par la gare. Elle l'ouvre et même si elle connaît déjà la réponse, demande:

— Vos bagages, c'est sous quel nom?

— Sous le nom de mon père, Henri Desbiens.

Il suffit de quelques instants pour qu'Estelle repère le nom de celui-ci.

— C'est écrit que vous avez quatre valises ainsi que trois boîtes de bois.

En entendant ces paroles, le plus petit et aussi le plus jeune des deux met la main dans la poche de son pantalon et en ressort un coupon jaune que reconnaît immédiatement Estelle. Le jeune homme lit les inscriptions :

– C'est bien ça qui est inscrit sur le coupon.

Spontanément, Estelle tend sa main droite et l'ouvre telle un contenant prêt à recevoir des pièces d'argent et récolte le coupon jaune. Souriante, elle s'adresse aux deux jeunes hommes et leur dit :

– Je vais voir derrière si tout est prêt. Vous pouvez vous asseoir en attendant, j'en ai pour quelques minutes.

Promptement, elle pivote pour emprunter la porte derrière le comptoir et disparaître de la pièce.

Toujours bien en place sur le banc d'un brun éclairci à différents endroits par l'usure du va-et-vient des voyageurs, Éliane observe la scène. Elle a retrouvé le rythme de sa respiration et la couleur de sa peau blanchâtre lorsqu'à nouveau tout recommence à la vue du beau jeune homme qui s'avance dans sa direction.

À son entrée dans la gare, il avait tout de suite remarqué que la jolie jeune fille de la veille occupait le lieu. À voir la rougeur qui enflamme ses joues, il se dit qu'elle n'est probablement pas indifférente à sa présence. Aussi, dès que la jeune fille aux cheveux châtains de la réception sort de la pièce, il veut profiter de l'occasion, peut-être sera-t-elle la seule et unique !

Oubliant la présence de son frère, William se dirige nerveusement vers le banc sur lequel est assise l'origine de sa contemplation. Habillée d'une robe à la mode, la jeune fille est d'une telle splendeur que tout le corps et l'esprit du jeune homme en sont enivrés. À mesure qu'il avance vers elle, son visage à la peau blanche surmonté d'une épaisse chevelure noire charbon capte son attention. Debout devant elle, la beauté enivrante de ses yeux l'empêche de remarquer leur couleur. Bien que tout son être semble nager dans l'irréel, William réussit à contrôler son esprit et dit :

– Bonjour, c'est bien vous qui étiez ici hier ?

Déconcertée par l'approche spontanée du jeune homme qui remplit déjà par sa seule apparence tous ses sens, Éliane ne bronche pas. Incertaine, incrédule du moment présent, s'efforçant de contrôler l'immense bouffée de chaleur qui l'envahit, elle est incapable de répondre.

– Je suis certain que c'était vous. Vous étiez avec une dame, sûrement une parente, car vous vous ressemblez beaucoup.

Instantanément, ces seuls mots la sortent de sa torpeur. Puis, sans réfléchir, avec un naturel qu'elle ne se connaissait pas, elle répond :

– C'est vrai, mais ce n'est pas elle qui me ressemble, c'est moi : c'est ma mère.

William, un peu embarrassé par la réplique de la jeune fille :

– Est-ce que je peux m'asseoir avec vous en attendant que revienne la demoiselle du comptoir ?

– Aucun problème, répond Éliane pour ensuite suivre du regard l'étranger qui prend place à ses côtés, à quelques pouces de son corps bombardé de picotements. C'est un pur inconnu, mais, curieusement, son simple contact donne une sensation de bien-être, de paix, de bonheur! Même si elle n'a pas d'expérience avec les hommes, Éliane se sait envahie par le nouveau venu. Que dirait son père s'il la voyait aussi bouleversée ? Dans un tel état d'âme ?

– Vous me trouvez sûrement impoli de vous parler, mais mon frère et moi ne connaissons personne ici. Notre famille est arrivée avec le train d'hier pour habiter chez notre grand-père.

– Vous n'avez pas à vous sentir impoli, car si je n'avais pas voulu que vous me parliez, j'aurais agi autrement.

Ces paroles rassurent William qui affiche maintenant un sourire radieux.

– Je vous ai entrevu sur le quai, vous étiez bien avec la sœur du vieux monsieur Desbiens qui réside dans le rang 5 ?

185

Toujours souriant, William répond en soutenant son regard :

– Je ne sais pas si c'est bien le rang 5, mais mon grand-père est bien un Desbiens. Mon père lui, s'appelle Henri et moi William. Et vous ?

– Je m'appelle Éliane, Éliane Therrien...

Un éclair traverse l'esprit de William : Therrien..., Therrien... le nom du méchant homme, celui qui avait privé les siens de leurs biens. Cette jolie fille qui lui plaît, qui lui fait palpiter le cœur, porte le nom de Therrien... mais peut-être... et sans que rien ne transpire, il enchaîne :

– Éliane, quel joli prénom. Des Therrien, il y en a beaucoup par ici ?

– Assez, mon grand-père dit qu'il est l'un des premiers arrivants dans le Canton, mais, à bien compter, la famille n'est pas très nombreuse.

– Vous habitez loin d'ici ?

– Pas tellement. J'habite dans le même rang que votre grand-père, environ un mille plus haut.

Éliane n'a pas fini sa réponse que les deux jeunes gens éclatent d'un rire complice, presque enfantin.

– Comme ça, nous sommes voisins. Pas possible..., laisse aller William ajoutant ses rires à ceux de cette fille qui le fascine, remplit ses yeux et son cœur par sa beauté et fait résonner une douce musique à ses oreilles à chaque tonalité de sa voix.

À quelques pieds, appuyé au comptoir dans l'attente du retour de la jeune réceptionniste, Benjamin observe son frère et cela l'amuse. À Montréal, plusieurs fois, lui et son frère ont abordé des filles, soit à l'école, dans les ruelles, mais sans plus. Là, à voir la façon dont se comporte William avec cette fille, il se passe quelque chose d'anormal, c'est certain. Celle-ci est bien jolie, mais un peu trop petite à son goût, lui qui mesure un bon cinq pieds six pouces préfère les filles qui, comme celle derrière le comptoir, sont aussi grandes que lui. Ouais, William et cette fille...

Soudainement, à l'image du coup de tonnerre qui coupe le temps dans la prairie verdoyante et paisible, la porte avant de la gare s'ouvre laissant apparaître dans son embrasure, tout habillé de noir, un homme au chapeau à large rebord. Immobile à la façon d'une image encadrée, celui-ci fixe directement de ses énormes yeux les deux silhouettes qu'il aperçoit de dos. Envoûtés par l'un et l'autre, ceux-ci n'ont pas pris conscience de l'intrus qui envahit le territoire.

En bonne complice et amie, Estelle, en retrait derrière la porte entrouverte qui sépare la salle d'attente du bureau de son père, a voulu laisser du temps à Éliane. Elle a facilement deviné à travers sa copine tout l'attrait que représente ce nouveau venu et a capté l'apparente réciprocité de la part de celui-ci. Attentive au moindre bruit, elle est la première à voir la porte s'ouvrir. Reconnaissant sans hésitation le père d'Éliane, elle pénètre aussitôt dans la salle d'attente et, à la façon d'une louve qui, apercevant le danger d'un indésirable, vole au secours de ses semblables, elle lance d'une voix presque criarde qui remplit la salle d'attente d'une atmosphère d'incertitude :

– Bonjour ! Bonjour, monsieur Therrien, vous avez besoin de quelque chose ?

À ces mots, Éliane lève la tête et constate qu'Estelle regarde dans sa direction. Immédiatement, elle comprend que ce monsieur Therrien est bien son père et qu'il se trouve derrière elle.

Promptement, elle se lève de son siège, pivote sur cent quatre-vingt degrés et camouflant l'agacement qu'elle ressent de voir apparaître celui-ci si tôt :

– Salut, pa, je suis prête ! Je dis salut à Estelle et je te rejoins, O.K. ?

– Ouais ! Dépêche-toi, ça fait un bout que l'angelus a sonné, j'attendrai pas longtemps, répond-il en refermant brusquement la porte derrière lui.

Ayant saisi que cet homme est le père d'Éliane, William réalise à l'empressement qu'elle a eu à lui répondre, que c'est le « patron » et qu'il vaut mieux ne pas lui déplaire.

Une fois ce dernier sorti, la salle d'attente retrouve instantanément sa sérénité et Éliane, son sourire. Tout à côté du jeune homme qui la dépasse d'une bonne tête, elle lui présente la main droite pour lui dire au revoir. Enveloppant inconsciemment la main de la jeune fille de ses deux mains, William est submergé par le plaisir de ce contact et comme si le temps était suspendu, il cherche à faire durer ce plaisir, la regarde de ses yeux magiques, lui sourit jusqu'à ce que les paroles d'Éliane viennent y mettre fin.

— Au plaisir de te revoir, voisin !

Après avoir récupéré sa main, Éliane, d'un geste rapide, salue Estelle et se dirige vers la sortie pendant que William, figé sur place, encore incapable de contrôler ses pensées, admire la silhouette de la jeune fille mise en valeur par la courte robe.

Chez les Couture

Le dîner, composé d'une soupe aux légumes du pays, de patates bouillies rehaussées de lanières de bœuf rôties sur le rond du poêle, fut grandement apprécié. Confortablement installés dans le salon familial autour d'une assiette de biscuits secs et d'un thé noir, Albérick Couture, sa femme Lucie et leur fils Daniel discutent des derniers événements et des rumeurs touchant le Canton.

Bien que toute la famille soit enchantée de la nomination de Daniel comme vicaire de la place, tous sont d'accord pour dire que cela a beaucoup surpris les gens du Canton.

– À mon avis, l'évêque t'a nommé ici parce que tu connais bien le coin. Tu sais, avec ce qui se brasse depuis quelques temps !

– Justement, il se brasse quoi au juste ?, demande Daniel en guise de réponse au propos de sa mère.

– Tu ne sais pas ? Monseigneur l'évêque t'a rien dit ?

– Eh bien, non ! La seule nouveauté depuis mon arrivée, c'est que le curé Lampion ne veut pas que je prêche avant un certain temps. De plus, je dois me mêler de mes affaires concernant un certain projet d'école.

– C'est bien ce que je m'attendais, lance Albérick de sa chaise berçante.

Homme reconnu pour écouter beaucoup plus qu'il ne parle, Albérick, par son métier de cordonnier, se trouve en excellente position pour connaître les rumeurs qui circulent dans le Canton. Peut-être est-ce la raison pour laquelle rarement, pour ne pas dire jamais, il ne parle en «je» mais en «on». Après plus de quarante ans de vie commune, Lucie connaît son homme. Aussi sait-elle saisir les bons moments pour le faire parler au moindre « je ».

– Pourquoi dis-tu cela, Albérick ?

Pour toute réponse, celui-ci porte à sa bouche un biscuit sec, il le mâchouille tout en continuant de se bercer dans sa chaise préférée, qui a appartenu à sa grand-mère. Celle-ci a servi à bercer sa mère qui, à son tour, a bercé ses enfants comme lui et sa femme l'ont fait avec leur fils unique, Daniel. Cette vieille chaise signifie la sécurité, la chaleur du foyer et des heures et des heures à voyager dans le passé, le présent et l'avenir.

Revenant à la charge, Lucie insiste :

— Voyons, tu n'as pas dit cela pour rien, raconte !

Albérick connaît lui aussi le caractère de sa femme. Si elle décide que ce sera ça, et bien, ce sera ça. Il voit bien qu'il ne pourra pas s'en sortir. Prenant un ton à la fois secret et solennel semblable à celui que prend l'amoureux avec les parents de sa joie de vivre.

— Ce que je vais vous dire doit rester entre nous. Il faut être prudent parce que ça peut être seulement que des rumeurs, malgré qu'on peut se douter qu'il y a du vrai là-dessous.

Cet homme qui a servi toute sa vie une clientèle souvent mesquine connaît les gens. Il sait que ses dernières paroles ont semé la graine de l'intrigue. Savourant son effet, il continue de semer :

— Écoutez, si je ramasse ce qui se dit dans le Canton, le maire et ses amis sont dans le décor. Daniel, ta nomination de curé à Chambord remonte à peu près au même temps où le maire Poitras a été élu, je crois ?

— J'ai été nommé en 1916, si je compte bien, ça fait... huit ans !

— Ouais, ça donne à peu près deux mandats. Ici, au Canton, tout le monde sait que la mairie, c'est l'affaire de deux gangs : les Therrien pis les Gobeil et que le maire actuel couche avec les Therrien. De vieux amis d'école, y paraît ! En général, les gens colportent que, depuis sa première élection, Cyrille a fait avancer le Canton. Maintenant presque tout le centre a l'aqueduc et à ce que j'entends dire, c'est un peu grâce à lui si l'an prochain, l'électricité et le téléphone vont passer partout. Le centre, c'est rendu un gros village avec presque six cents personnes et si on ajoute les rangs, ça en fait au moins mille cinq cent. Pis on a le train, deux gros magasins généraux, deux hôtels pour les voyageurs, un bureau de poste, un boucher, un boulanger, un barbier, un charretier, sans parler de l'entrepôt à grains, du moulin à scie et j'en passe. Quand on regarde ça, le Canton a pas mal changé depuis les dernières années... Prenant conscience qu'il se dirige sur une autre voie, Albérick s'arrête un court moment pour prendre un autre biscuit et sans changer de ton, il poursuit :

– Ce que j'entends à la cordonnerie, c'est que notre maire réalise de bonnes choses, mais qu'il encourage un peu trop sa gang de conseillers et commissaires dans le projet d'école et de salle communautaire. Il y a autre chose : il paraît qu'il y a gros d'argent dans le décor et que Therrien, l'ami du maire, est derrière. Ça ne surprend personne parce que lui, là où il y a de l'argent à faire, il y est toujours. Mais ce qui fait particulièrement jaser les gens, c'est l'attitude du curé.

– Le curé? Qu'est-ce qu'il vient faire le curé dans ce projet à part que l'école c'est peut-être un plus pour la communauté ? dit vivement Daniel.

– Ben, mon garçon, c'est beaucoup plus compliqué que ça. Les gens répètent qu'il magouille avec Therrien et le maire pour avoir l'école en face de son église et placer les enseignants qu'il veut. Y paraît qu'il va placer la fille Therrien... De plus, ce qui fâche ceux qui résident en dehors du centre, c'est que l'ouverture de la nouvelle école va amener la fermeture des écoles de rangs et que malgré ça, le curé appuie le projet. À la cordonnerie, j'ai même entendu dire que le curé a rencontré les Gobeil, les opposants du maire et de sa gang, pour essayer de les convaincre.

Albérick s'arrête un court instant, puis en s'adressant directement à son fils pour qu'il comprenne bien, il précise :

– Tu sais, si ce projet d'école se réalise, les jeunes devront parcourir à pieds ou en voiture un et même deux milles et plus pour s'y rendre. Pour plusieurs personnes, ça n'a pas de sens !

– Ouais, ouais, c'est peut-être pour tout ça que le curé m'a dit de rester tranquille. Mais selon vous, cette nouvelle école est-elle vraiment nécessaire?, demande Daniel.

À l'image d'une surprise que l'on tire d'un sac, la question de Daniel étonne autant Albérick que Lucie. Un long moment de silence s'installe avant que cette dernière ne reprenne :

– Comme ton père l'a dit, le centre du Canton grossit. Ça doit faire au moins dix ans qu'on parle que l'école actuelle doit être remplacée ou du moins agrandie. Tu sais, Daniel, même si on voudrait le nier, depuis ton départ pour le grand séminaire, le Canton, c'est pus pareil...

Pensif, Daniel quitte son fauteuil et, d'un pas mesuré, marche de long en large à travers la pièce. Sa façon de faire pourrait laisser croire à n'importe quel observateur qu'il fait la lecture de son bréviaire, si ce n'était de ses mains disparues par les poches de côté de sa longue robe noire boutonnée par devant.

– Donc, d'après ce que vous me racontez, tout ce qui n'a pas changé ici ce sont les chicanes!

– Pour ça, ça n'a pas changé. La chicane entre les Therrien et les gens des rangs, surtout la famille Gobeil et les anciens qui soutenaient le vieux Desbiens, icitte, ça fait partie du quotidien.

– Justement, en parlant des Desbiens, hier, j'ai rencontré dans le train mon copain d'enfance, Henri, celui qui avait disparu. Il revient habiter dans le coin avec sa famille. Son père est très malade, il paraît.

Debout, prêt à gagner sa boutique, une dernière bouchée de biscuit dans la bouche, Albérick, d'un ton tout naturel et sans détour :

– Ah, ça c'est bien! Ça fait un certain temps que le vieux est malade! À la cordonnerie, on raconte qu'il ne passera pas l'été. Pauvre lui, il aura pas eu une vie facile. Perdre sa femme avec de si jeunes enfants, cela lui en a pris du courage! Moi, en tous les cas, je le respecte...

– *19* –

Canton

Accompagnés d'un soleil qui, dans un ciel sans nuage, a atteint son apogée, Éliane et son père se dirigent à la vitesse du trot d'Éclair vers leur résidence. Dès son départ de la gare, les pensées de la jeune fille n'ont eu qu'un seul et unique sujet : William. Comment cet individu vu pour la première fois il y a moins de vingt-quatre heures, peut-il remplir tout son esprit, la paralyser par sa simple présence et lui faire palpiter le cœur si rapidement qu'elle en devient toute embarrassée? Oui, comment? Elle si forte, si indépendante. Oui, comment cela se peut-il? Peut-être est-ce à cause de sa stature, de ses cheveux d'un noir semblable aux siens, de ses lèvres charnues et de son nez mi-fin, mi-épais ou de ses beaux grands yeux d'un noir indéfinissable par leur profondeur et leur éclat.

Sans se l'avouer ouvertement, Éliane connaît la réponse, mais elle ne doit en aucune façon être connue. Qu'adviendrait-il si son père et sa mère apprenaient que le feu de l'amour la brûle? Prudence, oui, prudence doit être le mot clé dans la façon d'agir, de se comporter, surtout que William est un Desbiens, les ennemis jurés de sa famille...

À mi-parcours, Théodore rompt le silence et s'adresse à sa fille :

– Pis, il voulait quoi notre curé?

Sur ses gardes depuis le départ de la gare, en attente des questions de son père inquisiteur, Éliane, sans hésitation, entre dans son jeu.

– Eh bien, il voulait me faire une autre proposition.

– Une autre proposition?

– Oui, ça ne marche plus pour l'école du rang. Les commissaires ont décidé de fermer l'école du rang et monsieur le curé veut qu'en septembre je m'en vienne à l'école du centre. Par la suite, lorsque la nouvelle école sera finie, je pourrai faire partie de celle-ci, si la directrice du Bon Conseil, sœur Saint-André le veut bien ; elle était là avec monsieur le curé. Je crois bien que c'est elle qui dirigera la nouvelle école.

Ne voulant rien perdre des paroles de sa fille, Théodore ne bronche pas. «... Il ne doit rien laisser paraître comme s'il n'avait rien à voir avec les événements. Se faire découvrir, surtout par sa fille, quel gâchis ce serait... Non, ce petit manège, il le connaît bien, car il y joue si fréquemment qu'il se dit en lui-même expert dans ce domaine et, aujourd'hui, en ce moment même... ».

Satisfait par les propos de sa fille de l'annonce de la présence de la sœur et de la fermeture de l'école du rang, il sait maintenant que son projet est en voie de se réaliser. Il suffira d'un peu d'aide, de pression et...

– Ouais, ça a du sens. Tu as accepté ? demande-t-il à sa fille sur un ton qui se veut rassurant.

– Tu sais, pa, l'école du rang, c'était à deux pas de la maison, mais là, au centre, il va falloir que je me trouve une pension. J'ai une semaine pour donner ma réponse.

– Il n'y aura pas de problème, j'ai juste à en parler à Albérick. Je suis sûr qu'il a de la place dans sa maison.

– Oui, mais, moi, j'avais l'intention...

Sans donner à sa fille le temps de finir sa phrase, Théodore, la tête toujours dirigée vers l'avant, dit d'un ton péremptoire :

– Laisse faire ! Je m'en occupe !

Aussitôt, un froid s'installe entre le père et la fille. Une fois de plus, Théodore dicte ! N'est-il pas le chef de la famille, n'est-il pas celui qui prend les décisions, qui peut questionner, qui sait quand discuter ?

– En passant, qui c'étaient ces deux gars à la gare ?

Rougissant de l'intérieur mais déjà prête à répondre en feignant l'ignorance :

– Ces deux gars !

– Voyons, les deux gars, tu parlais avec l'un d'eux quand je suis entré.

– Ah, ces deux gars-là! Ce sont des amis d'Estelle; ils viennent d'arriver.

– Encore des nouveaux. Bientôt, on connaîtra plus personne dans ce Canton. Ils s'appellent comment?

– J'ai pas bien entendu leur nom, Pinard, Bédard. Non! Non! Ménard, je crois.

– Ouais...

Sur ce, le père et la fille retombent dans la solitude de leurs pensées et l'on entend plus que le bruit sourd des sabots frappant le sol endurci de la petite route qui mène directement à la maison...

•˙•

En ce bel après-midi ensoleillé, Henri, William et Benjamin, après la visite des bâtiments de la ferme, arpentent les champs en compagnie de Raphaël. Même si cela fait moins de deux ans que celui-ci voit à leur entretien, il en connaît déjà tous les recoins. La visite des lieux se révèle captivante avec ce guide qui, en raison de ses origines amérindiennes, démontre des capacités exceptionnelles à s'orienter, à reconnaître le moindre bruit.

Non loin de ceux-ci, à l'intérieur de la maison familiale, les trois femmes, Germaine, Flora et sa fille Angella, s'affairent autour des boîtes et valises ramenées de la gare par William et Benjamin. Un après-midi pour déballer tout cela, ce n'est pas de trop. À la manière des fourmis, elles recherchent le lieu qui convient le mieux pour chaque objet et chaque vêtement pendant qu'ayant pour seule compagnie le mal, Augustin souffre en silence. La crise dure depuis au moins une bonne heure lorsque le vieil homme constate que la douleur diminue pour enfin disparaître. La crise serait-elle passée? Il respire mieux, devient plus calme, mais, oh non, elle revient à la charge, comme la vague qui, dans la tempête, sans relâche, gruge la rive. Aucun refuge ne semble pouvoir le mettre à l'abri. Tout son corps est traversé de vagues de douleurs s'harmonisant aux mouvements de flux et de reflux. Au plus fort de la souffrance, le vieux Augustin a la sensation que l'on s'acharne sur son corps à coups de lames de rasoir. Il comprend que sa descente sera rapide, beaucoup plus que ce que Médore, son charlatan de médecin, a prévu et qu'il ne lui reste que quelques jours à vivre malgré tous ces médicaments, ces cataplasmes que l'homme a inventés et qu'il ingurgite, en vain. Ah, qu'il aimerait avoir, comme sa femme, la chance d'échapper à l'enfer de la douleur !

Après plusieurs heures de calvaire, Augustin trouve enfin le répit dans le sommeil. Que de grâce, pareil à une clé magique, celui-ci, comme les précédents, lui donne un accès à la profondeur du rêve. Encore une fois... oui ce rêve, ces rêves sont presque tous identiques, revenant en rafales depuis les derniers jours, balayant ses heures de sommeil en apportant des messages de réconfort.

∴

Amérindien, de la même souche que la grand-mère de William, Raphaël, à la fois pêcheur, trappeur et chasseur, écoute beaucoup plus qu'il ne parle. En compagnie de ses nouveaux maîtres, parcourant les champs tantôt en voiture, tantôt à pied, il n'entache pas sa réputation, répondant succinctement aux questions et parfois se limitant à un geste de la tête pour toute réponse.

Tirée par l'un des boulonnais, la voiturette a pris la direction des bâtiments lorsque ;

— C'est l'endroit favori de monsieur Augustin, lance le vieil indien tout ridé, au chapeau noir feutré, tout en pointant avec l'index de sa main gauche en direction du boisé voisin de la maison.

— Arrête ici, demande Henri.

Sitôt dit, sitôt fait. Impulsivement, tous quittent la voiturette et, d'un pas rapide, ils se dirigent vers la cible qui a été pointée et près de laquelle se trouve une source d'eau où ils s'arrêtent.

— Ouais, ça a pas tellement changé depuis que je suis parti.

Henri s'avance tout près du ruisseau qui, malgré la chaleur de l'été, reste chargé d'eau et dit :

— Ouais, on manquera pas d'eau. Mon grand-père, il voyait clair! Les garçons, l'eau qui s'écoule dans ce ruisseau, c'est la même que l'on retrouve dans les deux réservoirs montés sur la tour de bois derrière l'étable que vous avez vue tout à l'heure. L'eau arrive par le ruisseau à la petite roue à vent qui fait fonctionner une autre roue et qui amène l'eau dans les réservoirs. Lors de gros vents, les roues tournent si vite qu'on les entend siffler et remplir si rapidement les réservoirs qu'ils débordent. Le gros avantage de ces réservoirs, c'est que les animaux ont de l'eau même s'il ne pleut pas.

Le groupe reprend sa marche. Marchant dans la foulée de leur père et de l'Indien, William et Benjamin atteignent le boisé qui, à première vue, semble s'étendre sur plusieurs centaines de pieds. Ils sont émerveillés par la beauté de son sous-bois et la grandeur des arbres. Aussi hauts que dix hommes, il en faudrait au moins deux ou trois pour enlacer leur tronc.

En réponse aux deux jeunes concernant l'origine de ceux-ci, Raphaël, qui continue d'avancer d'un bon pas répond :

— Ces pins « Sthobus », dans ma langue, doivent remonter au temps de mes ancêtres. Chez mon peuple, ils incarnent des sentinelles et on ne peut les abattre que par nécessité ou lorsqu'ils sont très malades. Selon nos ancêtres, les sentinelles font le lien entre la terre et le ciel, ils purifient ce que les hommes et les animaux respirent et rendent la terre accueillante aux graines. Nos sorciers se servent de leur écorce pour préparer des médicaments contre la grippe, les brûlures, les démangeaisons...

Les explications de Raphaël terminées, Henri ajoute :

— Ce boisé est ce qu'il reste de la grande forêt de pins blancs. Personne de la famille n'y a touché sauf pour bâtir la maison et les bâtiments de la ferme. Jeune, je venais ici pour m'amuser. Pour moi, c'était comme un temple sacré où la nature domine par la lumière, les sons, la grandeur. Quand on est petit, on prend facilement conscience de ces dimensions de la nature.

Jetant un regard rapide à ses deux fils, il ajoute :

— Vous vous imaginez ce que cela devait être lors du grand feu ? Celui dont je vous ai parlé dans le train !

La réponse provient de Benjamin :

— Ah oui, pa, et avec toute la fumée, ça devait être impressionnant de voir tous ces gros arbres en flammes... Ouais, je n'aurais pas aimé être là.

Désireux de compléter la visite de ce sanctuaire, Henri prend les devants :

— Si on marche encore un peu, on va arriver à la rivière. Là, on pourra voir l'endroit où nos ancêtres se sont réfugiés.

D'un pas rapide, l'un derrière l'autre comme des coureurs des bois, les quatre hommes s'approchent du cours d'eau et là, sur la même rive, dans les traces de Perle, Joseph et leurs enfants, leurs descendants et l'Indien posent leurs pieds.

Sans mot dire, ils s'arrêtent un court moment et repartent à la recherche des limites de la propriété. Une fois sur place d'un commun accord le groupe décide de gagner la petite chute en longeant la rive.

Encore mille pieds... cinq cents pieds... deux cents pieds... et enfin... devant eux, le bruit sourd et profond de la petite chute envahit un décor qui bouleverse Henri. Tout en haut de la chute, sur la rive droite, l'immense boisé qui l'encadrait voilà plusieurs années a disparu. Aussi haut qu'une grange, recouvert d'un toit de tôle grise, s'allongeant sur une longueur que Henri ne peut estimer en raison de sa position, un bâtiment prend nid à la fois dans l'eau et sur la rive. Tout à côté, d'immenses cordes de bois toutes en longueur dorment sur le sol.

Henri d'un air perplexe se tourne vers Raphaël qui a saisi le malaise de son patron :

– C'est icitte le moulin à scie de monsieur Therrien !

⁖

La pièce la plus chaleureuse du presbytère du Canton est sans aucun doute le boudoir. Donnant sur un passage qui relie plusieurs pièces de l'édifice, il mesure un bon douze pieds par quinze. Ses murs, recouverts d'une tapisserie d'un bleu foncé parsemée de marguerites sont rehaussés par des rideaux de velours doré qui habillent la fenêtre principale et les portes vitrées. L'ameublement, composé d'un bahut, de petites tables d'appoint, d'un canapé et de deux fauteuils, se veut modeste. Ces derniers, mis en valeur par des coussins en cuir noir du pays, procurent à ceux qui s'y assoient un tel bien-être qu'ils peuvent y rester durant de longues périodes.

Cette pièce, Joseph Lampion, curé du Canton depuis dix ans, l'a découverte dès les premiers jours de son arrivée. Chaque jour, avant et après le repas du soir, il s'y installe pour lire son bréviaire ou fumer un cigare.

L'heure du souper se faisant proche, Daniel se dirige vers la salle à manger. En passant devant le boudoir qu'il n'a jamais visité, il s'arrête, constatant que les portes sont entrouvertes. Il jette un coup d'œil dans la pièce et aperçoit le curé Lampion confortablement installé dans l'un des fauteuils et concentré sur un ouvrage qu'il tient ouvert dans ses mains. Probablement son bréviaire, pense Daniel qui, au moment où il pénètre dans la pièce, ressent la présence d'une douce chaleur. Réagissant intérieurement à cette agréable sensation, il se questionne. Se pourrait-il que dans ce presbytère, il y ait un lieu où la chaleur humaine puisse s'imprégner ?

Le bruit causé par le contact des chaussures de Daniel sur le plancher de bois a distrait le curé de sa lecture. Levant la tête, il voit le nouveau venu et lui dit :

— Le souper sera servi d'ici une quinzaine de minutes, venez vous asseoir.

Sans hésiter, Daniel accepte l'invitation et prend le fauteuil tout à côté du celui du curé qui poursuit :

— Vos parents doivent être heureux de votre arrivée.

À l'affût des possibles paroles malveillantes de ce dernier et voulant s'assurer qu'il devancera celles-ci, Daniel déclare :

— On peut même dire très heureux. Ils se considèrent privilégiés. Vous savez qu'il est très rare, pour ne pas dire exceptionnel, que l'évêque nomme quelqu'un dans la paroisse où demeurent ses parents.

— Ouais, c'est bien pour vos parents. Mais dites-moi, êtes-vous déçu de cette nomination ? Vous qui étiez depuis plusieurs années le curé de la paroisse de Chambord !

— Ah ça, c'est la prérogative de notre évêque et on doit s'y soumettre. Ne sommes-nous pas au service de Dieu et de notre communauté ? Évêque, curé, vicaire, ce n'est qu'un titre !

Conscient qu'il ne parviendra pas à ébranler son nouveau vicaire sur ce thème, Joseph Lampion le relance :

— Vous avez bien raison. Nous devons tous être au service de la communauté. Mais passons ! Lors de notre rencontre de cet après-midi, j'ai oublié de vous mentionner que dès le début d'août, j'ai l'intention de débuter la visite annuelle des paroissiens. Comme vous êtes de la place et connaissez déjà la grande majorité de ceux-ci, j'ai décidé qu'il serait avantageux de vous laisser faire des visites. Je tiens cependant à vous renouveler l'avertissement que je vous ai fait concernant le projet de l'école...

∴

D'humeur massacrante, Théodore mange sans appétit une des truites qui composent son repas du soir. Camille qui connaît bien les préférences de chacun des membres de la famille a pourtant veillé à apprêter celle-ci au goût de son mari.

Rapidement après avoir jeté un coup d'œil à la tablée, elle comprend vite que, ce soir, il vaut mieux ne brusquer personne. L'esprit de la tempête s'imprégnant dans l'air à chaque moment qui passe n'annoncait rien de bon jusqu'au moment où le seul qui pouvait dénouer l'atmosphère, le vieux Arthur rompt le silence :

– Es-tu passé voir le notaire ?

La question venant de son père, Théodore se voit obligé de modérer sa colère afin de lui répondre convenablement. La tête penchée sur son assiette, il marmonne :

– Ben oui, je l'ai rencontré ce matin !

Puis il relève la tête, la fourchette à la main...

– Mais je ne pense pas que ça marche. J'ai appris ce matin que le fils du vieux est arrivé hier pour prendre la relève.

– Ouais, tu es sûr de ça ? Voyons, Théod, il est parti, ça doit faire au moins vingt ans, si ce n'est pas plus.

– En tout cas, je vais faire mon enquête. Mais ça ne s'annonce pas bien. Mon surintendant m'a averti qu'en fin d'après-midi il avait vu un groupe d'hommes sur les terres des Desbiens qui surveillaient le moulin à scie.

Haussant la voix, il poursuit :

– Je ne laisserai sûrement pas les Desbiens faire la loi icitte, croyez-moi !

Attentive à la conversation, Camille sourit intérieurement, car, elle, elle sait qu'Henri Desbiens est bien de retour. Il était là à la gare : toujours aussi beau, même après vingt ans... que de souvenirs !

Partie 3 : Le temps de s'installer

– 1 –

Septembre 1924

Deux mois de passés depuis l'arrivée d'Henri et de sa famille. Malgré la maladie de l'ancêtre, tous paraissent s'être adaptés à leur nouvelle vie de fermier et de fermière.

Comme deux sœurs qui auraient toujours vécu dans la même maison, Flora et sa belle-sœur Germaine vaquent aux différentes activités de la maison dans un climat d'entente. Angella, la benjamine, s'est trouvée un loisir surprenant pour une jeune fille de 13 ans : le jardinage. En effet, qui aurait pu prévoir que cette activité représenterait pour elle une découverte et que même sarcler les mauvaises herbes qui étouffent les plantations du jardin familial lui semblerait un amusement. Et quoi dire d'Henri et des deux garçons qui ont adopté les nombreux travaux de la ferme en tant que partie intégrante de leur mode de vie.

Ainsi, chaque jour, ils traient les vaches, les conduisent aux champs et les rassemblent avant l'heure du souper, nourrissent les poules, les porcs et les autres animaux.

Plus particulièrement, Benjamin et William se sont vus confier la responsabilité de la livraison du lait à la fromagerie Côté. Bien que contraignante, cette activité paraît plaire au plus jeune, car dès les premières semaines de son arrivée, il déclare à sa tante qu'il aimerait bien devenir fromager.

En effet, le métier de monsieur Côté fascine Benjamin; il envie ce fromager qui, chaque jour, attend avec impatience les livraisons de lait frais avant de commencer à préparer son savoureux fromage. Aidé du livreur, il pèse le lait après l'avoir transvidé dans une grande canisse qui, vide, fait monter la balance à près de deux cents cinquante livres. Aussitôt fait le livreur reprend sa canisse pour ramasser le petit lait qu'il ramène pour nourrir les cochons.

Le fromager chauffe le lait placé dans un grand «bowler» ouvert à l'aide des chaudières et, après avoir bien mélangé la présure et les assaisonnements, il le laisse cailler. Cela prend un bon quinze à vingt minutes. Une fois bien pris ensemble, un couteau dans chaque main, il le coupe en carrés, dans les deux sens.

À cette étape, monsieur Côté chauffe encore le fromage à une température que lui seul connaît, et, une fois qu'il est devenu en petit grains, il retire le petit lait tout en veillant à ne pas perdre de cailles.

Il étend ensuite le fromage en grande galette et attend deux ou trois heures avant de le passer dans un moulin pour faire de petits grains. Encore chaud, mais suffisamment refroidi pour qu'il ne fige pas immédiatement, il le met dans des moules pour former au moyen d'une presse des meules de plusieurs livres. monsieur Côté en prépare de divers poids mais aucune ne dépassant quatre-vingt livres et les apporte à Chicoutimi, là où il y a des acheteurs pour des compagnies de Montréal, de Toronto et même de l'autre continent, pour l'Angleterre, plus exactement.

Quant à Raphaël, l'engagé, il se montre un excellent instructeur, d'une patience et d'un support dont seuls les grands collaborateurs sont capables. Cependant, comme chaque année, en ce début de septembre, l'appel de la forêt, de la chasse, occupe la majeure partie de ses propos, faisant dire à Henri: «Un beau matin, y s'ra plus là.» Cela le préoccupe, car la ferme connaît une affluence et un remue-ménage depuis longtemps oubliés et, en tant que descendant de la lignée des Desbiens, il souhaite redonner vie et gloire à la ferme familiale.

.·.

Dans le Canton bien des choses ont évolué tout au long cet été anormalement chaud pour ce petit coin de pays. Le nouveau vicaire, Daniel Couture, a gagné assez facilement sa place. Il est vrai que son père et sa mère, reconnus pour des gens neutres et attentionnés à la vie du Canton, lui ont servi de police d'assurance. Pendant ce temps, le curé Lampion a vu sa réputation se ternir suite à son implication dans le dossier de l'école. De même, par ses nombreuses et insinueuses interventions auprès des citoyens rébarbatifs au projet, on l'a associé clairement au clan des Therrien. Un clan dont le nom devient bien plus synonyme de chantage et de terreur que de développement avec la rumeur de la fermeture prochaine du moulin à scie ; rumeur qui, comme le vent d'hiver, répand sa froideur dans tout le Canton.

Au début du mois d'août, le curé Lampion partage avec son nouveau vicaire la visite des foyers du Canton, se réservant cependant les familles où il croit pouvoir influencer ou renforcer une décision en faveur de ce projet qu'il qualifie de bienfait pour ses paroissiens.

.·.

Chez les Therrien, l'été 1924 continue dans la valse des années précédentes. Aidé de ses deux fils et des nombreux engagés, Théodore s'acquitte des travaux de la ferme et des moulins à scie et à farine.

Construite au milieu des cascades de la rivière, une turbine à eau assure le fonctionnement des scies et du broyeur. L'entretien des équipements, des structures soumises à l'humidité et la surveillance des hommes exigent beaucoup de temps et de patience. Entre autres, le limage des scies du moulin et l'entretien des courroies en « rubber » cousues avec de la « corde de biche » sont continuellement soumises aux dures pressions du poids du bois ; de trois à quatre mille billots y passent annuellement. Vendu régionalement, le bois de sciage est payant pour Théodore surtout celui traité par la chaufferie que l'on utilise pour la fabrication des cadres de portes et de fenêtres.

La ferme, l'une des plus grandes sinon la plus grande et la plus rentable du Canton, fournit la mangeaille aux employés grâce au cheptel composé de plusieurs chevaux, porcs, coqs, poules, dindes et d'une quarantaine de bêtes à cornes dont plus de la moitié sont des vaches laitières.

Environ une trentaine de bouches à nourrir le matin et le midi et une dizaine le soir se retrouvent six jours par semaine dans la cuisine du moulin, du mois de juin à la fin du mois d'août. Le matin, œufs, fèves au lard, saucisses de porc, grillades entrelardées, rôties, café; le midi et le soir, ragoût de porc, patates jaunes, soupe aux pois ou aux légumes et tartes au sucre ou aux fruits du pays font partie du menu que prépare Jacqueline Thibault et sa fille Bénédicte. Ces deux cuisinières font tout pour satisfaire les estomacs, les palais et fournir l'énergie essentielle pour accomplir les durs travaux du bois et de la scierie.

.•.

Le cérémonial des visites paroissiales à débuté comme prévu en août. Depuis, chaque dimanche, lors du prône, le curé Lampion annonce l'horaire des visites, donnant le signal qu'aucune absence ne saurait être tolérée. Chaque foyer est ainsi en mesure de tout prévoir, « le curé, le représentant de Dieu passe à leur maison pour recueillir non seulement la dîme, mais pour les bénir et livrer le message de Dieu...». Aussi, pour bien accueillir le curé, il faut être endimanché, les mains et les ongles propres, les cheveux coiffés et la barbe coupée.

Chez les Desbiens et les Therrien comme dans les autres foyers du Canton, la coutume veut qu'un des membres de la famille guette l'arrivée du visiteur.

«Aussitôt que tu vois sa calèche, tu m'avertis. N'oublies pas! Ouvre bien les yeux!» «Vous, les enfants, vous ne bougez pas! Il faut rester propre jusqu'à l'arrivée de notre visiteur!» «Vous faites mieux de ne pas nous faire honte!» «Tenez-vous bien droit et ne parlez pas à moins que l'on vous questionne!»

Au cri «Il arrive, il arrive...», la nervosité s'installe. Les enfants se ramassent autour de la mère, comme des poussins, tandis que le père se tient tout près de la porte, en attente.

Le grand moment arrivé, le curé pénètre et pendant qu'il serre la main du père, les autres se mettent à genoux, là dans le salon ou dans la plus riche des pièces de la maison pour recevoir la bénédiction dite en latin.

Ensuite, après avoir serré la main de la mère, le visiteur dévisage chacun des enfants sans manquer de poser ses mains sur les plus jeunes, donnant ainsi le signe que Dieu se préoccupe de tous... même des plus petits...

Tous étouffés par la gêne, les réponses aux questions du visiteur se limitent souvent à quelques monosyllabes, «Oui, monsieur le curé – Non, monsieur le curé – Deux, monsieur le curé...». Au bout de quelques minutes de conversation et après avoir inscrit quelques notes dans son calepin noir, le représentant de Dieu peut quitter, non sans avoir caché l'enveloppe que lui a remise le père dans l'une des poches de sa grande robe noire.

∴

Dans le salon des Desbiens, ses obligations accomplies, le nouveau vicaire ne se dirige pas immédiatement vers la sortie. Confortablement assis, il prend des nouvelles des nouveaux arrivants. Est-ce qu'ils aiment ça la ferme ? Les enfants s'ennuient-ils de Montréal ? N'ont-ils pas le regret de leur ancienne vie ? Le vicaire questionne pour se mettre au diapason des occupants de la maison.

Les dernières minutes de sa visite, il les passe avec Augustin. La dernière fois qu'il l'a rencontré, Daniel ne devait pas avoir plus de dix-huit ans. L'homme, bien que petit de taille, possédait une structure de roc, des muscles qui se dessinaient clairement à travers ses vêtements, mais aujourd'hui... Devant lui, il ne voit que désolation, que maigreur, petitesse et fragilité. La mort n'attend que son heure, semblable à l'exécuteur des jugements dans un cérémonial dont le mouvement final est régi par le tic tac de l'horloge.

Augustin, en bon chrétien, confesse ses fautes et reçoit l'absolution du vicaire qui lui donne pour toute pénitence un «Je vous salue Marie». Quelques paroles d'encouragement précèdent la bénédiction de Daniel et son départ de ce lieu de supplice. «Comment Dieu peut-il permettre de telles souffrances ?», se demande-t-il en gagnant le rez-de-chaussée.

Sur le pas du vestibule, Daniel invite Henri à venir le rencontrer au presbytère.

– J'ai un conseil à te demander, lui dit-il.

– J'irai la semaine prochaine, répond Henri.

Le soleil attaque sa finale lorsque le prêtre monte dans sa calèche, son petit cheval noir le conduisant vers sa nouvelle chambre. Chemin faisant, en repensant à ses visites, un sourire s'inscrit aux coins de sa bouche : il vient de trouver la réponse à l'une de ses interrogations. À la vue du vieillard étendu mollement sur son lit, un souvenir enfoui dans sa mémoire a refait surface.

Adolescent, jamais ses parent n'avaient accepté qu'il couche chez son ami Henri. Mais cet été-là, à la période des foins, son père et sa mère lui donnèrent la permission de passer la semaine. Quel bonheur ! Les travaux de la ferme, il aimait tellement cela... et quel plaisir de se retrouver avec son ami. C'est le deuxième ou le troisième soir, autour de la table, qu'il avait aperçu, sur l'un des avant-bras du père de son ami, une chose surprenante. Sa peau portait une marque semblable à celle que l'on retrouve sur les animaux: une série de petits points de couleur rouge ou violacée formaient l'image d'une étoile.

Aujourd'hui, bénissant Augustin, dans cette chambre, prélude au passage à l'au-delà, il a revu la marque, cette même étoile que son petit-fils porte à la base de son cou.

∴

L'été chaud agrémenté d'un vent du sud-ouest balaie depuis le mois de mai le moindre nuage qui niche dans le ciel d'un bleu poudre. Les nuits sont aussi chaudes que le jour. Mais voilà qu'hier et aujourd'hui, jour de la messe dominicale, la première vraie pluie de l'été rafraîchit le temps, nourrit le sol, gonfle les cours d'eau et égaie les visages des fermiers.

Éliane espère bien revoir le garçon aux si jolis yeux et la cérémonie religieuse du dimanche représente le moyen idéal. Qui n'assiste pas à la messe dominicale? Après la messe, les gens se massent sur le parvis, se saluent, discutent des dernières nouvelles du pays. C'est d'ailleurs là que son père a eu la certitude du retour d'Henri Desbiens et de sa famille.

Le premier et le deuxième dimanche suivant la rencontre à la gare, Éliane cherche désespérément les deux garçons. Quelle déception! Mais aujourd'hui, en cette fête de la transfiguration de Notre Seigneur Jésus-Christ, dans cette foule de chapeaux, de foulards et de parapluies, Éliane et Estelle, pressées l'une contre l'autre, échangent un sourire complice. Les deux jeunes hommes sont là, à quelques pas, jouant avec elles au manège des regards perdus. Ce petit jeu dure quelques minutes avant que l'aîné des garçons s'avance, aussitôt rejoint par l'autre.

Cette rencontre a l'effet de l'huile ou de l'essence que l'on ajoute sur un feu déjà ardent. Deux nouveaux couples d'amoureux se forment au gré des regards et des sourires, dans ce lieu consacré à Dieu et à l'amour, indifférents aux médisances, aux rumeurs malveillantes et aux calomnies.

«C'est le temps des fruitages et il y en a beaucoup sur la ligne du trait-carré. Tout dépendant de la température, j'y vais demain ou le jour suivant en après-midi.», déclare Éliane au plus âgé des garçons avant de rejoindre son père et sa mère dans la calèche.

Celle-ci n'est pas encore installée que Théodore, avec son ton dictatorial, accueille sa fille avec les paroles suivantes: «C'est réglé, tu demeures chez Cyrille. Sa femme Simone se fait déjà une joie de t'accueillir.» Comme toujours, il avait décidé; sa fille accepterait le poste d'institutrice et logerait là où il avait prévu!

Une fois de plus, Éliane se plie aux décisions de son père sans maugréer. D'ailleurs, en y réfléchissant bien, cela fait son affaire. Habituée depuis déjà deux ans à vivre seule loin de ses parents, de vivre sa petite vie, devenir pensionnaire avait ses avantages.

La calèche passe devant l'épicerie, et Théodore, ayant peine à réprimer sa rage, lance inopinément:

– C'étaient les mêmes gars qu'à la gare?

Aux aguets, Éliane répond aussitôt:

– Oui, père!

– Ouais! Par hasard, ce ne seraient pas des Desbiens? On m'a dit que le fils du vieux avait deux gars. Si c'est le cas, tu sais quoi faire!

– Oui, je sais! Les Desbiens, ce sont de gros, gros méchants et je ne dois pas leur parler.

Assise entre le père et la fille, Camille, sert de paravent à ce qui pourrait dégénérer en querelle en donnant un léger coup de pied à sa fille. Aussitôt, telle l'infirmière qui administre à un patient une dose de calmant, le silence s'installe pour régner en roi le reste du trajet.

Le lendemain, la pluie continue de répandre ses bienfaits. Après la traite, Henri attelle son boulonnais et se dirige vers le presbytère.

Assis dans le salon normalement réservé aux dignitaires, les deux anciens copains se remémorent de vieux souvenirs et entreprennent de mettre leurs pendules à l'heure, comme disent les vieux du Canton.

– Pourquoi es-tu parti si vite du Canton ?, demande d'un ton quémandeur Daniel qui se souvient des paroles d'Henri lors de leurs retrouvailles sur le quai de Roberval.

Ce dernier ne répond pas et se contente de regarder son ami.

– Tu m'as dit que tu m'en parlerais, tu te souviens ?

– Ouais, je m'en souviens, répond Henri, pris au piège. Tu sais, Daniel, je n'ai jamais parlé à personne de la raison de mon départ. Une vieille histoire, ça sert à quoi de se la remémorer.

– Comme ça, tu ne veux rien me dire, même à moi, ton vieux copain !

– Écoute, Daniel, j'en ai même pas parlé à ma femme.

– Ouais, peut-être que ça ne se racontait pas !

Surpris de la réponse, Henri reste muet et son visage change d'expression, ce qui n'est pas sans étonner le fin observateur qu'est Daniel, serviteur de Dieu.

– À voir ta réaction, je pense bien avoir mis le doigt sur le problème. Il y a une femme là-dessous !

Après une longue respiration, le visage un peu pâle, Henri reprend :

– Écoute, Daniel, je vais te raconter ce qui est arrivé, mais tu me promets de ne jamais rien dire, O.K. ?

– C'est donc si grave ?

– Ben, c'est pas tant la gravité, que le fait que je n'aimerais pas que ça se sache. Ça peut causer du tort et de la peine à des personnes, à une en particulier.

– O.K., je te le promets. Tu peux être assuré de ma discrétion et que tout ça va rester icitte.

En prononçant ces mots, Daniel se lève pour fermer la porte du salon. Apercevant dans le couloir la femme de ménage avec sa vadrouille, il lui demande :

– Madame, voulez-vous m'apporter un café bien noir. Toi, Henri, est-ce que tu prends quelque chose ?

– La même chose, un café noir.

– Deux cafés noirs, madame, est-ce possible ?

– Pas de problème, monsieur le vicaire, je vous les apporte immédiatement, j'en ai du neuf, tout chaud sur le poêle.

– Merci, vous n'aurez qu'à frapper avant d'entrer.

Quelques instants plus tard, Daniel et Henri se retrouvent avec chacun un café et quelques galettes au sirop noir que la ménagère a, de sa propre initiative, ajoutées. Incrustés dans leur fauteuil, les deux hommes qui se font face semblent apprécier ce geste, mordant avec appétit dans leur galette.

Bon joueur, Henri n'attend pas que son ami lui demande de raconter son récit ; il commence :

– L'été venait de débuter et les travaux de la ferme occupaient mon temps du matin au soir. Les labours et les semences en plus de la traite, ça prend son homme. Pendant ce temps-là, toi, tu te trouvais aux études à Chicoutimi. La dernière fois qu'on s'était vus, ça remontait aux fêtes à la sortie de la messe du jour de l'An. Je m'en souviens encore : «Salut, bonjour, ça va, toi ! Tu aimes ça Chicoutimi ?» J'aurais aimé à ce moment-là te parler de ce qui me préoccupais, mais tu devais partir pour le dîner du jour de l'An. Alors je me suis dit que j'attendrais jusqu'aux vacances d'été. Mais les événements se sont bousculés et... il est arrivé ce qui est arrivé !

– Ton départ, ça je le sais ! Mais pourquoi ?

– Laisse-moi finir, tu comprendras. L'année qui a précédé mon départ, je suis tombé amoureux d'une fille que tu connaissais bien dans le temps. Personne ne le savait, car on se voyait en cachette. J'avais dix-neuf ans et elle aussi. On se disait qu'il fallait attendre nos vingt ans pour rendre publique notre idylle. Une vraie idylle, lettres, rencontres secrètes dans les champs et les boisés, clins d'œil et sourires dans les endroits publics. Je me souviens que cette année-là, l'automne a été tardif, chaud et sans pluie, ce qui nous a permis de nous voir souvent. On a adopté le boisé tout près de la rivière pour nos rencontres... Avec la venue de l'hiver, terminées nos rencontres secrètes. Seule la messe du dimanche permettait de nous entrevoir, de nous saluer et, chaque fois, elle réussissait à me glisser un petit mot doux. Au temps de Pâques, tout a basculé. Le billet qu'elle m'a glissé portait un message de désespoir. Son père voulait la marier! La cérémonie devait avoir lieu d'ici la fin de l'été, au début de l'automne au plus tard. Tu peux t'imaginer mon désarroi et ma colère. « Impossible, impossible », hurlait ma tête, saignait mon cœur! Tout en moi n'était que désespoir, la vie sans celle que j'aimais ne représentait que le néant. Je devais absolument en savoir plus, connaître l'ennemi et trouver un moyen de faire échouer ce projet fou. Le dimanche suivant, c'est moi qui glissait un billet dans la douce main de mon amour. « Je t'attends à notre boisé, aujourd'hui après le dîner », lui avais-je écrit. Je l'ai attendue une, deux, trois heures, mais elle ne s'est pas présentée, pas plus qu'à l'office dominical le dimanche suivant, le suivant et encore l'autre après. Au début du mois de juin, mes craintes augmentèrent. Que lui était-il arrivé? Malade? Peut-être blessée! Il fallait que je sache. Je décidai de me présenter chez elle, ayant trouvé un bon prétexte. La fête des semences approchait et, comme à chaque année, les aînés des familles d'agriculteurs présenteraient lors de la cérémonie religieuse un symbole des futures récoltes. Mon prétexte était de dire à ses parents que j'aimerais la rencontrer afin de lui demander de participer à l'organisation de cette fête en tant que représentante de notre rang.

Quelques jours plus tard, un samedi, je m'en souviens comme si c'était hier, devant la maison, une par une, je montai les marches de l'escalier menant à la porte d'entrée. Comme j'allais frapper, la porte s'ouvrit et son père apparut. Aussitôt, celui-ci m'adressa les paroles suivantes : « Ah, c'est toi, l'amoureux, le passeur de billet! Je le savais que tu viendrais tôt ou tard. Écoute bien, ouvre grand tes oreilles parce que je ne te le répéterai pas deux fois. Toi, pis ta maudite famille, vous n'approcherez plus jamais de la mienne. Ma fille, tu peux l'oublier. Je ne veux plus jamais te voir respirer à côté d'elle, lui parler, lui sourire, sinon, tu vas avoir affaire à moi! Là, tu te tournes pis tu vas directement chez toi! Pis fais ça vite! »

J'ai bien essayé de répliquer mais il ne me laissa pas terminer et ajouta: «J'ai dit de te tourner pis de «crisser» ton camp! T'as compris! Crisse ton camp!»

Les jours qui suivirent, mon moral descendit au plus bas, à la marée basse, comme on dit par icitte. Incapable de parler à qui que ce soit de ce qui m'arrivait, mes pensées se traînaient désastreusement. Tellement que le lendemain, ce qui restait d'espoir en moi s'anéantit pour de bon, lorsque mon père, de retour de la messe dominicale, dit tout bonnement:

– Ouais, il va y avoir un surprenant mariage!

– Quoi? demanda ma tante Germaine.

– Eh bien! Ce matin, sur le perron de l'église, le bruit courait que le fils Therrien va se marier à l'automne. Je ne pense pas qu'on va être invités, surtout qu'il paraît que la mariée, c'est la fille de l'Indien. Ces deux-là ne nous ont pas dans leur cœur!

Daniel qui avait tout de suite deviné de qui il s'agissait s'adresse à Henri.

– Comme ça, ton amoureuse, c'était Camille. La belle Camille! Tous les gars du Canton la voulaient pour femme. Je m'en souviens!

– Oui, la belle Camille. Tu sais, je l'ai vue à la gare lors de notre arrivée: elle est encore aussi belle!

– Comme ça, tu es parti à cause d'elle ?

– Oui, apprendre que la fille que tu aimes va se marier avec un autre, ça donne un grand coup. Elle ne pouvait pas me faire ça, surtout pas avec le gros Therrien, elle qui disait m'aimer à la folie. J'ai même essayé d'entrer en contact avec elle en passant par son amie, la fille des Langlois, leur voisin, mais impossible. Selon elle, Camille ne sortait plus. Malheureux, ne voyant rien de beau en avant de moi, j'ai pris la décision de partir, d'aller voir ailleurs et de me faire une nouvelle vie qui ne serait pas prise dans le tourbillon des maux, des bêtises et des chicanes de tous et chacun.

Comme s'il venait de se libérer d'un immense poids, Henri se lève et ajoute calmement :

– Je dois partir. Il faut que je passe voir ma sœur au magasin général.

– Je comprends… j'ai moi-même des papiers qui m'attendent sur mon bureau. Tu repasses quand tu veux et dis-toi que je serai toujours là pour toi et les tiens.

– Merci, Daniel ! Je suis bien content de t'avoir revu.

– Moi aussi…

Silencieusement, l'un derrière l'autre, les deux amis quittent le salon…

∴

Même si elle n'a pas compensé le déficit accumulé depuis le début de l'été, la pluie chaude des derniers jours distribue l'énergie nécessaire à l'éclatement des premières framboises de l'été. Dès le mardi, le retour du soleil les fait rougir. Voyant en matinée que le soleil trônerait toute la journée, William se dit qu'il irait au rendez-vous fixé par la belle jeune fille au cheveux de charbon.

Sans lui demander pourquoi, sa tante Germaine lui indique clairement où se trouve la fameuse talle de framboises du trait-carré :

– Traverse le premier champ, va vers la droite et au fond près de la clôture du deuxième champ formant le trait-carré de nos champs avec ceux des Therrien, les framboises sont là. Mais je ne suis pas sûre que tu vas en trouver. En cette période de l'année, il leur manque peut-être du « mûrissage » ! Tu ne peux pas les manquer, car pas loin de là il y a un vieux bâtiment et une petite colline rocheuse surmontée d'un boisé d'épinettes et de sapins. Quand la saison des framboises est terminée, c'est là que les bleuets sauvages poussent en quantité industrielle.

•.•

Même s'il n'y avait pas beaucoup de framboises, les deux récipients en acier léger furent remplis rapidement. Il est vrai qu'avec quatre mains agiles, cueillir deux tasses de framboises aussi grosses que l'ongle du pouce ne prend pas un après-midi.

Satisfaits de leur récolte, Éliane et William gagnent d'un pas rapide la petite colline rocheuse. Assis sur un rocher, tout près l'un de l'autre, ils fixent le décor qu'ils ont devant eux. La hauteur du rocher permet d'avoir une vue splendide des champs donnant sur les montagnes et sur les bâtiments du village dont l'église domine avec son majestueux clocher. En effet, celui-ci scintille sous les rayons du soleil, tel un flambeau qui éclaire le voyageur dans la noirceur d'une grotte.

– Ouf !... Comme c'est beau icitte ! On a une vue superbe !, s'exclame William.

– C'est mon coin préféré. Dès que le temps le permet, je viens icitte au moins une fois par semaine... J'aime ce calme, cette immensité, et surtout l'impression d'être seule au monde.

Après un long moment à s'imbiber du silence qui règne en roi dans ce lieu, William demande à la jeune fille :

– On est sur les terrains de qui ici ?

– La moitié de cette colline est chez toi et l'autre chez moi. Tout comme ce rocher et les champs devant nous. Tu vois, la clôture en ligne droite qui part d'en bas du rocher et qui s'enfonce dans les champs. À gauche, c'est chez toi, et à droite, c'est chez moi.

– Comme ça, être sur cette clôture c'est comme être au paradis, pas de chicane!

– Ah! ça, je ne pense pas; entre nos deux familles, tout est propice à la chicane.

Sur ces mots, William se tourne vers Éliane qui lui offre son profil. «Mon Dieu, qu'elle est belle», pense-t-il en observant ses jambes bien droites, dénudées jusqu'aux genoux et la longue chevelure noire qui lui tombe sur les épaules et sur le dos. La splendeur qui se dégage de cette fille dirige son esprit vers une seule pensée, la toucher, lui prendre la main et... Instinctivement, William approche nerveusement ses doigts de ceux d'Éliane, incertain de sa réaction. Comme un papillon qui se pose sur une fleur puis se colle à son accueil chaleureux, les deux mains s'agrippent pour devenir tendrement une, infiltrant leurs pensées à l'unisson. Les deux jeunes gens n'ont besoin d'aucun mot pour comprendre ce qu'ils ressentent l'un pour l'autre. En silence, ils contemplent avec ferveur le paysage, puis William se tourne vers la jeune fille et pose sur ses lèvres un doux baiser. Leurs bouches brûlantes et douces les incitent à se serrer l'un contre l'autre; cette étreinte semble s'éterniser mais le garçon parvient à bredouiller:

– Je suis désolé de m'être laissé aller... Je... Euh...

Avec ses yeux d'un bleu éclatant, Éliane dévisage le jeune homme. Elle passe ses bras rougis par le soleil autour du cou du jeune homme et l'amène vers elle, pose ses lèvres sur les siennes et l'embrasse fougueusement. Sa langue fouille la bouche du jeune homme, tourne, pique, se retire, puis revient à l'assaut. Stimulé par l'action, William accompagne celle-ci, prenant de temps à autres le relais... Le manège qui dure depuis plusieurs minutes encourage les deux jeunes gens qui s'agitent nerveusement et se rapprochent dangereusement...

Éliane, curieusement, stoppe le jeune homme en posant la paume de sa main sur la bouche de celui-ci. Puis, main dans la main, ils quittent leur promontoire.

– On se revoit quand? demande William.

– S'il fait beau, dans deux jours, à la talle de framboises. Sinon, le lendemain, en après-midi, comme aujourd'hui.

– O.K., je serai là, répond-il, effleurant la main d'Éliane pour manifester son accord...

Durant tout le mois d'août, le rocher de «l'union», comme le surnomment les deux amoureux, les accueille. Pas une semaine ne passe sans une ou deux rencontres, aussi intenses que la première mais ne dépassant jamais les règles de bonne conduite. Dans ce lieu secret, les deux amoureux échappent aux oreilles et aux regards indiscrets.

∵

La douleur, cette sensation pénible ressentie dans tout le corps, augmente jour après jour et sape le moral d'Augustin. On dirait que, depuis le retour de son fils et de sa famille, le mal achève son œuvre. Son corps si musclé, si solide, capable de longues marches, de lever et transporter de lourdes charges, subit les foudres d'un mal qui lui enlève toute substance... De ses os proviennent tant de douleur, de chagrin et de pensées négatives qu'il en vient à souhaiter la mort. Une mort qui le soulagera, le délivrera! Oui, Augustin espère la délivrance...

En cette matinée du dernier dimanche d'août 1924, une pluie fine taquine le sol. Dans l'arrière-cour séparant la maison du vieux Augustin Desbiens de l'étable, Henri aide sa femme et sa fille à grimper dans la calèche qui les conduira à la cérémonie religieuse du dimanche matin; un aller-retour de trois heures, de quoi se changer les idées!

Dans la maison, Germaine et ses neveux, William et Benjamin s'activent à terminer les tâches journalières, tout en restant aux aguets des moindres demandes du malade de la maison.

Ils finalisent le grand ménage matinal par les lampes: ils doivent les nettoyer et les remplir d'huile pour la soirée à venir.

- William! William! William!
- Vous avez entendu?, demande le jeune homme.
- Quoi?, demande Germaine, perplexe.
- J'ai entendu la voix de grand-père : il me demandait. Je devrais aller voir!
- Moi je n'ai rien entendu. Toi, Benjamin?, reprend Germaine.
- Non, rien du tout.
- Ouais, je vais en avoir le cœur net; je vais aller voir!
- Pas de problème. S'il y a quelque chose, appelle, dit la veille tante du garçon.

William laisse son travail en plan et monte directement au deuxième étage. Il est convaincu d'avoir entendu son prénom... Face à la porte de la chambre de son grand-père, il s'arrête un cour moment et saisit la poignée tout en pensant que ce sera la première fois qu'il pénètre dans ce lieu ; soudainement, il entend :

- Entre, je t'attendais!

Ces mots entrecoupés de hem, hem étonnent le jeune homme qui se demande comment le vieil homme peut l'avoir reconnu à travers la porte fermée. Peut-être le bruit de ses pas, distinct de ceux des autres. Serait-ce le hasard? Le délire? Allez savoir...

- Approche, viens t'asseoir près de moi.

Lentement, à pas légers, William s'avance vers le lit qui, à première vue, ressemble étrangement au lit à baldaquin de l'un de ses rêves. Oui, celui où l'homme et la femme... Mais il doit sûrement se tromper! Ici, dans ce lieu, dans cette chambre, tout est réel, les murs du même bois que les autres pièces de la maison, les meubles de pin dont l'immense armoire à trois tiroirs surmontés d'un espace de rangement à trois niveaux, le poêle en fonte noire et le fabuleux lit à quatre colonnes sur lequel est allongé un homme au visage émacié et crispé de douleur.

- Tu te demandes... hem... certainement ce que j'te veux, lance le vieillard qui n'arrête pas de tousser.

– Ouais, un peu. Mais, comment vous avez fait pour savoir que c'était moi derrière la porte?

– Eh bien... mon garçon... hem... il n'y a rien là, je t'ai simplement appelé et tu es venu. Hem...

– Mais...

Sans laisser à William le temps d'ajouter quoi que ce soit, Augustin lui coupe la parole et faiblement, presque en suppliant:

– Écoute... hem... Après ce que je t'aurai dit, tu comprendras mieux, mais auparavant,... hem... tu vas répondre à deux questions sans en demander plus. O.K.? Hem...

– O.K., assure William, tout surpris de la demande de son grand-père.

– En premier, j'ai remarqué une marque à la base de... hem... ton cou. Sais-tu depuis quand elle est là?

– Non, je crois que je l'ai depuis ma naissance. Ma mère m'a toujours dit que c'était un signe porte-bonheur parce que c'est en forme d'étoile.

– Ma deuxième question est importante. J'aimerais bien que tu me répondes franchement et le plus clairement possible. T'arrive-t-il de rêver, même éveillé?, questionne le vieillard tout d'un trait.

– Eh bien... oui et même souvent depuis quelques temps. C'est comme si quelqu'un voulait me parler, me dire des choses. Une femme aux longs cheveux noirs et aux yeux perçants...

Le vieillard, de sa main gauche, fait signe à William de s'avancer encore plus près de lui et murmure:

– Tu peux voir que j'en ai plus pour très longtemps. Bientôt, très bientôt, en moi le sommeil éternel aura gagné toute la place.

Augustin s'arrête, humecte ses lèvres asséchées, puis de ses yeux fatigués, il fixe le visage de son petit-fils, pour s'assurer qu'il le suit. Ensuite, il saisit la main gauche du garçon et dit:

– Ce que je vais te révéler, tu devras le garder pour toi, n'en parler à personne... à personne! O.K.!

– O.K.!

– La marque, l'étoile que tu portes... hem... n'est pas seulement un porte-bonheur, mais aussi le pouvoir. Un pouvoir qui se doit d'être utilisé adéquatement et avec perspicacité. Ne l'utilise jamais pour toi, soit... hem... pour te pousser ou te mettre en valeur, sinon le malheur frappera! Ce signe qui vient de tes ancêtres montagnais se transmet de génération en génération... Hem... Hem... Toi, mon petit-fils, tu possèdes cette marque, ce pouvoir, tout comme moi!

Lâchant la main de William, il lève son bras pour découvrir l'étoile sur son poignet gauche et reprend:

– L'étoile inscrite sur nos corps est... hem... le signe, l'emblème de la clairvoyance. Seuls les initiés et quelques privilégiés savent le reconnaître. Toi comme moi avons le don de voir en avant. Tes rêves... hem... sont la manifestation de... hem... ce don, de ce pouvoir qui te transmet des indices sur l'avenir et parfois sur le passé. Mon garçon, tu dois apprendre à bien les interpréter, à les manipuler... hem... adroitement et c'est là une grande difficulté. Mais pour toi, tout sera plus facile, car ton don a été dupliqué... hem... lors du décès de ma fille Esther, ta tante, celle qui devait puiser dans les anciens. Doublement! Oui, te voilà aujourd'hui doublement puissant mais tout autant... hem... débiteur!

Vaincu par la fatigue, Augustin ferme les yeux. En lui, un gros poids semblable à un morceau de glace que l'on traîne, vient de fondre. Oh qu'il lui tarde de s'enfoncer dans la douceur du sommeil éternel...

– Voyons, grand-père, ça ne se peut pas, voir dans l'avenir, dans le passé... Voyons!

– Tu sais, mon garçon, rien n'est impossible et c'est là toute ta tâche, ton devoir de demain et du futur. Réfléchis à tout... hem... et accepte ton sort! Maintenant vas rejoindre les autres... hem... maudite toux qui ne me lâche pas!

Absorbé par ses pensées, William se lève pour sortir de la chambre. Il s'apprête à refermer la porte lorsque, venant du fond de la chambre, il entend son grand-père ajouter:

– Je sais... hem... que tu sais... Pour le rêve concernant ta grand-mère et, moi, sur ce lit, ça s'est réellement passé... Hem... Elle repose en paix et, moi, je m'apprête à la rejoindre très, très bientôt! Maintenant, ferme bien la porte, et sois heureux... hem... avec la jolie institutrice... Wil... liam!

Le jeune homme qui vient d'entendre prononcer son prénom pour la première fois par son grand-père, regagne la cuisine. Dans sa tête, les mots clairvoyance, pouvoir, don et, surtout, les dernières paroles entendues se bousculent...

– Tu veux un café? lui demande sa tante

Hésitant à sortir de ses pensées, il se contente de dire:

– Ouais...

– Ça a ben été long! Il n'y avait pas de problème avec ton grand-père au moins?

– Non... à part sa toux qui lui prend toute son énergie... Ouais... c'est un homme étonnant!

– Ça, tu peux le dire! Il y a toujours eu une partie de lui que je n'ai jamais réussi à cerner...

∴

Le retour de la messe dominicale des paroissiens de l'église Notre-Dame se fait sous une pluie beaucoup plus abondante que l'aller. De mauvaise humeur depuis plusieurs jours, Théodore guide son trotteur sur un chemin légèrement boueux sans dire un seul mot. Il s'est réfugié dans ses pensées, surtout depuis qu'il sait que le projet de l'école et de la salle communautaire a du plomb dans l'aile, comme on dit dans le Canton. À l'abri sous la toiture amovible de la calèche, Camille et Éliane, elles aussi, ont trouvé refuge dans leurs pensées. Si Théodore avait la faculté de lire à l'intérieur de chacune d'elles, il verrait dans la première une femme toute souriante à la pensée d'avoir revu l'homme de sa vie et dans la deuxième, toute la tristesse causée par l'absence de celui qui fait palpiter son cœur.

Deux heures plus tard, les deux femmes terminent de laver et de ranger la vaisselle du repas du midi, les autres membres de la famille s'étant retirés soit dans leur chambre, soit dans le salon. Un silence bienfaisant règne dans la pièce que seul vient rompre le contact d'une assiette, d'une tasse ou d'un ustensile qu'on lave, que l'on essuie ou que l'on range à sa place.

— Ouais, p'a y est pas souvent de bonne humeur de ce temps-ci.

— Ah, c'est vrai, il a des préoccupations! Ses projets vont pas comme il voudrait, mais on peut pas faire grand-chose. Mais toi, tes bagages sont-ils prêts?

— Encore une ou deux choses à placer et ça va être fini.

— Après le souper, j'irai avec Gaston te mener à ta pension. Ça va aller?

Rangeant les ustensiles, Éliane regarde sa mère et lui sourit de toutes ses dents blanches. À l'approche de cette première journée où elle devra faire face à ses élèves, elle éprouve anxiété et excitation mais aussi un sentiment contradictoire, la crainte! Les élèves, pas de problème, mais la mère directrice et les autres enseignantes, ce n'est pas du tout pareil!

Un linge à la main, Camille finit de nettoyer la table de la cuisine avant de frotter comptoir et évier, tâche qu'elle accomplit particulièrement bien. La propreté d'une cuisine ne reflète-t-elle pas ses occupants? Prenant un air sérieux, elle s'adresse à sa fille:

— Éliane... pendant que nous sommes seules, j'aimerais te parler de quelque chose. Approche-toi!

En disant cela, Camille tend un linge à sa fille et lui murmure:

— Fais comme moi, si quelqu'un vient, il va croire qu'on travaille.

Saisissant le linge d'un vert usé, Éliane s'avance et s'inscrit dans ses pas. Elle repasse derrière sa mère, répète ses mouvements à la trace comme le fait un louveteau avec sa génitrice.

— Dis-moi, Éliane, es-tu en amour?

Surprise d'entendre ces paroles sortir de la bouche de sa mère, elle ne sait quoi répondre, hésite puis:

– Eh... ben... pourquoi tu me demandes ça?

– Pourquoi? Parce que j'ai remarqué ton manège, ma chère fille! Tes petites ramasses de framboises et de bleuets, qui revenaient un peu trop souvent à mon goût, une à deux fois par semaine... ton empressement pour la messe du dimanche... Pis par hasard, ce n'est pas l'un des beaux jeunes hommes qui ne manquent aucune occasion pour venir te parler sur le perron de l'église qui te fait tourner la tête?

– Voyons, man, ils viennent pour Estelle.

– Tu crois! À la façon dont le plus grand te regarde, pis que tu y réponds! Ma fille! Tu peux faire croire ça à une autre, mais pas à moi! L'autre, c'est à ton amie qu'il s'intéresse!

– Ouais, tu as peut-être raison, mais ça ne va pas plus loin.

Camille se détourne, regarde sa fille, sourit, relance le jeu du ménage et murmure sur un ton moqueur:

– Et tes rendez-vous de fruitages, eux?

– Man! Voyons...

– Ne t'en fais pas, j'ai déjà eu ton âge et un amoureux secret... c'est pas si terrible, mais, dans cette maison et dans ta situation, il faut que tu fasses attention.

– Pourquoi moi plus qu'une autre?

– Ah ça, il me semble bien que tu dois t'en douter, non! Ton amoureux, c'est un Desbiens.

À cette vérité, Éliane reste muette et comme pour ne rien laisser transpirer de son malaise, elle s'active à re-re-repasser dans les traces de sa mère.

– Pas besoin de me répondre, je sais... Écoute, Éliane, j'ai reconnu dans ce jeune homme l'image des Desbiens. Quant à moi, il n'y a pas de problème, mais pour ton père...

Elle regarde sa fille directement dans les yeux, marque un temps d'arrêt et poursuit:

– Tu sais que les Desbiens sont les ennemis jurés de la famille. Si jamais ton père apprend que tu fréquentes en secret l'un d'eux, j'aime autant ne pas savoir ce qu'il pourrait faire... En plus, tu vas avoir dix-sept ans dans un mois, c'est bien jeune pour tomber amoureuse, non ?

•••

En cette première semaine de septembre, après plus d'un mois de rencontres et ayant couvert la moitié de sa paroisse, le curé est maintenant en mesure de pouvoir affirmer que ses efforts commencent à porter des fruits. Serrer les mains, prier avec les gens, bénir leur foyer, poser les mains sur la tête des enfants, converser dans le salon familial avec le maître de la maison et son épouse, réciter quelques paroles en latin, tout cela a eu sans contredit des effets positifs. « Respecter l'autorité, le prestige de l'Église, un devoir pour tout chrétien... », des paroles qu'il répète continuellement lors de ses visites.

•••

Assise dans l'unique chaise de la chambre, la tête de la femme se balance dans un léger va-et-vient. La fatigue de ces derniers jours a gagné la partie, alourdissant tout d'abord ses paupières puis rendant ses bras et ses jambes lourds et enfin, ralentissant sa pensée.

Germaine dort d'un sommeil qui la dévastera, car, à son réveil, l'être qu'elle a accompagné toute sa vie, qu'elle a veillé comme une mère, qu'elle a aimé comme un enfant... ne répondra plus jamais à son appel.

L'horloge termine son annonce de six heures du matin lorsqu'elle se réveille et constate le départ de l'être le plus cher à son cœur, son père. Aussitôt, elle réveille Henri pour qu'il aille chercher le vieux Médore et le curé.

Debouts autour du lit, tous les habitants de la maison assistent le médecin et prient avec le curé. Même Raphaël est présent. Dans l'heure qui suit arrivent Thérèse et son mari Edgard pour se recueillir auprès du vieillard.

Dès neuf heures, le jeu des cloches annonce à tout le Canton le décès de l'un des leurs. Trois sons différents, contrairement à deux pour une femme, une note haute, une moyenne et une basse suivie d'une volée de plusieurs minutes. Tirant sur les cordages des cloches qui descendent dans l'arrière-fond de la nef grâce à un ingénieux système de tuyauterie, les bras du bedeau reconduisent par trois fois le tout.

Comme la noirceur de la nuit, l'identité du mort pénètre dans chaque foyer et suscite chez plusieurs tristesse et compassion. Spontanément, malgré les querelles ancestrales, le décès d'Augustin fait l'unanimité; on dit de lui qu'il était «un bâtisseur, un défricheur, le descendant du premier habitant... ».

Le lendemain, se sont ajoutés auprès de la dépouille d'Augustin, sa fille Marie et son mari Thomas Simard, commis dans un magasin de Chicoutimi, sa sœur Jeanne et son mari Jean-Pierre ainsi que son autre sœur Marie-Ange et Edgard Boivin du Lac-Saint-Jean. Seule absente, Marguerite, la religieuse. Peut-être sera-t-elle là pour l'office et l'enterrement si, bien sûr, elle obtient la permission de la supérieure.

Pendant trois jours et trois nuits, la visite en l'honneur du mort arrive de partout: le maire et son épouse; les conseillers et leur femme; le conseil des commissaires; les cousins, cousines de La Baie, de Chicoutimi, de Jonquière et même du Lac; les amis et voisins du Canton et même de parfaits inconnus.

Avec son air lugubre, le croque-mort du Canton, Simon Tremblay, aidé de Germaine et d'Henri, ont organisé judicieusement les différents lieux de la maison. Tous les châssis de la maison ont été recouverts d'un tissu noir ainsi que les portes extérieures. Derrière chaque fenêtre et devant le cercueil, on a placé des cierges qu'on allumera tout au long de cette veille du corps. Le grand salon, lieu de l'exposition, a été décoré pour l'occasion de grandes et très larges banderoles noires de la hauteur de la pièce.

Tout au long de la période d'exposition, le corps meurtri d'Augustin ne reste pas une minute sans surveillance. Durant ce temps et à toutes les heures, les gens présents s'agenouillent pour réciter un chapelet qu'ils débutent toujours par «Je crois en Dieu...», suivi d'un «Gloire soit au père...», de trois «Je vous salue Marie...» et d'un autre «Gloire soit au Père». Ensuite chacun des dix grains composant cinq dizaines est égrené un par un avec des «Je vous salue Marie» entrecoupés d'un «Notre Père». Pour finir, on défile des litanies: «Seigneur, ayez pitié de nous, priez pour lui... délivrez-le, Seigneur» et des « *de profondis clamavi ad te, Domine: Domine, exaudi vorem meam.* »... «Du fond de l'abîme, j'ai crié vers vous Seigneur, Seigneur entendez mon appel»... « *Requiescant in pace, Amen* »... «Qu'il repose en paix. Ainsi soit-il».

Le matin des funérailles, on dirait un jour de fête tant il y a du monde devant l'église pour accueillir le cortège. Du haut des cieux, Augustin doit être surpris de voir un tel rassemblement pour lui qui, tout au long de sa vie, a été si peu expressif.

Devant ces témoignages, Henri et les siens ne savent quoi dire mais ressentent de la fierté à voir autant de visages exprimer leur tristesse devant le départ de cet homme. Ces derniers jours, n'ont-ils pas entendu les qualificatifs suivants concernant le vieillard : attentionné, prévenant, charitable, réconfortant, calme, prudent, sage...?

Mais pour William, ce sont les paroles du vieux forgeron, Samuel Girard, qui le marquent. «Tout un homme, ton grand-père! Je ne sais pas comment il faisait, mais il devinait tout. Prends l'année où il y a eu la grippe espagnole, ça doit faire ben proche de sept ans de ça. À l'automne précédant ce grand fléau, il avait averti les vieux du village, pis ceux des alentours du danger de prendre froid. Il disait qu'il fallait faire attention à la moindre toux et surtout ne pas boire l'eau de la rivière. Je ne sais pas combien de vies qu'il a sauvées, mais, moi, je me souviens, pis ben des vieux de la place aussi... Il y a aussi la fois qu'il est venu me voir à ma forge. Mon gars, André, il avait vingt ans; il sortait avec la fille du maire, pas celui-là d'aujourd'hui, l'autre avant. Ton grand-père est arrivé un beau matin de printemps, ben calme, en disant qu'il venait pour demander conseil sur le roulement de sa charrette. Moi, sur le coup, je l'ai cru, mais, plus tard, j'ai compris qu'elle n'avait rien sa charrette... Juste avant de partir, il m'a dit: «Samuel, j'ai entendu dire que ton gars André, sort avec la p'tite Gobeil, la fille du maire! Une ben belle fille, pis qui a peur de rien. Je suis sûr que comme son père et ses oncles, elle aime la pêche... Écoute! Avertis donc ton fils de lui dire de faire attention à la rivière. De ce temps-icitte, est pas mal déchaînée... D'ailleurs, la rivière haute comme elle est, c'est pas terrible pour la pêche! Quelques jours plus tard, quand on a annoncé à André que sa blonde s'était noyée dans la rivière, j'ai compris qui c'était ton grand-père!... Pus jamais j'ai pris à la légère ce qu'il disait! Ouais, mon gars, tout un homme ton grand-père, des voyages comme ça, pour avertir le monde, il en a fait plus d'un dans le Canton!»

∴

La décoration de l'église est dans le même ton que celle de la maison d'Augustin. Des cierges partout et des banderoles noires aux fenêtres et sur les colonnes, à la différence que celles-ci portent des écritures «*Requiem in pace*» ainsi que des dessins d'anges qui survolent et portent une croix entre leurs mains.

Placée dans le chœur, la tombe est couverte d'une banderole noire et entourée de cierges. Le curé Lampion célèbre la messe et la termine par la sépulture des défunts: «N'entrez pas en jugement avec votre serviteur... *Non intres in judicium cum servo tuo...*».

La chorale dirigée par Bernadette Léger chante pieusement «*Libera me Dómine de morte altérna in die illa tre-*

ménda... libera me, Dómine » : « Délivrez-moi Seigneur de la mort éternelle, en ce jour terrible... Délivrez-moi. »

William, Benjamin et quatre de leurs cousins portent ensuite la tombe au cimetière tout à côté de l'église, sous le chant «Que les anges vous conduisent dans le... que vous ayez le repos éternel ! »

La cérémonie d'inhumation est brève, le curé bénit la fosse :

— Dieu, par la miséricorde de qui les âmes des fidèles reposent en paix, daignez bénir ce tombeau... vos Saints, unis sans cesse à vous, elles jouissent d'une joie sans fin. Par le Christ notre Seigneur.

— Ainsi soit-il !

Sans faire aucune pause, il clame l'oraison suivante :

— Donnez-lui Seigneur le repos éternel...

— *Requiem aeternam dona ei, Dómine.*

— *Et lux perpétua lúceat ei.*

— *Requiéscat in pace.*

— Dieu, qui nous avez fait un commandement exprès d'honorer nos père et mère, ayez pitié, selon votre clémence, de l'âme de ce père. Accordez-lui le pardon de ses péchés et faites-nous la grâce de le voir dans la joie de l'éternelle clarté. Par notre Seigneur Jésus-Christ...

— *Amen.*

— *Anima ejus, et ánimae ómnium fidéluim defunctórum, per mesericórdiam Dei requéscant in pace.*

— *Amen.*

— Ainsi soit-il.

Puis, le curé se retire pendant qu'à tour de rôle, sans cérémonial, chacun des membres de la famille, dépose une poignée de terre sablonneuse sur la tombe qui repose déjà au fond de la fosse. Et tout de noir vêtus, vêtements qu'ils porteront un an en signe de grand deuil avant de porter, du gris, du blanc, du mauve ou du violet l'année suivante en signe de demi-deuil, ils regagnent la maison de l'ancêtre.

Partie 4 : Révélation

– 1 –

Chambre de la pension d'Éliane

– Estelle, tu lui as remis? questionne Éliane toute anxieuse.

– Oui, oui, je lui ai remis!

– Il t'a dit quelque chose pour moi?

Voyant que son amie se meurt d'en savoir plus, Estelle saisit les deux mains de sa copine et, assise en face d'elle, lui dit:

– Du calme, je vais te raconter, tu verras bien.

– O.K., je t'écoute répond Éliane en déposant ses mains délicatement sur ses genoux.

– Eh bien... dimanche en après-midi, quand je suis arrivée avec mon père et ma mère, il n'y avait pas beaucoup de monde. Le grand-père de William et de Benjamin était là étendu dans une tombe toute noire. Il n'était vraiment pas gras, il flottait dans son habit noir. Les doigts de ses mains croisées sur son ventre n'avaient plus que les os, comme son visage. Il ne lui restait que les os au vieux Desbiens!!! Moi, je n'avais jamais vu ça, un mort de même. Ça m'a fait tout drôle, car chaque fois qu'il venait à la gare, c'est moi qui le servais; je le trouvais bien drôle avec sa couette de cheveux toujours dans les airs, pis ses histoires sur les anciens... En tout cas, il n'avait plus que la peau et les os dans sa tombe.

Après une petite prière, j'ai suivi mon père et ma mère et on a donné la main à la vieille fille pis à la femme de l'épicier et à un tas d'autres personnes, les sœurs et les enfants du vieux Desbiens. Puis mon père et ma mère se sont mis à discuter avec le père de Benjamin... C'est là que j'ai parlé avec William et Benjamin et que je leur ai expliqué pourquoi tu ne venais pas! Ils m'ont dit de ne pas t'en faire, car ils comprenaient la situation...

Coupant la parole à sa copine, Éliane, encore tout anxieuse, lui demande :

— Oui, mais, ma lettre ?

Cette lettre écrite à l'attention de William après le décès de son grand-père, elle l'a remise à Estelle durant la messe dominicale. « Si tu vas à l'exposition du corps, tu lui remets, sinon essaie à l'enterrement, O.K. ? Pas de problème, lui avait répondu son amie. »

— Je te l'ai dit, tout à l'heure, que je lui ai remis quand le nouveau vicaire a commencé un chapelet, j'étais à côté de William et je lui ai glissé ta lettre dans la main. Il n'a pas bronché et l'a mise dans sa poche...

∴

Seule dans sa nouvelle chambre de pensionnaire, Éliane laisse aller ses pensées.

Cette première journée en tant qu'institutrice a été éprouvante, et ce, malgré la présence des élèves en avant-midi seulement. La mère directrice, cette femme au cœur de pierre, ne l'a pas lâchée d'une semelle. « Voici votre nouvelle institutrice... Ah, me revoilà! Vous n'avez pas de problème avec votre institutrice... Eh bien, rentrez chez vous et soyez prêts pour demain! Vous l'aimez votre nouvelle institutrice... ? »

Trois fois, qu'elle est revenue à la charge : de quoi rendre Éliane agressive ou complexée. Mais c'est sous-estimer le caractère fonceur de sa nouvelle institutrice qui remet déjà en question son comportement. « Non, mais elle me veut quoi ? Ne m'a-t-elle pas choisie avec le curé ? »

Faisant face à l'église, le vieil édifice en bois servant d'école, tout noirci par ces quarante années, compte six locaux de classes. En ce jour de funérailles, Éliane avait prévu se rendre au service funèbre du grand-père de William vers 11 heures, sa classe de troisième et quatrième se terminant à la même heure. Mais, impossible: la supérieure lui a demandé de venir à son bureau. Une rencontre sans importance de plus de trente minutes, pour faire un rappel sur le port du costume, les heures de classe et les règles de discipline pour les élèves.

« Un vrai moulin à paroles cette sœur », se dit Éliane lorsqu'elle constate que le temps a filé et qu'il est inconvenant de se glisser dans l'église une fois l'office commencé. Elle attendra la portée du corps vers son dernier lieu de repos pour s'infiltrer dans la foule et cherchera à se faire voir de William. « Cela le rassurera sûrement de savoir que je l'accompagne dans sa peine », s'était-elle dit, mais elle doit tout de même agir avec prudence! La fille de Théodore Therrien à l'enterrement d'un Desbiens, que de ragots pour les commères du Canton. Et si jamais on devinait son petit manège avec William... Non, non, elle change de programme et se réfugie à l'intérieur de sa classe. C'est par la fenêtre, qu'Éliane observe le cortège sortir par la double ouverture centrale de l'église et se diriger vers le cimetière; William est là dans sa tenue du même noir que ses cheveux...

Une fois la foule dissipée, elle gagne sa pension, prend le repas du midi et revient à l'école. Cinq minutes à pieds, de quoi la dégourdir et remettre ses pensées dans un ordre qui favorisera l'inévitable rencontre que provoquera la mère supérieure.

Préparer ses cours du lendemain, planifier le bureau qu'elle attribuerait à chaque élève, s'assurer que tous auraient les livres nécessaires, afficher le calendrier scolaire et la table des multiplications avant de nettoyer le local... voilà les tâches qui rempliront son après-midi.

Elle ferme la porte de sa classe lorsque le «moulin à paroles» apparaît. « Prévisible », se dit Éliane.

La supérieure reprend le même discours que celui de la matinée mais, cette fois, en insistant sur le fait que la robe d'Éliane ne boutonne pas jusqu'au cou: «Il faudra y ajouter un bouton, mademoiselle Therrien!» Souriante, comme toujours, Éliane répond:

— Aucun problème, ma mère, j'avais l'intention de ne porter cette robe qu'au moment où les élèves ne sont pas présents, comme cet après-midi. Vous y voyez un problème?

Déconcertée par cette réponse, la religieuse se recule pour se faire toute menue dans sa longue robe noire. Cousue à partir d'un tissu de toile souple, celle-ci touche le sol, cache les bras et les poignets à mi-main, monte à ras la gorge et est surmontée d'un voile à forme cartonnée qui dépasse d'un bon pouce le visage. Ce voile donne à celle qui le porte l'impression de pouvoir s'y enfoncer afin de se protéger contre toute attaque extérieure, ce que d'ailleurs fait la religieuse qui hésite avant de relancer sur un ton qui ne laisse aucun doute sur son intention d'imposer son pouvoir:

— Eh bien, oui, ici, à l'intérieur des murs de l'école comme à l'extérieur, quand on se dit institutrice, on donne l'exemple et on respecte les règles, mademoiselle Therrien.

Comprenant rapidement l'impair qu'elle vient de commettre, Éliane réussit à reprendre contenance avant d'exprimer:

— Je m'excuse, ma mère! Dès ce soir, je corrigerai la situation. Si vous avez d'autres recommandations ou remarques, je suis là pour apprendre et remplir mon rôle d'institutrice comme il se doit.

Avec un regard foudroyant de conquérante, la religieuse savoure sa victoire et, pour confirmer son autorité, ajoute:

— Pour aujourd'hui, c'est tout. Vous pouvez y aller maintenant.

— Merci, ma mère, et à demain... Bonsoir!

Arrivée à sa pension, Éliane monte directement à sa chambre, après avoir sollicité à la femme du maire un bouton noir et de quoi le coudre. Voilà un petit travail qui satisfera la sœur... et surtout la rassurera sur son pouvoir... Ensuite, la jeune fille s'étend sur son lit dans l'attente de l'appel du souper en rêvassant...

– 2 –

Ferme des Desbiens

Nerveusement, William déplie pour la xième fois les deux feuilles de papier et la magie opère instantanément. Une voix intérieure que lui seul peut entendre s'adresse à lui :

25 août 1924
3 heures P.M.

Mon amour,

J'ai appris le départ de ton grand-père vers l'au-delà. La souffrance qui le terrassait depuis plusieurs mois ne fait que confirmer la grandeur du paradis qui l'attend. Toi-même disait à notre lieu secret que cet homme qui a consacré sa vie à ses enfants ne méritait que de grandes joies et que Dieu lui devait une place de choix à l'intérieur de ses nuages tout blancs.

Mon amour, je compatis avec toi dans cette perte d'un être qui, bien que connu depuis peu, ne reste pas sans meurtrissure dans l'esprit de celui qui aime et qui sait comprendre la vie. Sache que je suis près de toi, assise, main dans la main, les yeux dans les yeux et que mes pensées s'unissent aux tiennes. Tu comprendras que je ne pourrai par ma présence officialiser les mots que cette lettre transporte et surtout te les murmurer au cœur même de ton être, de cet être si cher à mes yeux, à mon cœur et à toute ma personne.

Je n'ai pas de mots qui me viennent en tête pour t'exprimer tous les sentiments qui me chavirent quand je pense à toi, à tes baisers et à tes caresses encore si pudiques. J'ai le cœur qui fait mal de voir que l'espace du temps de nos rencontres ne peut plus suivre le rythme de la pousse des «fruitages» et je souffre en silence de ton absence, bien qu'involontaire, à notre rendez-vous de ce matin...

Mon amour, le temps qui presse l'homme dans la vie est une source inépuisable de soulagement et de bonheur, il suffit d'y croire et d'y collaborer. Demain et après demain, les larmes couleront de tes yeux noirs et tes pensées seront envahies de souvenirs que tu ne voudras plus jamais oublier... comme je le fais de tous les souvenirs de cet été merveilleux auprès de toi. Ah que j'ai hâte que tu me prennes dans tes bras, que tu me regardes pour que je puisse voir le reflet de mes yeux au plus profond des tiens. Mon amour, je t'attends samedi au début de l'après-midi, non loin de notre lieu secret à la vieille grange de réserve. Mon cœur en a déjà des palpitations...

Éliane, ton amour pour toujours...

N.B. : *Cette lettre te sera remise par Estelle.*

Installé sur une meule de foin posée sur le plancher de la grange, William, la lettre à la main, se remémore les doux souvenirs de l'été. Que de joies, de bonheur à la seule pensée de son Éliane et de son petit nez découpant son visage en un équilibre incontestable. Que dire de ses longs cheveux si doux, si soyeux, encadrant sa jolie frimousse qui, malgré les chauds rayons du soleil, conserve sa couleur de lait. Il la trouve si belle quand il regarde fixement dans ses yeux d'un bleu que même la couleur du ciel ne peut atteindre et ses mains, ses pieds, enfin, tout ce corps qui, à la manière d'un aimant, attire sa bouche, ses mains, ses doigts, qu'il a su retenir...

– Tu as bien l'air pensif!

Quelqu'un s'adresse bien à lui. Repliant rapidement les feuilles manuscrites en respectant les pliures déjà établies, William les glisse dans la poche côté cœur de sa chemise. Il aperçoit Raphaël qui s'avance et lui répond tout naturellement:

– Ben, je pensais aux derniers jours; à tout ces gens qui sont venus ici pour mon grand-père, pis que l'on a vus à l'église et au cimetière. Ça en fait du monde! Je me disais qu'il devait être connu et surtout estimé... À Montréal, il passait souvent des cortèges dans la rue devant notre logement, mais jamais avec autant de monde...

Raphaël a pris place sur la même meule que William, à sa droite. Sensiblement de la même grandeur que le garçon, il se distingue par son allure costaude et son dos courbé.

– Ouais, c'est vrai qu'il y avait beaucoup de monde. Mais je crois que ça devait être comme ça!

– Comment, comme ça?

Hésitant, Raphaël se gratte le derrière du cou à l'aide de sa main gauche et, au même moment, semblable à une commande qui lui aurait permis d'ouvrir un jet d'eau, il lance:

– Je pense que tu sais ce que je veux dire...

– Tu crois! Pourquoi que je saurais?...

– Eh ben... je disais ça comme ça! répond Raphaël d'un ton embarrassé qui ne passe pas inaperçu à William. «Il en connaît plus qu'il veut en dire», pense celui-ci.

Ressentant le besoin de changer de sujet, William prend les devants et demande doucement:

– Raphaël, j'aimerais que tu m'expliques quelque chose.

– Tu veux savoir quoi?

Instinctivement, William déplace son regard directement vers l'Amérindien. D'un coup d'œil rapide, il constate les dommages que le temps a causés au visage de Raphaël. Sa peau foncée, d'un rouge violacé, est parcouru de longues et profondes crevasses traversant son nez, ses joues, son front, ses oreilles et même ses larges lèvres. Jamais, depuis son arrivée au Canton, il ne s'est trouvé si près de lui.

– Il y a déjà un bon mois, je me promenais dans les champs, non loin du boisé. Là, je t'ai aperçu: tu semblais occupé près d'un feu. Je me suis approché en silence et je t'ai observé...

– Ah, tu as vu ça, toi! s'exclame l'Amérindien d'un ton ricaneur.

– Oui, mais je n'en ai parlé à personne.

– Ouais, de toute manière, ce n'est pas bien grave. Je vais t'expliquer. Moi, Raphaël Dominique, descendant de la tribu des Montagnais, je pratique les rites et coutumes de mes ancêtres. Cela me permet de rester en contact avec la nature, les forces du vent, de l'eau et du feu. Ce jour-là, j'utilisais les forces de la scapulomancie. Tout simplement, je passais au-dessus des tisons de feu les os d'un lièvre, jusqu'à ce qu'ils aient des brûlures et des craquelures. L'os le plus important est l'omoplate. Après l'avoir retiré du feu et demandé l'aide du Manitou créateur, j'interprète les signes du futur dans les fêlures et les taches.

– Avec ça, tu peux prédire l'avenir ?

– En quelque sorte. Chez nous les Montagnais, il existe plusieurs façons de demander l'aide du Manitou, comme la prière en groupe avant les repas «le Papeneu», la danse des récoltes, du soleil, la scapulomancie... mais rien n'égale la force des songes et, ça, William c'est un don... un don que ne possèdent que quelques élus !

Intrigué par les dernières paroles de Raphaël, William demande d'un ton inquisiteur :

– Des élus, est-ce que tu en connais ?

Embarrassé, Raphaël demeure coi, puis, après avoir repris ses esprits, il dit :

– Ah, ça... parfois, on croit en connaître, mais on n'en est jamais certain, car ces élus se font discrets. On les reconnaît par leurs actions divinatoires.

Raphaël s'arrête, pose sa main droite sur la main gauche du jeune homme, se retourne face à lui, le fixe et après s'être humecté les lèvres d'un bref coup de langue, il murmure :

– Chez mon peuple, les Montagnais, on dit que l'unique moyen de les reconnaître, c'est par l'étoile inscrite sur leur peau... comme celle qu'avait ton grand-père sur son poignet !

– 3 –

Cuisine des Desbiens

La cafetière pleine à ras bord de son savoureux café à la main, Germaine s'avance vers la table autour de laquelle sont assis ses sœurs Thérèse et Marie, sa belle-sœur et son frère Henri.

– Henri, es-tu content du contenu du testament du père?

Surpris par cette question, surtout venant de sa sœur, il ne répond pas immédiatement. Calmement, il saisit le bol de sucre, en verse deux cuillères à thé rases dans sa tasse de grès jaune remplie au trois quarts de café et le passe à Flora.

Puis sur un ton prudent, il répond:

– À vrai dire, j'suis un peu surpris... Le père a été pas mal généreux avec moi! La terre, je comprends un peu, mais tous les lots à bois? Je crois qu'il aurait pu les diviser! Toi, Germaine, tu en penses quoi?

Campée à droite de Flora, celle-ci sirote son café. Comme elle estime que cette question qui lui est retournée peut semer la discorde, elle répond calmement:

– Moi, ce que l'père a fait, ça me satisfait. Il me laisse la maison, je n'en demandais pas plus! Pour les lots à bois, c'est vrai qu'il aurait pu faire autrement, mais maintenant qu'il est enterré, on ne peut pas faire grand-chose. Et puis, si on met les volontés du père en plan, Marie reçoit la terre à bois au Lac-Saint-Jean, Thérèse la maison au village, Marguerite le lot de La Baie situé à quelques milles du couvent supérieur. Moi, je pense que chacun y trouve son compte, non!

– Mais par rapport à ce qu'il vous donne, j'en ai beaucoup plus. Vous croyez que c'est juste? Je suis parti ben longtemps et peut-être...

– Moi, je le répète, je ne vois pas de problème. J'ai demeuré toute ma vie avec le père et il disait toujours qu'il voulait que la terre te revienne. N'oublie pas que c'est toi l'unique garçon et la terre doit rester dans la famille.

Silencieuse jusqu'à ce moment, Thérèse, de qui Henri attend une certaine réserve, affirme de sa voix rauque :

– C'est vrai ce que dit Germaine. Les liens du sang sont ce qu'il y a de plus important. Les autres gens ne sont que des étrangers. Ce que le père a fait est fait et, à mon avis, il savait ce qu'il faisait.

– Moi aussi, je pense comme ça, renchérit Marie, même que je dirais que Marguerite serait aussi du même avis. Notre père nous a déjà tout donné de son vivant. C'était un homme merveilleux au grand cœur et ce qu'il a partagé entre nous, il l'a fait judicieusement. Moi, je veux pus en entendre parler, clame, les deux mains croisées, Marie qui complète parfaitement le trio bien portant des sœurs Desbiens.

De ses grands yeux bruns, cette dernière fixe ses sœurs lentement une à une avant d'ajouter sur un ton qui invite à l'unisson :

– Henri, toi et ta famille, vous devez maintenant développer la ferme. Les lots à bois vont vous aider à passer les périodes dures! Moi, ce que je souhaite, c'est que la bonne entente règne pour toujours dans cette maison.

La balle lancée dans son camp, Germaine en profite pour ajouter :

– Pour ça, je ne vois pas comment on s'entendrait pas! Flora et moi, on est déjà comme deux sœurs et, les enfants, à l'âge qu'ils ont, ce n'est pas ben compliqué de s'entendre avec eux. Et Henri, ça reste pour moi le bébé de la maison!

À cette dernière réflexion, tous partent à rire, même le premier concerné.

Sans gêne, on parle à nouveau de tout et de rien, oubliant la peine des derniers jours; tous sans exception, ont le sourire au coin des lèvres. Est-ce le café de Germaine, les dernières paroles de solidarité de Marie, la fatigue ?

Emballée par le climat de détente, Germaine ouvre une bonne bouteille de vin rouge sec. Son arôme de bois au lit d'un rouge framboise réchauffe rapidement la gorge et le cœur des buveurs; deux verres et son jeu magique s'accomplit.

Savourant son troisième verre, une pensée surgit à l'esprit de Marguerite. Le notaire Gaudreault n'a-t-il pas remis une lettre à Henri en lui disant: «Prenez-en connaissance et revenez me voir si nécessaire.» Sans égard aux conversations en cours, elle veut en savoir plus:

–   Henri!... Henri!...

Voyant qu'il n'a pas entendu, elle hausse le ton...

–   Henri!

Semblable à l'effet que produit un coup de tonnerre, le silence s'installe pour un moment avant qu'Henri ne le casse:

–   Oui, oui...

–   P'tit frère... c'est quoi au juste la lettre du notaire?

–   La lettre! Ah oui!, je ne sais pas, je ne l'ai pas encore lue... Attends...

Il se lève, attrape son veston noir qu'il a déposé sur l'un des crochets du portemanteau fixé au mur de la cuisine et sort l'enveloppe blanche de l'une des poches. Tous observent en silence et attendent qu'il termine la lecture de cette mystérieuse lettre.

–   Ouais, c'est d'un monsieur Jos Dufour. Il voudrait conclure l'entente concernant le passage du chemin de fer. Il suffit, selon ce qu'il écrit, d'avertir le notaire qui préparera les papiers. Ça vous dit quelque chose vous autres?

–   Ça doit être une affaire du père... Regarde donc l'adresse sur la lettre.

L'enveloppe dans les mains, Henri lit à haute voix:

«Notaire Jules Gaudreault, Canton de Chicoutimi» Mû par un réflexe qu'il ne saurait décrire, il redéplie les feuilles de la lettre et sur la première page, tout en haut, il découvre: «Monsieur Augustin Desbiens, Canton».

– L'adresse du père! Ouais... je comprends pourquoi le notaire me l'a donnée, mais pour le contenu...

Coupant la parole à Henri, Germaine qui boit son troisième ou quatrième verre de vin, bref, de quoi lui délier la langue, déclare :

– Cette lettre-là, le père l'attendait depuis au moins deux ans. Quand le chemin de fer est arrivé au village, tout le monde se demandait pourquoi la compagnie ne montait pas jusqu'au lac Kénogami, là où les gros chantiers descendent leur bois, avant de le faire descendre par la rivière Chicoutimi. Je ne sais pas comment ni pourquoi, sûrement encore un de ses pressentiments, mais le père avait pris contact voilà au moins quatre ou cinq ans pour offrir des droits de passage sur la terre avec la compagnie de pulpe de Chicoutimi du monsieur... Du... Du ?

– Dufour, ajoute Henri.

– Le père m'a raconté que le train passerait dans un ou deux ans dans le coin derrière l'étable et sur nos terrains tout le long de notre ligne avec les Therrien pour monter jusqu'au barrage de bois du lac en haut. C'est pas clair dans ma tête, mais je crois qu'il parlait même de la construction d'une scierie pas loin de notre petit lac rond à côté et que le train s'y arrêterait pour se charger... Ça ne peut être que cela...

Germaine porte son verre en avant d'elle comme pour saluer la nouvelle. Excitée par ce qu'elle vient d'entendre, Thérèse l'accompagne et ajoute :

– Ça a du sens, ce que tu viens de raconter. Au village, le bruit court depuis l'an dernier qu'il va se construire un nouveau barrage au lac en haut et que, pour faire ça, la ligne de chemin de fer va être prolongée. De plus, la semaine avant la mort de pa, le maire a dit à Edgar que l'électricité et le téléphone s'en venaient pour l'automne. Tu vois ça, enfin, on va se croire en ville !

Curieusement, elle s'arrête, puis vide d'un trait son verre de vin et, toute joyeuse à la pensée de ses propos, elle repart :

– Enfin, on va pouvoir s'éclairer sans tout salir dans la maison, pis s'acheter un paquet d'objets qui fonctionnent à l'électricité; une radio, un gramophone... En plus, avec le téléphone, pas besoin de courir à la gare pour voir si j'ai reçu un télégramme... Marie, je vais pouvoir te parler au téléphone... Toi, Flora, tu connais ça, à Montréal, ça fait longtemps que ça existe.

D'un hochement de tête, elle acquiesce à ce que vient d'exprimer sa belle-sœur que la boisson a rendue volubile, pendant que Thérèse continue :

– ... Germaine, si ce que tu viens de nous dire se réalise, le bonhomme Therrien va japper, ça en plus du projet de l'école qui ne va pas bien. Mon Dieu, que je n'aimerais pas être sa femme à celui-là !

– Tu as raison, répond la plus vieille des sœurs Desbiens. Je l'ai vu il y a quinze jours à la messe du dimanche. Toujours le même air bourru. Sa femme et sa fille l'accompagnaient... Aie, c'est vrai qu'elle enseigne au village ?

– Oui, il paraît que c'est le curé qui l'a placée. La magouille pour l'école et la salle communautaire... Elle pensionne même chez le maire... tu vois ! J'y pense, Henri, ton gars, le plus vieux, William, Edgard a entendu une rumeur que lui pis la fille Therrien, ils se voyaient pas mal souvent.

Henri n'a pas le temps de réagir que Flora, sur un ton qui démontre clairement qu'elle entend protéger sa progéniture :

– La fille Therrien, c'est une petite avec les cheveux noirs. Je ne me trompe pas ?

– Oui, la mère en plus petit, s'exclame Thérèse.

– O.K., c'est bien ce que je pensais, on les voit souvent ensemble à la messe le dimanche. La fille et la mère... C'est vrai que William parle à cette fille. Je sais qu'ils se sont connus quand lui et Benjamin ont ramené les bagages de la gare. Mais, moi ce que j'ai su, c'est que mon gars a de l'intérêt pour l'amie de cette fille, celle qui se tient toujours avec elle. C'est un secret que Benjamin m'a confié. Il faut pas le dire devant William, il en deviendrait tout rouge !

–   Ah! Là, ça a du sens... la fille du gardien de la gare. Estelle! Une bonne fille, bien élevée, toujours prête à rendre service. Ouais, je vais en parler à Edgard. Quand ça sera le temps, y pourra replacer les choses dans le bon chemin...!

–   Ouais, répond Flora sans trop d'enthousiasme.

– 4 –

Une balade près du moulin

Le plan de Théodore commence à faire son œuvre. À la scierie, il ne reste plus que le surintendant, un homme totalement dévoué à la famille Therrien et deux employés à l'entretien. D'ici une semaine tout au plus, la scierie fermera, transformant la rumeur du mois de juin en réalité. Un tempo qui s'harmonise avec la réunion du mois de septembre des commissaires et du conseil municipal prévue pour la semaine qui vient.

.˙.

Mille pieds environ séparent le bâtiment abritant à la fois la scierie et le moulin à farine de la maison. Une petite marche qu'Arthur, l'ancêtre de la famille Therrien, fait en aller-retour trois ou quatre fois les jours de beau temps. Celui-ci vient de terminer son déjeuner et s'apprête à entreprendre son premier tour lorsque Théodore lui dit :
– Je t'accompagne.
Arthur comprend immédiatement que son fils veut lui parler.
– Je m'en vais sur la galerie, répond-il.
Debout, fixant la montagne qui fait face à sa résidence, Arthur sort calmement sa tabatière de sa poche, l'ouvre et se sert de son pouce et de son index pour saisir les fines lanières de tabac qu'il insère dans le fourneau de sa pipe de grès flammé. Vérifiant avec son index qu'elle est bien bourrée, il fait éclater une allumette dont il tire le feu jusqu'à ce qu'il sente la chaleur du fourneau et la fumée chaude sortir de l'extrémité du tuyau de bois qu'il serre entre ses dents jaunies.
Théodore rejoint son père et d'un signe de tête, il lui montre le chemin. À l'unisson, les deux hommes de haute stature marchent d'un pas rapide.

La pipe à la bouche Arthur attend que son fils se décide à parler. Ils arrivent au mi-parcours lorsque Théodore commence :

— C'est la semaine prochaine que le conseil doit prendre sa décision finale sur le chantier de l'école et de la salle communautaire. J'ai fermé la scierie pour faire pression, mais jusqu'à aujourd'hui, ça n'a pas changé grand-chose! La gang des rangs ne s'est pas encore ralliée et je me demande si je devrais pas fermer aussi le moulin à farine. D'ici quinze jours, ça va être le temps des récoltes... Ils vont tout de même pas accepter de se rendre jusqu'à Chicoutimi pour faire moudre... Tu en penses quoi?

— Ce que j'en pense? C'est drôle de t'entendre dire ça, mon gars! Ça fait longtemps que tu ne m'as pas demandé mon avis. Ouais! C'est un beau problème que tu as là!

Arthur s'arrête, frappe sur le talon de son soulier la tête de sa pipe qui aussitôt déverse son contenu sur le sol. Sans plus, il repart...

— Si tu m'avais demandé mon avis pour la fermeture du moulin à scie, je t'aurais dit de ne pas le faire, sinon par mesure d'économie. Icitte dans le coin, on n'est pas tellement aimés et que tu fermes la scierie, la majorité des gens ont dû voir ça comme de l'entêtement et du magouillage pour faire plus d'argent. Non, je ne pense pas que c'était une bonne idée de fermer la scierie en croyant que les gens changeraient d'opinion et t'appuieraient. Tout ce que cela a pu provoquer, c'est de se mettre les gens encore plus à dos...

— Comme ça, l'idée du moulin, ce n'est pas mieux...

— C'est certain! Pis je crois même que ça peut faire l'affaire de quelques-uns d'aller voir ailleurs...

Théodore veut en savoir plus, aussi questionne-t-il :

— Tu ferais quoi?

Comme s'ils voulaient vérifier l'état du toit du moulin et de la scierie qui se dressent dans le décor de feuillus et de conifères, les deux hommes ralentissent le pas, afin de se donner plus de temps pour jaser.

246

– Ben, icitte, l'important, à part gagner sa vie, c'est l'Église. Ce que le curé dit dans sa chaire, tout le monde respecte ça religieusement. Ils ont tous peur que le ciel leur tombe sur la tête !

– Mais le curé a déjà parlé aux Gobeil et ça n'a rien donné !

– Voyons !, lance Arthur en ricanant. Les Gobeil, penses-tu qu'ils ont essayé de parler à leur gang ? Voyons ! C'est resté là... Moi, si j'étais à ta place, je verrais le curé pour qu'il fasse un de ses monstrueux sermons sur la nécessité de bien instruire les enfants...

– Ouais...

Sans raison, sinon parce qu'ils sont plongés dans leurs pensées, le silence s'installe entre les deux hommes. Arrivés devant la porte de la scierie, ils s'arrêtent. Arthur, en ouvrant la porte, dit :

– On repart ensemble pis on s'en parle encore... O.K. ?

– O.K. !

Arthur ne s'attarde jamais longtemps aux moulins ; ses nombreuses visites visent beaucoup plus à le distraire qu'à faire une surveillance des activités. D'ailleurs, les moulins appartiennent à son fils et s'il lui venait à l'esprit de se mêler de ses affaires, il en résulterait de bien mauvais moments.

La visite terminée, il rallume sa pipe et prend la direction de la maison, Théodore à ses côtés :

– Pa, tu as raison, je vais aller rencontrer le curé cet après-midi... Ça presse, il faut qu'il intervienne avant la réunion du conseil.

– C'est bien... mais n'oublie pas d'insister pour qu'il oriente ses mots sur les enfants, l'instruction, le devoir des parents... il faut donner un sens religieux au projet pour faire peur à ceux qui sont contre.

– Penses-tu qu'il devrait parler de la fermeture de la scierie...

– Peut-être... mais avec prudence, en leur disant que ce sont des jobs perdues, qu'il faut s'entraider et que perdre cette entreprise n'a rien de bon pour l'avenir du Canton et des jeunes...

D'un ton traduisant sa satisfaction, Théodore répond :

– Ouais, c'est bon ce que tu dis... Je vais essayer de glisser ces idées au curé. Mais c'est un homme pas facile à diriger... je me demande s'il va m'écouter !

– Pourquoi pas, moi, je suis sûr qu'il comprend le bon sens et surtout ses intérêts. Ce projet-là, il le veut.

Fier que ses idées soient aussi bien accueillies, Arthur aspire fortement sur sa pipe et du coup, enveloppe les alentours d'une odeur de bois provenant du tabac qu'il cultive et prépare lui-même.

La maison et l'étable sont déjà en vue lorsque Théodore demande :

– Pa, maintenant que le bonhomme Desbiens est mort, on fait quoi ?

– On fait quoi ? On continue comme avant. Tu m'as dit que son fils était revenu de Montréal pour prendre la relève, eh bien, qu'il la prenne ! Qu'il crève avec !

Stimulé par son sang qui circule à une vitesse folle, Arthur prend une grande respiration et ajoute sur un ton qui transpire l'esprit de vengeance qui l'habite :

– Je ne veux voir personne de la famille aider ces gens-là. Essayer de me faire passer pour un voleur ! Non, ça jamais, jamais je n'accepterai !

Répétant ses gestes coutumiers pour vider le fourneau de sa pipe, il semble hésiter avant de dire :

– Théodore, on devrait essayer de faire acheter leurs lots à bois par un de nos amis... Qu'est-ce que tu en penses ?

– Oui, pourquoi pas !

– Mon gars, ce qui m'intéresse, c'est que tous les Desbiens disparaissent. Qu'ils perdent leur terre, leur ferme... Cette race-là mérite de périr en enfer. Ils ont voulu faire porter la honte à notre famille. Jamais tu ne dois, toi et tous tes descendants, oublier cet affront.

Les paroles proférées par Arthur éclatent dans l'esprit de Théodore en un mélange de fierté et d'orgueil. Saisissant l'impact de l'idée projetée par celles-ci, tout devient clair dans sa tête et il dit:

– Après ma rencontre avec le curé, je vais aller voir Cyrille. Lui, il pourrait peut-être offrir d'acheter les lots aux Desbiens.

– Ouais... C'est pas fou comme idée! Cyrille est assez bien placé... En tant que maire, ça paraîtra pas trop surtout s'il suggère que le bois sur les lots servira pour l'école. Un projet pour la communauté, ça mérite bien de faire un petit prix... Ah, ça me plaît cette idée!

– On met combien dans ça?

– Ouais, comme ça fait un bon deux ou trois ans qu'ils végètent, pour la terre, pas plus de quatre mille et pour les lots sur la montagne, environ deux mille cinq cents. C'est pas mal en bas de la vraie valeur, mais ils devraient accepter. Depuis deux ou trois ans qu'ils végètent. Il faut faire disparaître les Desbiens du Canton mon gars...

– 5 –

Rêve et idylle au Canton

Confortablement allongé, William ferme les yeux pour la xième fois. Malgré sa fatigue, il a de la difficulté à trouver le sommeil. Déjà une semaine depuis le décès de son grand-père et, curieusement, aucun signe de son pouvoir n'a fait surface. Celui-ci serait-il disparu avec l'esprit du mort? Ou encore amoindri? Sans trop se l'avouer, William fouille, se questionne sans déceler un quelconque indice.

La nuit salue presque le lever du jour lorsque respiration, pensées et sommeil sont au même diapason. Enfin le dernier a pris la relève, sonde à son tour et trouve enfin l'esprit du rêve, ce que William cherche.

Blanc! Blanc! Quelle blancheur! Une épaisse et lourde brume, à l'image d'un nuage plein de gouttes d'eau, entoure William. Aucun bruit, aucun son, n'habite ce brouillard qui embaume les vêtements, la peau et les cheveux d'un parfum à la senteur de bois, de fruits, qui a la particularité de le détendre, de le relaxer. Il se sent calme... marche d'un pas sûr, s'avance sans peur ni crainte de cet inconnu qui occupe tous ses sens et balaie de son esprit toute notion du temps. William ne saurait dire depuis combien de temps il est là. Que veulent dire une seconde, une minute, une heure, une journée... une année... Quoi... Comment... Combien... Ce qu'il sait, c'est qu'il erre pas à pas, pied devant pied, talon au sol après talon au sol... D'où vient-il?... Où se dirige-t-il?

À la façon d'un rideau que l'on soulève sans préavis, sans avertissement, l'univers de William passe de la brume à la clarté. Devant lui, il n'y a que sable et ciel, l'un gris et l'autre bleu. Aucun astre dans ce ciel sans nuage, aucun bâtiment, ni arbre, ni roche dans ce désert ni chaud, ni froid. Disparue cette sensation d'eau qui perle, qui humidifie, mais encore présent ce parfum si doux, si apaisant.

William continue sa progression dans cette immensité désertique. Il marche et marche, ne ressentant ni soif, ni faim, ni fatigue. Il avance sans laisser de trace sur ce sable fin qui a changé de couleur, passant du gris au beige, à un blanc si pur que ses yeux veulent éclater. Il erre... En un clin d'œil, un autre rideau se soulève et cette fois, un grand changement: William a perdu cette sensation de légèreté, car à chacun de ses pas, il perçoit qu'il percute le sol, un sol maintenant de couleur verdâtre. L'immense champ recouvert d'herbe s'étend à perte de vue dans un ciel bleu habité par l'astre de chaleur et de clarté. Le jeune homme déambule dans cette immensité toujours aussi silencieuse et accompagné par cette odeur de parfum des bois. Pas de fatigue, pas de douleur, pas de faim ni de soif, il avance pas à pas chargé par cette illusion du déjà-vu dans cette marche vers la découverte, et ce, sans préoccupation qu'a tout être humain du temps.

Il marche... marche... au loin... il marche... marche... tout proche... un mur! William veut s'arrêter, impossible, le mur, le mur, il est tout près, il lui fait face, il ne pourra s'arrêter... le traverser... oui, traverser ce mur de pierres... il...

Impuissant à arrêter sa marche, ses jambes continuent de bouger, il fonce dans ce mur et... cette structure à son contact s'est modifiée en éclairs qui frappent et matraquent continuellement le sol. À l'intérieur de ce rideau d'étincelles qui éclatent partout, il avance... avance, n'ayant pas le pouvoir de s'arrêter... Curieusement, comme un enfant qui, pour la première fois, tombe et s'écorche le genou, William prend conscience de la peur, de la crainte. Enfin, sans effort, il s'immobilise, jette un regard dans toutes les directions à la recherche d'un éventuel refuge. Puis il porte ses mains au-dessus de sa tête, croyant peut-être qu'elles le protégeront des éclairs. Il a peur, il court, éperdument, dans tous les sens quand soudain, un de ces éclairs mystérieux et électrisants le traverse et l'oblige à s'agenouiller, la tête vers le sol et les yeux fermés.

Le front trempé de sueur, lentement, il se hasarde à ouvrir les paupières et découvre, tout ébahi, un nouveau paysage.

Une plage, une rivière, des arbres, une forêt, des montagnes, de la verdure lui font face. Il lève la tête et aperçoit le bleu du ciel à travers le feuillage des arbres gigantesques qui l'entourent. Mais il y a plus: William constate qu'il n'est plus l'unique être vivant, car il entend clairement l'eau qui coule, les feuilles qui bruissent au vent et des oiseaux aux cris perçants. La faim qui le tenaille et sa gorge asséchée font maintenant partie de ses préoccupations. Il se lève, se dirige vers la rivière et distingue, assis sur un rocher, une perche à la main, les cheveux et la barbe blanches, un homme qu'il reconnaît aussitôt; son grand-père. Regardant dans sa direction, celui-ci l'aperçoit et, spontanément, de sa main gauche, lui fait signe de venir le rejoindre.

William s'en approche et, rendu à ses côtés, le vieillard lui dit:

— Salut petit, ça t'a pris un certain temps avant d'arriver!

Et comme s'il connaissait la réponse à donner, William réplique:

— Le sommeil ne voulait pas s'installer.

Sans attendre, dans un geste d'expert, le vieillard redirige son appât à l'eau en déclarant:

— Mon enfant, maintenant c'est fait!! Te voilà «sage» capable de grandes choses pour les tiens. Écoute... écoute tes rêves, ne tais pas la réponse qui sommeille en toi...

À cet instant, la porte de la chambre s'ouvre et une voix forte s'élève:

— William! William! Réveille-toi, c'est l'heure de la traite...

•.•

La vieille grange de cèdre noirci se dessine clairement dans le décor. Son toit de forme irrégulière recouvert d'une tôle grise éclate sous les rayons du soleil. Construite par le grand-père d'Éliane, cette grange fait environ soixante pieds sur quarante et ce, sur ses deux planchers, de quoi entreposer assez de balles de foin en prévision des printemps tardifs ou des hivers trop longs.

Longeant la clôture, Éliane marche rapidement vers son but, la vieille grange, impatiente de revoir son amoureux. Quinze jours sans le voir, que de souffrance, de tiraillements! Il sera là... il faut qu'il soit là... se dit-elle. Encore une centaine de pieds et elle aura sa réponse...

Les derniers pieds à travers le champ fraîchement coupé ont été périlleux, interminables. Dès le départ de la maison, craignant d'être suivie, elle a décidé de marcher à travers les champs de blé et d'orge encore en longueur s'arrêtant de temps à autre, obsédée par un poursuivant potentiel qui ne s'est jamais manifesté.

Arrivée face à la grange, elle n'entre pas immédiatement, se place de côté, dos au mur de manière à voir venir. Intérieurement, elle craint d'être découverte. Son grand frère Jacques ne l'a pas lâchée d'une semelle de toute la matinée. Veux-tu me faire cela? Qu'est-ce cela? Ça va sœurette? Inhabituel, ce comportement qui ne plaît pas à Éliane et la rend nerveuse.

À peine a-t-elle pris place qu'elle perçoit un bruit. Attentive, elle reconnaît le bruit de pas dans l'herbe haute.

— Hello! crie joyeusement une voix qu'elle reconnaît aussitôt.

— Ah! C'est toi, William, j'avais si peur que ce soit quelqu'un qui m'ait suivi.

Prenant la main d'Éliane, William s'approche, admire ses yeux d'un bleu superbe soulignés par de longs cils noirs. Tendrement, il se penche et joint ses lèvres aux siennes. Elle l'accueille avec empressement, échangeant un dangereux baiser à faire perdre toute notion de temps et d'espace.

— Allons dans la grange, au deuxième, si quelqu'un vient, on sera à l'abri, propose Éliane anxieuse.

— Tu as peur de quoi? demande William.

– Eh bien, je veux être prudente. Si quelqu'un de ma famille nous aperçoit... tu t'imagines! Moi, je t'aime et je ne veux pas te perdre... Viens, dit-elle avec un sourire enjôleur, tirant William par le bras.

Derrière les grandes portes à glissoire retenues par une simple chaîne non cadenassée, la pénombre règne. Sans effort, ils pénètrent à l'intérieur et replacent les portes de façon à ne rien laisser de suspect. Rapidement, leurs pupilles s'habituent à la noirceur des lieux et découvrent une charrette dans laquelle sont remisés fourches et râteaux. Tout autour, des balles de foin encore fraîches occupent l'espace, laissant échapper un mélange de parfums qu'exhalent différentes fleurs baignant dans l'amas d'herbage. Connaissant les lieux pour y être venue aider ses frères à la récolte du fourrage, Éliane guide William au deuxième plancher qu'ils atteignent facilement grâce à l'échelle de fabrication artisanale.

Main dans la main, ils marchent sur le tapis d'herbages et explorent le lieu. On dirait un énorme nid d'oiseaux. Les balles de foin entassées sur plusieurs pieds de hauteur et de profondeur forment un creuset auquel on accède soit par le chemin qu'ont suivi les deux jeunes gens ou par une porte qui donne sur l'extérieur et par laquelle on entre ou sort le fourrage à l'aide d'une poulie.

– On est bien ici.

– Oui, pas grand monde pour nous déranger.

Prenant un air sérieux, Éliane demande:

– William, j'espère que tu as compris que je ne pouvais pas aller à l'enterrement de ton grand-père?

– J'ai très bien compris! Ne t'en fais pas, c'était beaucoup mieux comme ça. Même si je ne suis ici que depuis deux mois, je connais l'histoire de nos deux familles.

– Ouais, parlant d'histoire de famille, il faut que tu avertisses ton père que si jamais le maire lui fait une proposition pour acheter ses lots à bois de ne pas accepter.

– Pourquoi?

– Hier, quand mon père est venu me chercher à ma pension, je l'ai entendu parler avec le maire. Il veut vous déposséder et, pour ça, il va passer par la guenille de maire qu'on a.

– O.K., je vais être attentif et si jamais ça se passe comme tu le dis, j'avertirai mon père.

Tout naturellement, William hoche la tête en signe de dépit et serre les mains d'Éliane comme pour chercher à se protéger ou à protéger l'autre d'un danger.

Silencieuse, la jeune fille plonge ses yeux dans ceux de son compagnon... puis l'embrasse tendrement, fougueusement... fouille l'intérieur de sa bouche dans un mouvement de va-et-vient que le jeune homme accompagne hardiment.

– William, qu'est-ce qu'on va faire ? On ne peut tout de même pas toujours se voir en cachette. Moi, je t'aime et je veux que tout le monde le sache! Je veux vivre à la clarté du jour!

Souriant, William pose une main sur la nuque d'Éliane et, doucement, ses doigts caressent son oreille. D'un murmure apaisant, il dit :

– Moi aussi, je t'aime et je ne laisserai personne... personne empêcher notre bonheur.

Mus par l'intensité du moment, les deux amoureux glissent lentement sur le tapis d'herbe coupée et s'enlacent dans un baiser à couper le souffle.

Éliane est la première à reprendre ses esprits ; elle se lève, regarde amoureusement William et, désignant l'amoncellement de foin lui faisant face, elle lui dit :

– Viens près de moi.

Mi-assis, mi étendus, ils sont là l'un près de l'autre, pénétrant de leurs yeux la pénombre en savourant la certitude des plaisirs à venir. Mal à l'aise, ils ne savent quoi dire, quoi faire et comme s'ils avaient reçu l'ordre de débuter, ils éclatent à l'unisson d'un rire qui allège l'intensité du moment.

«Ah ! », fait simplement William en approchant une main de celle d'Éliane qui la saisit et de l'autre l'enlace à la recherche de l'envoûtement d'un baiser. Le baiser s'amplifie au contact des corps et des esprits qui aspirent à ne faire qu'un. Leurs mains cherchent la chaleur et l'aimant qui stimulera leur union. Nerveusement, William relève le bas de la jupe d'Éliane, caresse ses jambes et monte délicatement à la hauteur de ses cuisses. Sa compagne réagit en accélérant le mouvement de sa langue et l'emprise de sa bouche. Sans honte, ni fausse pudeur, les deux jeunes gens se laissent aller au bien-être qui les envahit pendant que leur respiration augmente au rythme de leurs gémissements. Ce baiser est si voluptueux qu'Éliane a l'impression de s'évanouir de bonheur pendant que William sent son corps se durcir contre le sien. Il la retourne contre lui et l'embrasse avec gourmandise.

Sans interrompre leur baiser, William glisse ses mains sous le chemisier pour les poser sur les épaules de la jeune femme. Il ramène posément ses mains sur son torse et, de ses doigts tremblants, caresse les douces protubérances des seins.

Dans l'excitation du moment et la découverte de leurs corps respectifs, toute gêne s'est effacée. Éliane sent bientôt contre son ventre le sexe durci de William.

Abandonnant la bouche de sa compagne, il murmure :
– Je t'aime...
– Moi aussi, dit-elle en levant les yeux vers lui.

Pendant qu'il ramène ses mains hors du chemisier, complices, ils s'agenouillent face à face et précieusement, William déboutonne le chemisier d'Éliane, fait glisser ses bras hors du vêtement qui tombe mollement derrière.

En harmonie, Éliane imite les gestes de William qui se retrouve torse nu. Ils se pressent l'un contre l'autre et s'abandonnent à un baiser passionné pendant que le garçon dénoue le soutien-gorge. Il baisse les épaulettes de ce dernier, laissant apparaître des seins splendides aux mamelons rosés. William y enfouit son visage en pressant contre sa bouche la masse odorante, puis se recule pour mieux les contempler.
– Comme tu es belle !

Elle attire la tête de William contre sa poitrine qui happe goulûment un mamelon. Éliane pousse un cri.

– Oh, pardon, je t'ai fait mal ?

– Non, non continue.

Il reprend sa caresse à laquelle Éliane s'abandonne en gémissant.

– Je t'aime, tu sens bon.

William remonte à la hauteur de la bouche d'Éliane pour l'embrasser éperdument. Instinctivement, d'un naturel qui peut surprendre, il laisse traîner une main le long des cuisses, remonte sous la culotte et rencontre le sexe d'Éliane qui se cabre, emprisonnant la main vagabonde entre ses cuisses.

Ils s'embrassent longuement tandis que les mains de William s'affairent autour du nœud de la jupe, qui s'affaisse tout comme les autres vêtements des deux jeunes gens. Avec une certaine surprise, ils sont prêts sans pouvoir dire pourquoi, soit la beauté, la chaleur, la force... ils ont envie...

La langue chaude et habile d'Éliane continue à éveiller le bouche du garçon. Puis, elle caresse le torse de William, s'arrêtant sur le bout de ses seins qui durcissent sur l'instant. Aussitôt, il la presse contre lui.

– Ouphm... !, fait-elle.

Il pose légèrement ses mains sur ses tétons et d'une voix rauque :

– Si je suis trop brutal, tu m'arrêtes.

Pour toute réponse, elle presse ses bras autour de son cou et l'attire vers...

– Oh, mon Dieu, gémit-elle... Je t'aime Wil... ne t'arrête pas.. ne t'arrête pas...

⁂

Plus tard, l'un contre l'autre, ils se bercent doucement.

– C'était comme tu te l'imaginais ? s'enquiert William.

Pour toute réponse, elle lui caresse les cheveux.

– Il faut que je sache.

– Quoi?

– Ça t'a plu?

– Oui, beaucoup, beaucoup... je t'aime, tu sais!

– Tu ne regrettes pas? C'est la première fois que je fais l'amour.

– Moi aussi, dit-elle un peu gênée. Je n'ai pas honte, tu sais. Je t'aime et je sais que toi aussi tu m'aimes. Nous sommes faits l'un pour l'autre et c'est merveilleux.

Elle lui donne un baiser sur la joue.

– Je t'aime, Éliane Therrien pour toujours... Je veux te garder...

Église Notre-Dame

Assis à côté de sa femme Camille, Théodore maugrée sur la dernière nouvelle qui s'est propagée à la vitesse de la lumière à l'intérieur du Canton. « Jos Dufour, le gros constructeur de Chicoutimi, étend ses opérations forestières dans le haut du Lac-Kénogami. De plus, celui-ci investit dès cet automne dans le prolongement de la voie ferrée afin de faciliter le transport des billots du lac à son usine de Chicoutimi.

En parallèle, le gouvernement, paraît-il, collaborera à cet investissement et remplacera le vieux barrage de bois par un gigantesque barrage moderne en béton. La rumeur veut que ce barrage retienne les eaux sur plus de vingt milles de long par trois milles de large et trois cents pieds de profond. On inondera le village tout près du barrage actuel. »

De cette rumeur, en ce dimanche de septembre, ce qui met en rogne Théodore ne concerne aucunement ces pauvres résidants qui verront leurs maisons, leurs fermes, leurs terrains, leur église, submergés par des dizaines de pieds d'eau, mais plutôt l'arrivée de celui qu'il surnomme le monstre financier. Pourtant, ce dernier agit comme lui, ne se gênant pas pour écraser, écarter tout ce qui l'empêche de faire fructifier ses avoirs mais cette fois, lui, Théodore Therrien, le descendant direct de l'un des fondateurs du Canton, devient le petit, celui qui en subit les effets. Son moulin à scie éprouve déjà des difficultés et maintenant, avec ce monstre qui détient presque la totalité des droits de coupe dans les montagnes et les lots avoisinants, qui possède beaucoup plus de pouvoir que lui avec les députés, le gouvernement, comment faire ? Quoi faire ? Il faut que son ami le maire réussisse à acheter les lots à bois des Desbiens. Oui! La bonne idée qui lui permettra sûrement de passer à travers ce grand malheur, du moins pendant encore quelques années.

Sa femme et toute l'assistance, environ quatre cents personnes, se lèvent. Machinalement, il suit et entend le curé de sa voix puissante entonner:

– Évangile selon Saint Mathieu 16-13-19. «*In illo tempore: Venit Jesus in partes caesaréae Phillippi, et interrogabat discipulos sus, dicens: Quem dicient hominis? Atilli...* En ce temps-là, Jésus vint aux environs de Césarée Philippe, et il interrogea ses disciples en disant: Que dit-on au sujet du fils de l'homme? Il lui...».

À une seule occasion, la toux rauque d'un jeune enfant provenant de l'une des balustrades latérales enterre le curé qui termine par: «*et in caelis...* dans le ciel» et prend la direction de la chaire. Il y monte avec l'agilité d'un chat malgré son âge et sa corpulence. Soixante ans, le dos bien droit, le visage encore frais; seuls ses cheveux blancs le trahissent.

Surplombant ses paroissiens d'un bon six pieds, tel un général devant ses troupes, le curé fait signe de la main gauche de s'asseoir. Ceux-ci lui obéissent dans la seconde, s'efforçant de minimiser le bruit des boutons de manteaux et des grains de chapelet au contact des bancs de bois, des talons de souliers qui rencontrent le bois du plancher et des petits bancs de prières.

Une fois le silence instauré, de la même manière qu'à tous les dimanches, le curé Lampion, dans sa peau de prédicateur, présente diverses informations concernant l'horaire des messes de la semaine, les offices particuliers à venir, baptêmes, mariages, enterrements et autres.

De son banc situé au centre de la nef, Théodore écoute d'une oreille attentive les annonces et ne décèle rien de particulier, sauf la dernière qui touche une demande de dispense pour un mariage entre une fille d'Edmour Gobeil et un garçon de Thomas Gobeil. «Encore une union entre parents», se dit Théodore dans un grognement intérieur.

Calmement, le curé ferme son cahier noir et accomplit silencieusement son rituel dominical. Sur chacun des côtés de la chaire, il dépose une main, comme s'il s'agrippait ou s'appuyait sur celle-ci, et balaie du regard les balustrades tout en haut à sa droite, puis au centre et à sa gauche; il descend ensuite ses yeux puissants vers la nef à sa gauche, au centre et à sa droite pour enfin revenir au centre. Aucun son, aucun mouvement et, surtout, aucun regard direct ne vient interrompre ce rituel sous peine d'être dévisagé et identifié clairement par celui-ci. Qui ne se souvient pas dans le Canton de la réprimande faite au jeune Mario Simard ! Plus jamais personne n'a osé depuis, fixer ce représentant de Dieu qui s'apprête à prononcer son sermon du dimanche.

– Fils, filles, enfants de Dieu, l'évangile d'aujourd'hui vous demande de vous interroger sur vos devoirs...

Hésitant, le curé s'arrête, réamorce son rituel et... avec sa voix qui n'a pas perdu de sa puissance et qui résonne à la façon d'un marteau sur le roc, il éclate :

– Depuis près d'un an, ma paroisse...

À ces mots, Théodore comprend qu'il vient de triompher et que sa visite à porté des fruits.

– ... Oui, ma paroisse est dans le péché; pleine de calomnies, de rumeurs qui explosent au gré de tous et chacun. Prenez-vous Dieu pour un idiot ? Péché! Péché! Vous vous dites que la faute est due à une seule personne, ou encore à un autre, mais jamais à vous! Eh bien, l'idiot, le pécheur, c'est vous! Tous des gens impudents et orgueilleux qui se disent de bons parents, de bons chrétiens mais qui brûlent dans les flammes de la médisance et qui s'éloignent des commandements de Dieu...

Parents indignes, incapables de respecter leurs devoirs. Oui, incapables, inconscients de devoir donner à leurs enfants toutes les possibilité de recevoir une bonne éducation, de devenir de bons citoyens, de bons chrétiens qui auraient, si leurs parents, grands-parents écoutaient et respectaient la parole de Dieu, la possibilité d'être encadrés par des enseignantes et des religieuses dévouées à la communauté et à l'Église.

Vous n'êtes que des orgueilleux qui se disent gentils hommes, gentilles femmes, pères ou mères affligés. Vous tous vomissez des paroles qui, à chaque coup, forment torrents de sarcasmes et d'insultes.

Que Dieu me soit témoin, il est maintenant l'heure de faire pénitence. Inutile d'essayer de vous échapper à l'heure de la décision de donner à vos enfants ce à quoi ils ont droit ! Dès aujourd'hui, tous ici, fils et filles de Dieu, devez respecter les commandements de Dieu.

Le visage de marbre, le curé, sans dire un mot, impose pour la troisième fois son regard sur l'assemblée, une fois, deux fois, puis se raclant la gorge, il reprend :

– Dans l'évangile d'aujourd'hui...

Sur le perron de l'église, les propos concernant la boutade du curé ne restent pas sans commentaires.

– Il a bien fait, de dire la femme du forgeron, madame Girard, à la femme du maire.

– C'est le temps que ça avance par icitte, dit Joséphine Tremblay à Camille.

– Ça n'a pas de sens de se faire traiter de la sorte, murmure Thomas Gobeil à son frère Pierre qui répond :

– Moi, je ne laisserai pas faire ça ! Dès demain, je vais voir l'évêque...

.·.

L'extravagance du curé Lampion marque tout le Canton aussi sûrement qu'un tremblement de terre bouscule la vie quotidienne. Dès le lendemain, le conseil municipal s'appuie sur l'étonnante envolée pour justifier sa décision d'aller de l'avant dans le dossier de l'école et de la salle communautaire. Contents et mécontents se taisent assez longtemps pour laisser croire aux représentants que l'ange de Dieu a fait un bon travail. Mais ce qu'ils oublient, c'est que sous la pression dans une bouteille bouchonnée par l'engrenage de l'homme se cache un retour qui peut fracasser l'audacieux, l'impudent, l'écervelé...

Ainsi, dans la semaine suivant le fameux sermon, Pierre Gobeil et deux de ses sœurs, Antoinette et Gertrude, rencontrent l'évêque, un petit cousin, et leur demandent un renvoi du curé dans une autre paroisse. Le représentant de Dieu ne doit-il pas respect aux créatures qu'il a créées? Pour toute réponse, l'évêque dit: «Je vais faire enquête et prendrai la décision qui s'impose.» Mais à quand ce jugement? Pierre Gobeil sait qu'il faudra attendre le bon vouloir de l'évêché. En attendant, pourquoi ne pas mettre en branle ce qui aurait dû se faire depuis le début: «déplacer le clocher du milieu de la paroisse».

∴

Convaincu d'avoir fait son devoir, le curé Lampion se sent fort. Comme le dit l'un des ses paroissiens le plus en vue: « Quand on veut avancer, il est normal de casser la coquille des œufs qui dorment.» En tant que représentant de Dieu, il est peut-être allé un peu fort, mais cela s'imposait. D'ailleurs, aucun paroissien ne lui en fait allusion sauf son « minable » de vicaire: «Ouais, quand vous parlez, vous ne mâchez pas vos mots!» À cette remarque, il n'avait pas daigné répondre, se contentant de sourire et de continuer la lecture de son bréviaire. Aujourd'hui, trois jours après l'événement, le curé a de quoi se réjouir, avec la nouvelle concernant Jos Dufour. «Le chemin de fer sera prolongé pendant que le gouvernement bâtira un barrage au Lac-Kénogami. Tout le monde aura l'électricité et le téléphone. Des nouveaux résidants... des emplois.» Cette nouvelle donne au projet de l'école et de la salle commune une tout autre allure: il devient presque une nécessité! Quel veinard que ce curé qui, sans s'en douter lors de son sermon, propulsait le centre du Canton dans une nouvelle ère.

Au gré de l'atmosphère des travaux de construction, un nouveau septembre, mois typique des moissons, des chaleurs odorantes écoule son temps dans le Canton. La vie campagnarde est bouleversée. Des hommes arrivent sans cesse par le train, cherchent logis partout où on peut les accueillir. L'affluence est telle que l'hôtel Adélard Girard et l'hôtel Joseph Simard voient le jour, et ce, en plus des baraques construites le long de la voie ferrée par le contracteur Dufour.

Les propriétaires du magasin général Desbiens, Thérèse, la sœur d'Henri et son mari Edgard Boivin ne savent plus où donner de la tête. Répondre à une telle demande exige une multitude de produits qui les oblige à revoir leur façon de procéder. Même leur compétiteur et boulanger, Benoit Gagné, devant cette croissance inattendue, délègue la responsabilité de son commerce à l'un de ses frères afin de consacrer ses efforts à la boulangerie.

De nombreuses répercussions de cette nature frappent le centre du Canton qui, malgré tout, s'en tire avantageusement. Mais, curieusement, peu de nouvelles familles arrivent pour s'installer ; peut-être est-ce dû au fait que la construction du barrage ne durera que deux ou trois ans ou que la coupe de bois de Jos Dufour n'a pas encore commencé.

– 7 –

Résidence des Desbiens ; un songe

Un lundi matin de la mi-octobre 1924, Germaine et tous les membres de la famille d'Henri frétillent d'impatience. Depuis déjà une semaine, le paysage derrière la ferme s'est métamorphosé. Coupant les champs, un long cordon de fer cloué sur un tapis de poutrelles de bois enduites de goudron permet au chariot de fer et de bois d'y faire glisser ses roues. Deux à trois fois par jour, un bruit sourd accompagne son passage qui, bizarrement, semble déjà habituel au troupeau de bétail.

L'impatience manifestée chez Germaine et les autres ne concerne pas le train, mais plutôt ce qui suit derrière la voie ferrée, soit ce que des hommes mandatés à leur résidence par Jos Dufour mettent en place : téléphone, prises électriques, lampes et même une radio.

Ce n'est qu'en fin d'après-midi que Germaine allume pour la première fois la lampe de la cuisine. «À la noirceur, l'éclairage se fera plus solennel», lui dit l'un des ouvriers. Pour la radio, le résultat est immédiat et remplit déjà la maison d'une douce musique. Quatre boutons de bois ronds permettent à Germaine de la faire fonctionner; un pour l'allumer, un autre pour augmenter ou diminuer le son et les deux autres pour déplacer une aiguille le long d'une série de chiffres qui, aux dires de Flora, sont des endroits qui émettent de la musique et des nouvelles de partout dans le monde.

Pendant que Flora initie Germaine au fonctionnement de son premier téléphone, William et Raphaël écurent l'étable. Cette corvée journalière, bien que fatigante et surtout malodorante, reste pour William un moment privilégié pour entrer en contact avec l'Indien ; aussi a-t-il préféré cette tâche au regroupement des bêtes dont se charge Benjamin.

– Tu as l'air préoccupé, lui fait remarquer Raphaël, qui écure en se servant de sa pelle comme d'un énorme grattoir.

– Un peu...

– Tu me racontes, si je peux t'aider...

Perplexe, le front suintant, William continue de pelleter dans la brouette le fumier mis en tas par Raphaël; il ne répond pas. Le travail terminé, il lave et remet en place la lourde brouette de bois de bouleau munie d'une roue de fer et s'assoit sur un des vieux bancs de bois près de la grande porte. Encore indécis, il observe Raphaël qui remise les pelles dans la brouette. Les deux coudes en appui sur ses genoux, les mains soutenant sa tête par le menton, il ferme les yeux et dit tout de go :

– Raphaël, toi et les tiens, vous croyez aux rêves?

Surpris par cette question, il se tourne vers son interlocuteur et répond avec une intonation qui ne laisse aucun doute :

– Toute une question! Eh bien, chez les miens, comme chez les tiens d'ailleurs, le rêve c'est la découverte de la vie, le regard caché, les yeux dans le noir. Les rêves, William, il ne faut jamais les prendre à la légère. Toi, tu dois savoir ça! Penses à ton grand-père...

Il n'a pas le temps de finir sa phrase que le garçon se lève et court vers la maison en criant à Raphaël :

– Merci!

Aussitôt le souper terminé, William attelle le boulonnais. Quinze minutes plus tard, au trot mi-rapide, le voici devant la gare. Il descend aussitôt de la calèche d'un noir qui a perdu son éclat au fil des ans, monte l'escalier menant du côté de la résidence et, à l'instant où il s'apprête à frapper, la porte s'ouvre sur celle qu'il est venu voir.

– Hein! toi William, qu'est-ce qui t'amène ici?

– Salut, Estelle, j'ai besoin de te parler.

– Entre, il n'y a pas de gêne à avoir, mon père et ma mère sont très corrects, viens!

– Ben, je ne sais pas, j'aimerais mieux te parler tout seul, après on verra.

Compréhensive, Estelle se rend à la requête de William. Elle ferme la porte derrière elle et suit le garçon qui s'installe dans l'escalier. Promptement, elle prend place à côté de lui et demande :

– Que me vaut cette belle visite ? Ne devrait-elle pas être plutôt pour ta belle Éliane, si je ne me trompe ?

À ces simples mots, William rougit, dévisage la jeune fille, sourit du coin des lèvres et murmure :

– Ça, c'est autre chose.

Son visage prenant une mine sérieuse, il poursuit sur le même ton.

– Écoute Estelle, j'ai besoin de ton aide. Tu es la seule personne à part Éliane que je connais vraiment dans le Canton et je ne veux pas la mêler à ce que je vais te dire. Du moins, pas immédiatement...

– Ça l'air sérieux ton affaire !

– C'est sérieux, certain ! En plus, ça presse !

– Ouais, O.K., raconte, je t'écoute.

Rassuré par l'attitude d'Estelle, William lui dit à mi-voix :

– Estelle, tu sais certainement que les gens du Canton considéraient que mon grand-père possédait un don. On disait qu'il pouvait voir en avant. Tu le savais ?

– Oui ! Par icitte et même en dehors du Canton, ton grand-père était comme une légende. On raconte que ce don lui venait de sa mère qui elle... Mon père dit que c'est une affaire de famille qui se transmet de génération en génération. C'est vrai ? Puis, Estelle fait une pause, regarde William un court moment et lui demande :

– William, tu voudrais pas me dire par hasard, que toi aussi, tu possèdes ce don ?

Étonné d'avoir été découvert aussi rapidement, il est incapable de répondre. Étrangement, le doute le tenaille... Dira, ne dira pas, dira, ne dira pas... et subitement, de sa voix qui sonne au besoin de dévoiler :

– Je pense bien que oui. Mon grand-père en était si certain qu'avant de mourir nous avons eu une discussion à ce sujet.

Son assurance revenue, William, de ses yeux noirs perçants, fixe la jeune fille et poursuit :

– Estelle, crois-tu vraiment qu'il est possible pour un être humain de voir en avant ? Réponds-moi par oui ou non.

– Oui.

– O.K.! Maintenant, suivant ce que tu connais de ma famille, croirais-tu ce que je raconterais concernant un événement à venir ? Oui ou non ?

– Oui, réplique sans hésiter Estelle.

– Comme ça, écoute bien, après tu feras ce que tu voudras. Moi, je me fie à toi et aux décisions que tu prendras. J'aurai fait ce que je devais faire.

Étonnée par la gravité des paroles de William, le désarroi s'empare d'Estelle :

– Veux-tu dire que tu vas me laisser avec ton récit ? Que ce sera à moi de faire ou de ne pas faire ?

– C'est ça.

– Ouais, je ne sais pas...

À ces mots, William note que le l'indécision s'installe chez Estelle. Il lui dit alors sur un ton suppliant :

– De toute façon, qui croira mon récit ? Personne à part toi et Éliane ne me connaît dans le coin... Estelle, crois-moi, tu es la mieux placée pour juger de ce que je vais te raconter.

Aussitôt un sourire éclaire le visage d'Estelle.

– O.K., ça va aller! Mais une chose: je me réserve le droit de te demander de m'accompagner dans le cas où je jugerais ta présence essentielle.

– Si tu veux, je le ferai.

– Vas-y, raconte-moi.

– Eh bien, voilà. Avec les travaux pour prolonger le chemin de fer, il y a beaucoup de circulation. Les wagons viennent, repartent et ça n'arrête pas ; même la nuit, les « engins » voyagent. C'est vrai, hein ? Je ne me trompe pas ?

Estelle acquiesce d'un hochement de tête.

– Donc, plus de circulation, plus de danger et... inévitablement des risques d'accidents! Estelle, il faudrait que tu avertisses ton père que pour les quatre à cinq jours à venir, il doit surveiller étroitement les endroits où les trains changent de voies...

– Les aiguillages, William.

– O.K., les aiguillages proches de votre résidence, de la gare, car un accident pourrait arriver dans les prochains jours. Votre résidence et la gare pourraient être détruites et les gens qui s'y trouvent, tués.

Silencieuse, Estelle saisit William par la main et sans lui laisser le temps de réagir l'entraîne directement dans la cuisine où se trouvent son père et sa mère.

– Papa, maman, voici William Desbiens, le petit-fils du vieux monsieur Desbiens. Il a quelque chose à vous raconter...

⁙

Opérateur de trains en Pologne, Tom Prébenski, installé à Chicoutimi depuis la fin de la première guerre 14-18, conduit aujourd'hui ceux de l'entrepreneur Jos Dufour. Un engin de près de 45 tonnes lancé à toute vitesse sur deux fils de fer est bien beau à voir aller, mais obéit à des règles de prudence et de gestion du temps que Tom connaît parfaitement. Demain, l'avant-dernier dimanche d'octobre, il a droit à sa première journée de congé depuis le début des travaux visant le prolongement de la voie ferrée.

Encore deux semaines et les travaux seront terminés. Comme prévu, six milles de nouvelles voies en deux mois et demi ont été réalisés. Tom, malgré ses nombreuses années d'expérience, n'a jamais vu cela; il faut dire que le patron n'a pas lésiné sur la main-d'œuvre et les matériaux.

Parti de Chicoutimi avec plus de cinq cents dormants, «poutrelles», et cent longueurs de rails, la puissante machine file à bonne allure à travers les champs. À l'intérieur du compartiment de 3 pieds par 8 pieds auquel seuls les conducteurs peuvent avoir accès, Tom et son aide Patrice Picard scrutent l'indicateur de la pression de la chaudière d'une capacité de 12 atmosphères: jaune pour faible, vert pour adéquat et rouge pour danger. Aucun problème : l'aiguille est centrée dans le vert, la locomotive ronronne et une fumée blanchâtre sort de la cheminée centrale.

La pénombre s'étend progressivement, apportant une douce mélancolie au paysage dans lequel se distinguent encore les champs clôturés, les arbres à la fois minuscules et imposants et, au loin, le petit village du Canton sur un fond de montagnes appelées les Laurentides. Tom Prébenski, que ses compagnons de travail surnomment le Taureau, semble réfléchir. À l'entrepôt avant le départ, le surintendant lui a fait part d'une nouvelle ordonnance.

« Maintenant, en passant devant le village du Canton, vous devez décélérer de... » Mais il ne se souvient pas. Il cherche au fond de sa mémoire, mais c'est le trou noir, pas un seul souvenir des paroles du surintendant. Il est vrai que son esprit était à ce moment-là beaucoup plus absorbé par son congé du lendemain que par ce dernier voyage.

– Patrice, quelle vitesse dit pour pesser villege ? demande-t-il dans un français dépourvu d'articles et dont les *a* sont remplacés par des *e*.

– Je ne sais pas ! Il ne m'en a pas parlé.

Tom replonge dans ses réflexions, observe les différents cadrans pour revenir à celui qui indique vingt huit milles à l'heure en se disant: «vingt milles, ce sere essez... sinon evec monté suivent, sur plus de un mille... oueis, vingt milles, essez !» Sans plus, il pousse sur un des leviers situer devant lui. La réaction est immédiate; le train décélère pour stabiliser sa vitesse à vingt milles...

Encore mille pieds et le train arrive au village. Tom baisse le levier de la chaudière et le train commence sa décélération en toussant à trois reprises à travers son sifflet un cri sourd et profond «OUF, OUF, OUF». La locomotive passe devant la première maison, la deuxième, Tom aperçoit la gare à environ cinq cents pieds et le premier des trois aiguillages à moins de cinquante pieds, le second arrive et là! Oh non! Non! le frein, le frein! Fermer la pression! Non, trop tard... Non...

Le bruit strident des huit grandes roues de traction de 33 pouces chacune et des deux petites frontales de 24 pouces qui frottent fer sur fer fait sursauter une grande partie des habitants du village. Au presbytère, situé à plus de cinq cents pieds de la gare, le vicaire en perd le fil de la lecture de son bréviaire et le médecin Médore Girard qui discute avec le curé Lampion, en échappe son cigare, qui se retrouve sur le revêtement de linoléum du plancher. À environ sept cents cinquante pieds de la source du bruit, dans la maison du maire sur la rue principale, en face du cordonnier, Simone lâche un cri aigu pendant qu'Éliane sort de sa chambre et descend l'escalier à la course la rejoindre avant de sortir à l'extérieur. Tout près, à moins de cent pieds de la gare, Auguste Bédard et sa femme Léone se serrent l'un contre l'autre, croyant à la fin du monde. À la gare, la famille Gervais qui, depuis l'avertissement de William, a de la difficulté à trouver un sommeil réparateur, se précipite à l'extérieur. Sur le quai, Estelle tourne rapidement la tête de gauche à droite à la recherche de ce qui maintenant fait tout trembler au point qu'elle a peine à trouver son équilibre. Elle aperçoit son père qui, tout en chancelant, soutient sa mère; elle les rejoint et ensemble ils se dirigent sur la droite du quai d'où l'on peut apercevoir l'œil allumé d'une locomotive qui s'avance.

Tom n'y peut rien, sinon prier, croire, espérer que la locomotive et la dizaine de wagons engagés sur l'aiguillage 2, voie de dégagement de gauche qui conduit vers le village et directement sur la gare, ne franchisse pas le point limite d'arrêt... Sinon... Mon Dieu! Non! Non! Tom réalise au son du roulement que les rails ont disparu. Il perçoit clairement que la locomotive titube et cherche un point d'équilibre mais lentement, en douceur, à la façon d'un escargot qui perdrait appui, elle se renverse sur le côté gauche et glisse... glisse...

Allongé près de l'un des panneaux de garde, les yeux hagards, le visage exprimant une angoisse redoutable ;

– Mon Dieu ! Mon Dieu ! Quel désastre ! Quel malheur ! s'exclame Lucien Gervais.

Devant lui à moins de vingt pieds, la grosse locomotive qui a perdu pied s'allonge de tout son long. Derrière celle-ci, il aperçoit montés l'un sur l'autre, deux, trois ou quatre wagons, pendant que le reste du convoi s'aligne encore attaché sur les rails. Nerveusement, Lucien se soulève, jette un regard vers son épouse qui semble n'avoir aucune blessures et lentement s'avance vers le géant couché. Un pas... un autre pas... et...éparpillés au gré de l'accident sur plusieurs pieds, un amas de charbon qui servait à alimenter la chaudière ; des dormants ; des rails ; des boîtes de bois ; le tout donnant à la scène une allure de catastrophe.

En quelques minutes, tout le village se retrouve sur les lieux de l'accident. Hommes, femmes et enfants restent là debout, circulant dans toutes les directions, discutant, commentant en se consolant qu'il n'y ait eu aucune victime.

Le lendemain sur le perron de l'église, toutes les discussions portent sur l'événement. « Vingt pieds et la gare y passait. » « La locomotive allait trop vite. » « On a laissé l'aiguille ouverte ? » « Il paraît que Lucien les avait avertis d'aller moins vite. » « Le Polock s'était endormi en conduisant ! » Chacun apporte une réponse, des explications, toutes sans grande certitude. Mais une rumeur digne des plus grandes vérités s'installe et fait le tour du Canton dans la journée même : un des petit-fils d'Augustin Desbiens possède son don puisqu'il avait averti les Gervais du danger trois jours avant...

– 8 –

Un dimanche d'octobre

Aussitôt l'office dominical terminé, Henri, sa fille et Germaine se rendent sur le lieu de l'accident. Voir la grosse locomotive à côté de la gare tel un animal blessé et l'amas de wagons empilés ne les laisse pas indifférents. « Chanceux... chanceux... Aucun blessé... »

De retour à la ferme, le dîner de Flora, composé d'un poulet grillé et de pommes de terre bouillies, pilées assaisonnées et brassées avec du lait de vache et un carré de beurre donnant au tout une allure de crémage doux et uni, flatte tous les palais. Benjamin, le plus gourmand, en engouffre deux pleines assiettes. Évidemment, la discussion porte sur l'accident et, plus particulièrement, sur la chance de la famille Gervais. Vingt pieds de plus et...

Toute la famille se rassemble dans le petit salon afin de continuer la discussion à l'exception de William qui, à son habitude, disparaît pour sa balade du dimanche. Le balancier de l'horloge engage son va-et-vient sur la première heure de l'après-midi lorsque Germaine finit de distribuer le café. Elle prend place dans la vieille causeuse de velours où est déjà installé son frère.

– Henri, as-tu entendu la rumeur au sujet de William?

– Le fait qu'il parle de temps à autre avec la fille des Therrien?

– Non! pas ça! Ce matin, la femme du cordonnier m'a demandé si c'était vrai que le petit-fils de mon père possédait le même don que lui. Une autre, madame Gobeil du rang, m'a dit que c'est grâce à lui si le chauffeur du train avait reçu l'ordre de rouler moins vite que d'habitude.

– C'est quoi? Je ne comprends pas! s'étonne Angella.

La tasse aux lèvres, Germaine se tourne vers Benjamin et Angella et leur dit d'une voix basse mais ferme:

– Vous autres, les jeunes, c'est un secret de famille, pas un mot à personne, O.K. ?

Puis elle pose sa tasse sur un des bras de son fauteuil.

– On raconte que William a rencontré Lucien, le chef de gare pour le prévenir d'un accident futur. Après cette rencontre, celui-ci a demandé à la compagnie qu'à l'avenir le train ralentisse en passant devant le village. Grâce à cet avertissement quand le train a renversé il n'a pas démoli la gare et n'a causé aucune perte de vie.

– Voyons Germaine, William ne connaît même pas monsieur Gervais.

– Peut-être pas, mais sûrement sa fille, hein ? Benjamin !

En entendant son nom, il rougit comme un enfant pris en faute.

Flora qui, jusqu'à présent, avait écouté attentivement, commence à saisir la relation existant entre grand-père, petit-fils, don et accident du train et en profite pour s'introduire dans la conversation.

– Henri, si j'ai bien compris, notre garçon possède un don semblable à celui de ton père. C'est bien ça ?

– Oui, tu as bien compris, mais...

Elle lui coupe la parole et ajoute :

– Et ce don permet de voir, de connaître l'avenir comme dans l'histoire de tes ancêtres que tu nous a racontée.

– Ouais, ça ressemble à ça ; mais dis-toi que rien ne prouve que William possède ce don. D'ailleurs, mon père n'a jamais dit qu'il pouvait voir dans l'avenir.

Aussitôt Germaine le reprend : on parle de son père, de celui qu'elle a toujours soutenu, aidé, entretenu...

– Voyons, Henri, mon père ne nous l'a jamais dit, mais tout le monde le savait. Souviens-toi de la noyade de la fille de l'ancien maire, du feu à la grange des Gobeil, de Marguerite qui s'est perdue dans les bois... Dans tout le Canton, on lui reconnaissait cette faculté, ce don de prévoir. Mais lui, jamais il n'en parlait. Jamais, comme si c'était son secret !

– Tu as raison Germaine. C'est vrai ce que tu dis... Mais pour William, je ne peux pas croire ! Il n'en a jamais parlé...

Un silence profond s'installe ensuite dans la pièce favorisant chez chacun le refuge dans la profondeur respective de leur siège et l'immensité de leur conscience. L'inattendue source du vrai éclate de la bouche de la plus jeune, Angella :

– Peut-être qu'il fait comme grand-père et qu'il ne veut pas en parler !

La simplicité de ces paroles fait effet. La tasse à la main, Flora se lève et rend son verdict :

– Ce que dit Angella me semble juste. Même si la rumeur est véridique, elle ne peut pas faire grand tort. Attendons que...

Le bruit sourd de quelqu'un qui frappe à une porte empêche Flora de terminer. Germaine, hôtesse de la maison, se lève sur-le-champ et se dirige vers la cuisine, source du bruit, pour revenir presque aussitôt :

– Henri, c'est le maire, il voudrait te voir en privé...

La rencontre ne dure pas longtemps, tout au plus une quinzaine de minutes avant qu'Henri ne reconduise le visiteur.

– Il voulait quoi ?, questionne Germaine.

– Pas grand-chose. Seulement acheter les lots à bois.

– Quoi ?

– Il veut que je lui vende les lots à bois, répète Henri.

– Ben, j'aurai tout vu, reprend Germaine, en levant les bras vers le haut pour démontrer son étonnement.

Flora qui à son habitude, écoute beaucoup plus qu'elle ne parle, prend son mari par le bras et lui demande :

– Et tu lui as répondu... ?

Avec un sourire au coin des lèvres qui montre clairement le sentiment d'Henri envers le maire, il répond sur un ton enjoué :

– Que je lui donnerais une réponse d'ici une semaine.

– Tu lui as répondu ça ?, s'exclame Germaine en panique.

Voyant que sa sœur ne semble pas comprendre son jeu, Henri s'approche d'elle, place ses mains sur ses épaules et la regarde droit dans les yeux:

— Ben voyons! Jamais, je n'aurais pu répondre à ce pourri de maire une chose pareille. Je lui ai simplement dit que moi vivant, aucune partie des terres familiales n'était à vendre.

.·.

Depuis plus d'un mois, la balade dominicale de William l'amène directement à la vieille grange. Tant que l'hiver n'affichera pas ses rigueurs, l'endroit conviendra aux deux amoureux. Après, il leur faudra trouver un autre nid, sinon ils devront attendre le retour des beaux jours pour se murmurer des mots doux.

Dans ce lieu, en compagnie de la plus belle et douce fille du monde, William devient un homme et, aujourd'hui, comme au cours des rencontres précédentes si savoureuses et explosives, il n'a qu'un mot à dire à Éliane: «amour». Cette fille le fascine par son amour, sa grandeur, sa joie et lui procure cette paix dont il a tant besoin, surtout depuis la concrétisation de ces fabuleux rêves!

Aujourd'hui, Éliane veut être rassurée, car elle a entendu la rumeur sur le perron de l'église. «Tu peux lire dans l'avenir? Tu as ce don?»

Malgré l'avertissement de son grand-père, il confie son secret à celle qu'il aime, qui a foi en son amour et lui fait espérer un monde où ils pourront vivre unis.

Le secret de William devient le secret d'Éliane, scellé dans un baiser si fougueux que les deux jeunes gens se relancent dans de nouveaux ébats.

.·.

La vieille grange rétrécit derrière les deux amoureux qui marchent main dans la main, tristes de constater que l'heure de la séparation approche. Un dernier baiser et ils se quittent à mi-chemin de leurs résidences, inconscients du danger qui prend forme...

Profitant de ce bel après-midi d'automne pour vérifier l'état des clôtures, Jacques, l'aîné de la famille Therrien, a vu se profiler dans le paysage deux silhouettes. Beaucoup trop loin pour les reconnaître, seuls les vêtements trahissent qu'il s'agit d'un homme et d'une femme. Que font-ils là ?

Mettant à profit ses talents de chasseur, Jacques prend la mesure, se terre derrière un bosquet et attend patiemment. Encore une légère descente et, à la remontée, ils seront assez près pour pouvoir les reconnaître et lire sur leur visage la frayeur tel l'animal qui voit la fin approcher. La descente est assez prononcée pour que les deux silhouettes disparaissent de sa vue. Il les attend, impatient de placer des noms sur leur visage et de faire sentir sa présence à ces intrus.

Ils tardent à venir, il attend... Impatient, Jacques fonce hors du bosquet et s'avance confiant de faire de lui-même un maître des lieux. Mais, bizarrement, ils ont disparu !

En bas de la montée, un clôture longe une lisière d'arbustes aussi haute qu'un homme, peut-être sont-ils en retrait derrière, attendant de traverser de ce côté. Il marche prudemment jusqu'à la clôture de cèdre, la traverse silencieusement et profite du passage entre les arbustes marqué par de nombreuses allées et venues. Ils doivent se trouver là! Mais aucun signe: il observe, tasse, à la façon d'un chasseur, quelques arbustes dans le cas où... mais non, personne. Jacques, le chasseur, se retrouve seul sur un petit sentier se divisant vers la gauche et la droite.

Seul, non ! Jacques n'est pas seul. À quelques pieds de lui, un individu au visage et aux mains ridés, protecteur méconnu des deux jeunes gens, observe cet indésirable avec méfiance...

– 9 –

Dans la montagne du Canton

Dans cet immense pays du Saguenay, la saison d'automne, le festival des couleurs débute avec les nuits fraîches de septembre et s'étend tardivement jusqu'en novembre. La contrée du Canton de Chicoutimi n'est pas orpheline de ce festival de la nature. Aussitôt la fin d'octobre arrivée, le cœur du Canton rougit avec les érables et jaunit avec les trembles et la majorité des variétés qui y habitent. Pour ses habitants, l'automne met au programme des activités qui permettent de faire face aux rigueurs et aux longueurs de l'hiver blanc.

Terminer les récoltes; entreposer le bois de chauffage et préparer l'autre pour l'année suivante; habiller les ouvertures des maisons; abattre poulets, dindes, cochons, veaux et bœufs ; « canner » légumes et viandes ; voilà de quoi oublier la fraîcheur du temps.

Cette saison annonciatrice d'un long repos de la nature et de ses occupants s'avère aussi le moment privilégié pour le chasseur, surtout que le Canton fourmille d'un gibier diversifié, vous dira le maître dans ce domaine Thomas Saint-Gelais, fils du postier. Dans ses nombreux récits, il parle entre autres du lièvre, un petit mammifère qui ressemble au lapin et auquel de très longues pattes postérieures confèrent une grande agilité; du chevreuil, un gracieux et élancé ruminant aux pieds fourchus et ongulés que l'on reconnaît à son pelage fauve ou brun roux et à sa queue brune ornée d'une large frange blanche; de l'orignal au manteau brun, le plus impressionnant des habitants de la forêt du Canton, arborant fièrement un panache aux bois plats et palmés d'une envergure pouvant atteindre les huit pieds; de la perdrix, un étrange oiseau à la poitrine grisâtre et aux flancs marron courant très rapidement, vivant en troupe et nichant au sol.

Comme dans plusieurs famille du Canton, chez les Therrien, la chasse est une affaire de générations. Du grand-père aux petits-fils, tous y voient l'occasion d'agrémenter l'ordinaire des repas et de s'enorgueillir d'un trophée.

D'ailleurs, les deux panaches d'orignaux accrochés aux murs du salon familial témoignent de l'habileté d'Arthur et de Théodore. Aucun des fils de ce dernier n'a jusqu'à aujourd'hui réussi l'exploit d'abattre un des rois de la forêt. Mais cette année, le plus jeune des garçons, Gaston, veut son trophée. Et pourquoi pas ?

Il a commencé tôt, dès les premiers signes du printemps, il a cherché, ne relevant dans la montagne que de vieilles pistes. L'inhabituelle chaleur de l'été et des premiers jours d'automne l'a obligé à suspendre ses activités. Quelle déception! Mais Gaston a appris qu'avec une telle chaleur le gibier ne sort de son refuge que rarement et il vaut mieux attendre une température plus favorable.

Aux premiers jours d'octobre, le changement climatique tant souhaité s'installe dans tout le Canton. Gaston pourra poursuivre sa chasse au trophée.

Très tôt dans la matinée du premier samedi de ce mois de transition, le benjamin de la famille Therrien se rend à l'un des endroits prospectés au printemps. Situé dans les limites des lots des Desbiens, à trois ou quatre milles en ligne droite avec sa maison, il est le seul de sa famille à fréquenter ce lieu, le territoire de chasse familial étant localisé quatre à cinq milles plus à l'ouest. Sur place, le fusil à la main, il s'installe anxieusement au guet en attente de ce qu'il anticipe depuis longtemps. Au bout d'une bonne heure, il se déplace. Lentement et silencieusement, il avance sous la fine pluie qui vient de commencer et se positionne près de l'un des grands pins à flanc de montagne. De cet escarpement, il surplombe d'une trentaine de pieds une large fosse au sol marécageux et au boisé dispersé ; cet emplacement lui permet de voir venir de loin tout animal ou intrus qui s'aventurerait dans ce lieu.

Malgré son jeune âge, Gaston reconnaît la nécessité de se montrer patient et attentif s'il veut triompher de l'animal tant recherché. En dépit de la pluie de plus en plus drue, il fait le mort, grelottant de temps à autre sous l'effet du vent et de la pluie qui imprègne bientôt ses vêtements à la façon d'une éponge. Une heure, deux heures, peut-être trois, passent avec pour seule distraction le bruit continu de la pluie qui glisse sur les épines des pins avant de l'atteindre. Ce bruit bat la mesure du temps lorsque, sans avertissement, la cadence se casse. En bas, dans le fond marécageux, s'avance majestueusement, un pas à la fois, écrasant de ses énormes pattes à trois doigts, herbe, feuillage et arbustes, un colossal orignal surmonté d'un superbe panache.

Émerveillé par l'opulente bête, Gaston ne pointe pas immédiatement son arme ; il désire la voir venir, la regarder pour ne pas dire la contempler. Elle est à lui, enfin, il l'aura son trophée, comme son père, son grand-père et surtout avant son bêta de frère ! Quelle joie ! Il imagine déjà les compliments qu'on lui fera : « Formidable ! Bravo ! Un joli trophée ! »

Encore une centaine de pieds et l'animal sera à la bonne distance.

« Il fait bien ses quatre ou cinq pieds de panache », se dit Gaston. Il n'a plus froid, même qu'il a chaud à en suer.

Lentement, le jeune homme arme son fusil et le porte à son épaule. Il ne faut pas le rater, un peu de patience ! Assure ta visée, se dit-il. Tranquillement, il s'avance dans la descente menant au marécage. Avec ses cinq pieds cinq pouces et ses cent dix livres qui lui donnent une allure beaucoup plus frêle que son frère, il pose un pied, puis l'autre sur le sol rendu spongieux par la pluie, et... catastrophe : sans raison, l'arme à la main, prêt à tirer, il glisse, perd pied et roule...

•.•

Même avec ses yeux de grand duc, impossible d'apercevoir le bleu du ciel tellement celui-ci est chargé de nuages dispersant sans compter leurs larmes de pluie. Péniblement, il réussit à battre de l'aile dans cet air épaissi par l'intensité de la pluie. Que de hardiesse il déploie dans cette envolée! Pourtant, à la brunante, lors de sa première sortie, sans grand effort, il avait volé jusqu'à la gare et là, du premier coup d'œil, il avait repéré un promontoire qui lui convenait. Posté sur un des fils liant les énormes poteaux l'un à l'autre, il assista en première ligne à la folle arrivée du train... Mais aujourd'hui, chaque coup d'aile lui arrache le cœur. Cet effort, tout son être intérieur lui commande de le faire.

Il vole, il vole... Un coup d'ailes et en bas une maison, un autre coup, un boisé, puis un champ, encore un autre coup d'ailes et un autre champ. Il ressent une énorme fatigue, pense à se poser, mais non, il doit continuer à battre des ailes. Il survole une autre maison et passe au-dessus de plusieurs bâtiments où sont alignés sans vie des cônes verts semblables à plusieurs de ceux qui meublent sa demeure. Il bat des ailes encore une fois et profite de l'aspiration du courant d'air qui frappe la montagne pour prendre de la hauteur. Il tend fortement ses grandes ailes de strigidé pour planer, glisser sur les cimes vers un groupe d'énormes cônes verdâtres et, majestueusement, s'installe au sommet de l'un de ceux-ci.

Agrippé à une protubérance du cône, les gouttes de pluie perlant sur ses plumes, ses deux aigrettes semblables à des oreilles, il contemple de ses deux grands yeux de grand duc l'immensité lui faisant face. Au loin, sur les monts, de nombreux cônes verts, jaunes ou rouges et, tout près, encore des cônes. La tête vers le bas, il inspecte les environs et s'étonne d'entendre un son qu'il ne perçoit normalement qu'au contact des animaux à deux pattes et au corps recouvert d'un duvet aux couleurs incertaines. Ici, au milieu de son habitat, il ne devrait pas y avoir de ces animaux... Il scrute plus attentivement et là tout en bas, au creux de son domaine privilégié au sol moelleux, étendu de tout son long, un de ces animaux! Il tend ses aigrettes, perçoit plus clairement des murmures, des sons semblables à ceux de son frère lorsque frappé par la lumière d'un ciel identique à celui d'aujourd'hui. Pauvre frère, jamais il ne s'est remis de cette flèche de feu. Il pointe son regard plus profondément pour s'assurer qu'il a bien vu. Oui, c'est bien un animal à deux pattes. Il est seul sous la pluie, drôlement allongé, la tête en bas et les jambes vers le haut. Il bouge de temps à autres, tremblant sous l'œil attentif de l'oiseau... du rêveur... À cet instant, William sort de son sommeil... l'esprit occupé à regrouper le morcellement d'informations projetées dans son rêve.

Poussées par le vent, les lourdes gouttes de pluie frappent à la fenêtre de sa chambre ramenant le jeune homme à la réalité quotidienne. «Un vrai temps de chien...» marmonne William avant d'ajouter:

« Ouais, ça s'annonce pareil aux deux jours précédents et Éliane ne sortira pas, pas de balade ; je vais aller à la messe... ».

.·.

La calèche dont on a monté la capote pour abriter ses occupants de la pluie pénètre dans la cour arrière pour s'arrêter directement devant la porte de la cuisine afin de se délester de ceux-ci. Celle-ci n'est pas aussitôt ouverte que Benjamin lance à sa tante occupée à préparer le repas du midi :

–   Le plus jeune des Therrien s'est perdu dans le bois.

–   Ah, répond-elle sans émotion.

Devant cette réponse, il se dirige rapidement vers le petit salon où son père trouve normalement refuge avant le dîner du dimanche. Confortablement assis, il lit un volume aux pages jaunies par le temps. Constatant que quelqu'un est entré dans la pièce, il lève la tête :

–   Pa, y paraît que le plus jeune des Therrien est perdu dans le bois. Cet après-midi, ils organisent une battue pour le retrouver. On devrait y aller !

Décontenancé par la démarche de son fils, Henri ferme son livre. Embarrassé, il ne sait que répondre.

Aider son ennemi. Épauler des gens qui n'ont jamais démontré le moindre sentiment à leur égard, même pas osé afficher de la compassion à la mort de son père ! D'un autre côté, pour Camille, cette femme qu'il a tant aimé, que de malheur ! Comment lui montrer du soutien dans une telle épreuve ? Que dira Germaine s'il décide ? Que de confusion ! Quel combat avec sa conscience !

Debout à quelques pas de son jeune frère, William a tout entendu et comprend le silence de son père. Des années et des années de tergiversations, de dénigrement, de racontars, que de malheurs, que de malaises pour celui et celle qui s'y imprègnent, qui ne se donnent pas la chance de saisir l'occasion. Oui, l'occasion, la voilà, mais en douceur, il faut la vivre. Calmement, d'un ton qui exprime sa compréhension et sa certitude, William propose :

– Pa, si aujourd'hui, ils ne le retrouvent pas, demain, vous viendrez avec moi et on le ramènera chez lui.

Spontanément, sans remord, Henri s'agrippe à cette bouée et répond tout souriant :

– O.K., demain, on ira tous ensemble... mais pas un mot à Germaine !

.·.

La pluie froide et le vent de l'ouest persistent jusqu'aux petites heures du matin, puis un ciel couvert de gros nuages moutonneux prend la relève. De sa fenêtre de chambre, William voit bien que les chauds rayons du soleil ne réussiront à percer qu'occasionnellement. Il faut agir. Sans tarder, il se rend à l'étable et parle à Raphaël qui disparaît pour ne réapparaître que peu avant le déjeuner de six heures.

Les informations provenant des travailleurs forestiers concernant le fils Therrien sont sans équivoque. Le dernier groupe d'hommes est rentré vers neuf heures, à la tombée de la nuit. Aucun signe, aucune trace, tout comme pour les autres groupes. Ce matin, vers les neuf heures, des groupes d'hommes continueront à arpenter le territoire de chasse de la famille ; des milles et des milles de battues à faire.

Six heures trente, Beauregard, la longue crinière touffue battant au vent, quitte la cour, tirant une voiturette à blé dans laquelle sont assis les quatre hommes. Après s'être éloignés de quelques centaines de pieds de la maison, William demande à Raphaël de diriger la voiture dans le sentier menant au petit pont de bois pour ensuite s'engager dans un champ qui mène directement au pied de la montage où commence les lots à bois d'Henri. Collier au cou et traits bien engagés dans celui-ci, Beauregard démontre sa force, n'arrêtant pas la cadence malgré un sol boueux et détrempé. Une demi-heure a passé et, déjà, les quatre hommes sont aux limites du champ, prêts à gravir la montagne. Hache à la main, Raphaël part en tête, suivi de William, de Benjamin et d'Henri, qui ferme le pas avec sa dizaine de poches de jute au bras, de quoi fabriquer un brancard de fortune. « Il faudra sûrement le transporter », avait lancé William aux trois hommes en plaçant le mors dans la bouche du boulonnais. Presque deux milles de montée dans un sentier à demi boisé et les voilà aux grands pins qui surplombent un vallon.

.·.

Neuf heures trente et la trentaine d'homme divisée en sous-groupes de dix s'apprêtent à partir. Cette deuxième journée de battues s'avère cruciale et Théodore le sait. Observant les hommes qui montent dans leurs voitures respectives, celui-ci pense en lui-même; «... avec ces nuits froides d'octobre, deux longues journées en forêt sous la pluie peuvent être fatales pour tout individu. Pas de problème, je connais mon fils! Perdu, il a su faire ce qu'il faut pour survivre plusieurs jours, mais blessé? Ouais, une chance que j'ai veillé à former le caractère de ce dernier, car il serait sûrement comme sa mère qui pleurniche depuis deux jours. Ces femelles! Ces femmes! des êtres qu'il faut dompter jeunes, sinon... »

D'un bond, Théodore rejoint Jacques qui aussitôt, donne le signal de départ en frappant d'un léger coup de lanières de cuir la cuisse gauche de la jument. Ils s'apprêtent à prendre la route principale lorsque débouche sur leur gauche un énorme boulonnais tirant une voiture à foin. Appuyé sur le panneau avant de la voiture, un des hommes les deux bras en l'air, leur fait de grands signes.

– Que veulent-ils? s'exclame Théodore.

– Sûrement se joindre à la battue.

– Ouais, attends-les, ça fera du monde de plus!

Jacques tire sur les guides et la bête obéissante s'arrête instantanément. Il se lève pour mieux regarder venir les nouveaux venus et;

– Mais c'est l'Indien des Desbiens et!... leur gang...

Rebondissant aussi vite qu'un chat de son siège, Théodore se lève, fixe son regard sur la voiture qui se dessine clairement et de sa voix qui, ce matin, a une tonalité très basse:

– Je ne veux pas les voir icitte, on repart!

– Mais pa, l'Indien, il connaît le bois!

– Indien ou pas, je ne veux rien savoir! On part!

Théodore se rassoit, mais trop tard, la voiture avec ses occupants non désirés ralentit pour se placer tout à côté de celle de Jacques encore debout. Immédiatement, de sa position, celui-ci aperçoit, allongé au fond de la voiture, un homme qu'il reconnaît aussitôt.

– Gaston! Gaston! lance-t-il, faisant sursauter son père.

Conservant son visage de pierre, Théodore accourt vers son fils, le regarde rapidement et se comportant en individu qui se croit seul dans ce monde, il dit avec autorité:

– Jacques, prend les hommes et transporte ton frère dans la maison pendant que j'envoie chercher le médecin.

Puis martelant le chemin de ses pas lourds et dominants, il regagne sa maison, la tête haute, sans regarder qui que ce soit.

∵

– ... un hibou hulule... il est là... Il me guette, m'observe... j'ai sommeil... tout se passe au ralenti, image par image, conscient, inconscient. J'ai mal, très mal,... ma jambe, Aie! Aie!... j'ai froid. Glacé, glacé je suis... un coin de ciel bleu se dessine dans le plafond de nuages, j'entends une cloche. Elle sonne souvent, très souvent, comme pour m'avertir de ne pas dormir. J'ai froid, j'ai mal... une douleur qui éclate au moindre mouvement. J'entends un homme me dire : «On est là, tu es en bonnes mains... on te ramène chez toi...» Qu'il fait bon dormir... On me bouge, aie! Non, non, ça fait trop mal, aie... aie... des hommes, plusieurs hommes, je ne les connais pas. Un homme, deux, celui-là, oui celui-là, il ressemble à l'Indien de la ferme voisine. Aie! j'ai trop mal... je pars! Le ciel se déplace, les arbres bougent.. je soulève ma tête, ouvre les yeux, que c'est difficile.. le dos d'un homme et un autre dos... je bouge, on me transporte, vaut mieux dormir, j'ai trop mal! J'entends, on me parle! «... Chez toi...» Aie! mon dos, ma jambe, que ça fait mal, je pars! Le sol, trop dur... j'ai si mal... ma jambe... on me berce, je pars! Le ciel bouge, voyage, les nuages, dormir, j'ai tellement mal. On arrive, on arrive... curieux, je suis dans mon lit, mais j'ai encore mal... mal... C'est tout ce dont je me souviens.

– Ouais, ils t'ont rien dit les Desbiens et l'Indien, demande sa mère.

– Non... ce que je me souviens, c'est de ma chute, de ma jambe qui ne voulait plus me supporter, du mauvais temps, de cet affreux oiseau qui hurlait toute la nuit... et de quelques mots perdus ici et là.

– C'est bien, maintenant dors et repose-toi.

Camille pose ses lèvres sur le front de son fils, se dirige vers la sortie et s'apprête à fermer la porte.

— Man, il y a quelque chose qui me revient, mais je ne sais pas ce que ça veut dire.

— Quoi!

— Dans la descente de la montagne, je me souviens, d'avoir entendu le plus petit du groupe dire: «Wil, tu as vraiment un don...» mais c'est flou!

– 10 –

Rumeur dans le Canton

Aussi rapidement que la nouvelle du déraillement du train, le sauvetage du fils Therrien et l'implication de William dans celui-ci explose à travers tout le Canton. Il n'en faut pas plus pour que la légende des Desbiens se continue, faisant ressurgir les sentiments de respect, de reconnaissance, de jalousie et même d'incrédulité envers le prolongement de celui qu'on vient d'enterrer. Rester indifférent est malaisé pour quiconque réside dans ce milieu où tout le monde se connaît. Aussi, lors de la messe dominicale du dimanche suivant le sauvetage, discrètement ou sans gêne, les yeux se lèvent au passage de William. Déjà, à l'école du village, Benjamin et Angella n'ont cessé d'entendre, chaque jour de la semaine, parler de celui qui voit dans l'avenir pendant qu'à l'épicerie, rares sont les clients qui ne pressent Thérèse et Edgard de leur parler du nouveau prodige du Canton.

Mais bizarrement, la seule réponse que l'on entend des membres de la famille Desbiens se résume par un « Ah ! je ne sais pas ! » ou « Vous croyez ! ». Quant à William, comme ses ancêtres, jamais il ne va provoquer de discussion ou faire allusion à ce sujet.

À l'opposé, à la résidence des Therrien, la rumeur à propos du jeune William en ce qui concerne l'accident de Gaston ne se passe pas de commentaire.

– Ouais, sur le perron de l'église, pas mal de monde parlait du jeune Desbiens et de l'aide qu'il nous a apportée pour retrouver Gaston. Il faudrait peut-être le remercier, lance Camille servant la soupe du midi.

Théodore ne bronche pas, tout comme son père Arthur : il fait la sourde oreille.

– Moi, j'en ai entendu parler toute la semaine, renchérit Éliane sur un ton enjoué. Les gens disent que sans son intervention, Gaston ne s'en serait pas sorti surtout avec l'hiver à nos portes...

Mais elle ne peut terminer sa phrase, car Jacques, silencieux depuis l'instant où il a reçu l'ordre de son père de porter son frère à la maison, déclare :

– C'est vrai, avec sa jambe cassée pis nous autres qui le cherchaient à des milles de là, on l'aurait jamais revu vivant.

Il s'arrête, regarde en direction de son père assis à l'une des extrémités de la table à la recherche d'une quelconque réaction. Penché sur son bol de soupe, une cuillère à la main et une tranche de pain dans l'autre, il reste muet, permettant ainsi à Jacques d'enchaîner.

– Moi, je ne sais pas grand-chose sur le gars des Desbiens, mais Gaston a été drôlement chanceux !

Initiatrice de la discussion, Camille qui s'apprête, avec l'aide d'Éliane, à servir le rôti de porc accompagné de légumes mélangés, reprend :

– Gaston, toi, qu'est-ce que tu penses de tout ça ?

– Eh bien, je sais bien qu'icitte on ne les aime pas les Desbiens. Mais moi, quand je serai capable de marcher sans béquilles, je vais aller lui dire merci, répond ce dernier d'un ton ferme.

Cette réponse de Gaston jette l'assemblée dans un profond silence.

Une tranche de pain à la bouche, Jacques rompt le silence et, à la façon de son père, il s'adresse d'un ton accusateur à sa sœur.

– Toi, Éliane, la gars Desbiens, tu le connais. Je t'ai vue avec ta copine lui parler sur le perron de l'église. Il est comment, ce gars-là ?

Aussi désarçonnée par le revirement spontané de son frère que par sa question, elle lève la tête et de ses yeux bleus, annonçant la tempête, elle le fixe. Puis, faisant appel à sa sagesse, elle comprend vite qu'elle doit contrôler le sang qui rougit ses joues blanchâtres, sinon elle perdra et, qui sait, on découvrira peut-être son secret. Pour se protéger, elle baisse la tête et, fourchette à la main, elle saisit un morceau de patate qu'elle porte à sa bouche. Calmement, elle dit:

– Le gars, il s'appelle William. Et si tu veux savoir, il est aussi intelligent que toi!

– Ah, comme ça, mademoiselle le trouve bien ce Desbiens!, réplique Jacques d'un ton ricaneur.

– Il est aussi bien que n'importe qui icitte, réplique spontanément Éliane, qui contrôle difficilement ses sentiments.

– Ouais, si tu le trouves si bien que ça, sais-tu que tu trahis la famille et que...

Sympathisant avec sa sœur, Gaston ne permet pas à son frère de terminer et lui dit en haussant le ton:

– Toi, laisse Éliane en paix; elle n'a rien à voir avec mon accident. Pis en ce qui concerne... Wil, William Desbiens... c'est ça? Avec ce qu'il a fait, pour moi ça me dit qu'il doit être un bien bon gars! O.K.?

Silencieux, Théodore a bien observé la scène et a même aperçu les taches roses pointer sur le visage de sa fille et s'est dit en lui-même: «Elle cache quelque chose. Je découvrirai bien...» Puis étouffant un juron, il dit vivement:

– Un bon gars!... Ah! Ah! Vous allez m'arrêter ces balivernes. Les Desbiens ne possèdent pas plus de don que mon chien. Depuis qu'ils sont arrivés au Canton, ils jouent au sorcier et dites-vous qu'il y aura toujours une «gang» d'incrédules pour croire n'importe quoi. Je ne veux pus en entendre parler, pis encore moins en voir un, même toi Gaston, plier devant eux. Si jamais ça se produit, celui-là, il mettra pus jamais les pieds icitte, c'est compris? Quant à toi, Éliane, tes petits caucus sur le perron de l'église, c'est fini!

– Mais je ne fais rien de mal..., se défend-elle.

– Mal ou pas, c'est fini!, ordonne Théodore les yeux noirs de colère.

Afin de ne pas subir les foudres de son père, Éliane se résout à ne rien ajouter. Il en est de même pour les garçons, ainsi que pour Blanche et Camille.

Bien qu'aucunement effrayés par leur fils, Arthur et Melvira se taisent aussi et continuent de manger du bout de leurs ustensiles le rôti de porc apprêté par leur belle-fille. Mais, à ce moment précis, la même pensée traverse leur esprit « L'Indienne, la femme du premier Desbiens savait toujours... peut-être que ses descendants savent aussi?...».

∴

Non loin, au cœur du village, plus précisément au presbytère, le sujet des dernières rumeurs ennuie le curé Lampion. Des sorciers, il y en a déjà assez. La radio, les journaux, les politiciens, tous ces prêcheurs de nouvelles troublent déjà ses paroissiens. Si, en plus, la gang de Desbiens y met du sien... À la mort du vieil Augustin, il s'était dit « Voilà un souci de moins. Maintenant, les gens ne se réfugieront plus derrière ses histoires, ses balivernes de vieux fou. » Vraiment, les dernières rumeurs ne lui plaisent pas. Il connaît l'existence de la relation de son vicaire avec les Desbiens, aussi il se propose d'en connaître plus sur cette famille et, plus particulièrement, sur leur supposé talent.

Le dimanche suivant le sauvetage de Gaston Therrien, le curé Lampion invite son vicaire à prendre le thé au boudoir. Bien que le vieux curé ne lui adresse normalement la parole que par obligation, celui-ci ne lui en tient pas rigueur. Daniel accepte l'invitation et gagne la petite pièce suivi de mademoiselle Picard, cabaret à la main. Une théière en granit blanc, deux tasses, un bol de lait et un sucrier du même service y sont posés. De manière presque solennelle, elle sert le curé et, ensuite, le vicaire. Bientôt huit ans qu'elle travaille pour le curé et les mots d'appréciation de sa part peuvent se compter sur les doigts d'une seule main. Elle s'y est accoutumée, pensant que ce dernier

a sûrement souffert dans son jeune âge et que, pour se protéger, il maintient un air bourru et exécrable. En contrepartie, le jeune vicaire ne se gêne jamais pour la
complimenter et cela lui plaît beaucoup, mais elle ne le
démontre pas.

– Merci, mademoiselle Picard, glisse Daniel avant
qu'elle ne sorte du boudoir.

Le vicaire boit une bonne gorgée de thé. Comme il est
un peu chaud, il ajoute du lait et lance la conversation :

– Les travaux de la nouvelle école et de la salle communautaire avancent rapidement.

– Vous trouvez ?, répond le curé, la tasse à la main.

– Oui! même si je ne connais pas beaucoup la construction, il me semble qu'avec la toiture, les fenêtres et les
portes extérieures posées, les ouvriers peuvent travailler
en paix, sans se préoccuper de la température.

– Peut-être, mais avec l'hiver qui arrive à grands pas,
il va faire trop froid pour travailler, même en dedans.

Ne sachant pas trop si le curé ne le mène pas en cabale,
Daniel enchaîne avec précaution :

– On m'a dit qu'il existait maintenant des outils ou des
machines qui chauffent à l'électricité, sûrement qu'ils vont
s'en servir.

– Vous croyez ?

Il hausse les épaules en signe d'ignorance et ajoute :

– C'est pas mal grand... ça va prendre de grosses
machines! Je n'ai plus les plans ici, mais si je me souviens
bien, la bâtisse a bien soixante pieds sur cent cinquante sur
trois étages, le sous-sol compris.

– Oh! C'est vrai que de la fenêtre de ma chambre, ça
paraît immense. Elle va être comment cette école?, demande Daniel qui perçoit un peu plus d'ouverture chez son
hôte.

Comme un chat avec une souris pratique un jeu auquel
il est le maître, le curé Lampion, par ses réponses, veut
amener son vicaire sur son terrain. «Mais, Dieu, que d'ap-
titude possède ce joueur...», pense ce dernier. En effet, le

curé vient de s'apercevoir que cela se joue à deux et qu'il lui faut changer d'attitude. Aussi, sur un ton bienveillant, après s'être éclairci la gorge :

— Au premier étage, il y aura deux classes et quatre au deuxième. Des espaces de logement sont prévus pour les religieuses au premier ainsi qu'une petite chapelle. Le sous-sol servira de salle communautaire.

Daniel dépose sa tasse vide sur le cabaret. Sa méfiance ne s'est pas envolée, mais il veut bien laisser une chance au curé. Aussi en profite-t-il pour dire :

— Avec une école aussi grande, les écoles de rangs ne seront plus nécessaires, bien qu'en y pensant, l'ouverture des chantiers au lac plus haut va sûrement amener des nouvelles familles. Qu'en pensez-vous ?

— Je ne sais pas si le chantier va amener des nouveaux, mais en ce qui concerne la fermeture des écoles de rangs, c'est peu possible. Pour faire cela, ça va demander l'amélioration des routes, surtout pour l'hiver. Actuellement, on peut tout de même pas fermer l'école du rang du portage. Cinq milles à faire l'hiver, soir et matin, c'est pas possible avec les routes actuelles.

La réponse du curé étonne Daniel par ses propos avant-gardistes mais d'autant contradictoires. Peut-être devrait-il essayer de mieux le connaître ! Mais encore, le curé serait-il en train de lui tendre un piège ? Aussi reste-t-il à l'écoute.

De son côté, le curé Lampion comprend par l'hésitation de Daniel qu'il a tout l'espace nécessaire pour s'aventurer sur le sujet qui le préoccupe. Il conserve son ton bienveillant et dépose sa tasse vide et murmure :

— Ouais, le thé était pas mal bon...

Et changeant de sujet l'air ravi, il poursuit :

— Avez-vous entendu parler de la rumeur sur le petit-fils d'Augustin Desbiens ?

Spontanément, la lumière jaillit dans toutes les neurones du cerveau du vicaire. « Voilà l'intérêt du curé », se dit-il, et à la différence de la souris qui ne participe jamais au jeu, Daniel peut lui aussi surprendre son adversaire.

Feignant la surprise, il se gratte sous le menton, se croise les jambes et affirme :

— Comme vous, pas plus !

— Mais vous qui êtes un bon ami de la famille, vous n'en savez pas plus ?

— Non. D'ailleurs, dire que je suis un bon ami de la famille, ça m'étonne de votre part. Il est vrai que jeune, Henri était mon ami, mais aujourd'hui, après plus de vingt ans pendant lesquelles je ne l'ai jamais revu, je ne dirais pas la même chose !

Le curé Lampion se veut insistant et il reprend vivement, toujours aussi calme :

— Vous avez raison, après vingt ans, il ne doit pas rester grand lien. Malgré cela, vous devez sûrement avoir une opinion sur les dires des gens concernant ces prétendus dons des Desbiens !

Daniel, cherchant à clore la discussion, emprunte un ton ferme et répond :

— Pas plus que vous. D'ailleurs, c'est un sujet que je me fais un devoir de ne pas aborder. En tant qu'homme de Dieu, vous devez savoir que le Christ, les apôtres et plusieurs Saints ont tous des dons.

Il regarde directement le curé et il lui lance sans ménagement :

— Et pourquoi pas de simples gens !

Sur ce, il se lève et, dit poliment :

— Merci pour le thé, j'ai mon bréviaire à terminer ainsi qu'une visite à faire.

Sans tarder, Daniel quitte la pièce et ferme la porte que mademoiselle Picard a laissée entrouverte derrière elle. Empruntant les escaliers qui mènent à sa chambre, il se dit en lui-même : « Exécrable, ce vieux loup ! »

.˙.

Une fenestration doublée et adroitement calfeutrée; des cordes de bois séché par le soleil d'été judicieusement placées afin de les rendre facilement accessibles ; des chaussures et des manteaux d'hiver remis à l'état de neuf ; des «couvertes» et des «catalognes» épaisses et chaudes ; voilà la trousse dont a besoin celui qui se prépare à passer un hiver au Saguenay.

L'hiver dans ce pays commence à la mi-novembre, et ce, chaque année que le maître de l'univers veut bien accorder à ses habitants. Tout d'abord arrivent les froideurs persévérantes qui traversent les manteaux et annonciatrices des quatre prochains mois à venir avec leurs vents à écorner le bétail et à couper le souffle. Puis survient la première neige folle qui excite les plus jeunes mais qui fond dès l'arrivée au sol encore chaud et, enfin, celle qui, lourdement, tombe en s'accrochant n'importe où, couvrant la terre en quelques instants d'une blancheur éblouissante.

Dès décembre, la blanche cérémonie de cet hiver qui n'en finira plus s'étend sur l'ensemble du territoire. Rapidement, sous l'effet des flocons qui tombent en abondance, les routes s'encombrent et deviennent impraticables pour ces véhicules que l'on appelle autos. Ensuite, les fêtes de Noël et du jour de l'An remplissent l'espace du son des grelots des attelages qui amènent les fidèles à l'église et du « woh... oh» des conducteurs et des cultivateurs emmitouflés dans leurs manteaux de chat sauvage, de rat musqué et même de castor.

Janvier et février ne trahissent point leur renommée. Froidure insoutenable, poudre blanche, vent infernal occupent tout l'espace. Dans le Canton, la vie bat au ralenti avec des journées écourtées par le lever tardif du soleil et son coucher hâtif. Seuls les attroupements à la messe dominicale, autour des travaux du barrage et de l'école ainsi que les arrivées et les départs du train donnant l'impression que celui-ci glisse sur le sol enneigé, permettent de croire que la vie continue.

Durant cette période hivernale de l'année 1925, à l'image des cultivateurs du Canton, chez les Therrien et les Desbiens, les activités de la ferme se limitent à l'essentiel ;

nourrir les bêtes, nettoyer leur abri, traire les vaches, livrer le lait à la fromagerie et à quelques foyers du village, recueillir l'eau potable dans le ruisseau qui malgré la froidure de l'hiver ne gèle jamais. Bien que la coupe de bois reste l'un des bons moyens de gagner quelques dollars, Henri Desbiens n'entreprend aucune coupe de bois sur les lots qu'il a refusé de vendre. L'an prochain, peut-être.

Il en est tout autrement pour Théodore Therrien qui doit approvisionner sa scierie. Depuis les trois dernières années, fournir celle-ci s'avère un énorme défi, ses principaux lots étant presque épuisés. Théodore a bien essayé de négocier de nouvelles coupes avec le commissaire des terres du gouvernement, mais la réponse tarde à venir. «Pas avant l'été prochain», lui a-t-il déclaré lors de sa dernière rencontre.

L'acquisition des lots de Marcel Sauvageau lui a procuré de beaux gros pins, mais trop peu pour ses besoins. Puiser dans les montagnes voisines, voilà la solution! Mais elles ne lui appartiennent pas! Et pourquoi pas... Théodore a un besoin urgent de bois, il doit... il fera... ça urge... Voilà comment et pourquoi celui-ci dicte l'abattage de plusieurs centaines de pieds de grands pins sur les lots voisins. Bizarrement, ils appartiennent à Henri Desbiens, à l'endroit même où le maire, l'ami de Théodore, voulait acheter...

Sur un tout autre plan, celui de l'amour, grâce à la saison blanche, Théodore, sans le savoir, a gagné une manche, mais l'amoureuse se promet bien de prendre sa revanche. En effet, l'amour qui brûle Éliane ne peut être éteint et surtout contraint par les paroles autoritaires de son père. «Amour... amour... quand tu nous tiens...» Mais elle doit tout de même faire preuve de prudence, car mars arrive à grands pas avec ses chauds rayons de soleil qui annoncent le réveil de la nature et de ses occupants. Et là, la vie reprendra son rythme qu'elle et William rempliront de rencontres, de baisers, d'amour! Oh! Amour!

Suite à la fameuse colère de son père, Éliane, à l'aide d'Estelle, a passé une lettre avisant William que, pour un certain temps, ils doivent tempérer leurs rencontres sur le perron de l'église. L'amour qu'il porte à la jeune fille lui conseille de respecter sa demande, de se limiter aux œillades. D'ici quelques temps, les deux auront vieilli et, ensemble, ils feront triompher l'amour. Oui, il lui faut être patient, attendre que les chauds rayons du soleil reviennent pour savourer les douces caresses de l'amour.

Oh, oui, que l'hiver est long dans ce coin de pays. Jouer aux cartes avec sa mère et sa tante, c'est bien agréable, mais... Et Raphaël qui ne reviendra de la réserve qu'avec le printemps. Ouais! En attendant toujours pas de nouveaux rêves!

.˙.

À l'intérieur de sa petite chambre de pensionnaire aux murs recouverts d'une tapisserie de fleurs blanches sur un fond rosé, Éliane prépare sa classe du lendemain : des mathématiques, du français et de la géographie sont à l'horaire. Ce soir, la fierté se lit sur la moindre parcelle de son être. Aujourd'hui, elle a pris connaissance de l'évaluation de l'inspecteur: une note d'excellence pour sa classe, pour elle, pour sa méthode d'enseignement, pour l'avancement de ses élèves. Excellence, voilà de quoi remettre la mère directrice à sa place, clore le bec à cette vieille pimbêche. Une bonne année en perspective, le métier d'institutrice lui colle à la peau, elle aime... les enfants... communiquer.. faire connaître... ; elle aime...

Oui, elle aime cet étonnant personnage, aux grands yeux noirs et cette boucle dans ses cheveux! Revoir celui qu'elle aime! Mais, l'hiver, cette longue et interminable blancheur qui immobilise, doit auparavant mourir et donner place au soleil rouge et à la verdure.

En attendant, lui écrire! Oui, voilà ce qu'elle va faire...

Devant son meuble de travail, mue par cette excitation passagère, elle tire sur le tiroir du bas, prend une feuille et du pied repousse le tiroir. Elle dépose la feuille sur le dessus du meuble, s'assoit, saisit sa plume et...

– *11* –

Trahison ou vengeance

La jeune fille ferme délicatement la porte derrière elle. Debout derrière les rideaux entrouverts de la fenêtre du salon, Simone suit sa pensionnaire du regard jusqu'à ce qu'elle disparaisse de sa vue. Dehors, le soleil du début de l'après-midi frappe dur sur ce qui subsiste du manteau de l'hiver. Encore quelques jours de ce soleil et la fête de Pâques qui pourtant, cette année, a lieu au tout début d'avril, resplendira sous les couleurs des chapeaux de paille.

D'un pas rapide, presque à la course, Simone, malgré ses soixante ans passés, grimpe deux par deux la douzaine de marches de l'escalier puis franchit le petit corridor qui conduit à la chambre de sa pensionnaire. Elle agrippe la poignée et constate qu'elle peut s'introduire dans la pièce sans peine. Depuis longtemps, elle veut pénétrer dans le refuge de la jeune fille.

Que peut-elle bien y faire pour passer tout son temps dans un si petit espace ?

En effet, aussitôt les repas terminés, la fille de Théodore disparaît dans cette chambre de quinze pieds sur douze et, à l'occasion, sort faire une promenade. Du dimanche soir au vendredi soir, toujours la même routine. Jamais elle ne se présente dans le salon pour discuter. D'ailleurs, aux repas, il est très rare de l'entendre parler, sauf pour répondre par oui, non ou je ne sais pas aux questions qu'on lui pose. Bizarre cette fille, pas du tout comme son père.

Une fois à l'intérieur, Simone constate que la chambre est ordonnée, le lit impeccable et sans pli, les dessus du bureau de travail et de la commode, seul meuble à rangement, sont nets. Sans gêne, elle ouvre un, deux, trois tiroirs et note que la lingerie de la jeune fille est adroitement rangée. Elle referme délicatement chaque tiroir et s'assoit au bureau. De nombreux volumes y sont cordés en appui sur le mur à la façon d'une rangée de bibliothèque. Sans les déplacer, elle se penche et lit sur les revers des couvertures : La géographie du Canada... Mathématique 2e année... Le petit catéchisme... , des livres d'école. Plusieurs autres complètent la rangée, tous curieusement du même auteur, un dénommé Jules Verne : *Voyage au centre de la terre, Vingt mille lieux sous les mers, Michel Strogoff, l'Île mystérieuse*... Elle doit aimer cet écrivain pense Simone tout en poursuivant son inspection avec un sang-froid qu'elle ne se connaissait pas. Partie pour l'école, la jeune fille ne rentrera que dans trois ou quatre heures, ce qui lui donne beaucoup de temps. Un crayon de bois, une plume et son encrier à demi-plein d'un liquide plus bleu que noir se trouvent librement sur une feuille blanche posée sur le bureau. À sa gauche, deux tiroirs qu'elle ouvre. Avec ses mains aux doigts gercés par l'âge et les travaux ménagers, elle saisit un aiguisoir, une gomme à effacer, quelques feuilles, des enveloppes, un cahier encore inutilisé, en fait tout ce dont une institutrice peut avoir besoin pour son travail, rien de suspect.

Simone se lève et se dirige vers la sortie lorsque soudain une idée lui vient en tête ; virevolte de cent quatre-vingts degrés et, rapidement, se penche pour regarder sous le lit.

Elle glisse sa main droite et saisit sa trouvaille qu'elle ramène vers elle. Plus grande qu'une enveloppe, celle-ci fait au moins trois pouces d'épaisseur. Aucun fermoir n'interdit l'accès à cette boîte de métal peinte en blanc crème. Sur le couvercle, Simone peut lire « Flowering Denmark » ainsi que l'autocollant ovale frappé en grosses lettres noires « Danish Butter Cookies/Biscuits au beurre danois». Sur l'un des côtés de la boîte, en plus petit, une liste de divers ingrédients a été inscrite. Le couvercle ne résiste pas aux doigts impatients de Simone dont les yeux pétillent de joie à la vue de sa découverte.

Des enveloppes d'un jaune tirant sur le vert s'y trouvent empilées. Nerveusement, elle les retire de leur cachette et recherche le nom de leur destinataire : aucune ne porte d'adresse ni de scellé. Délicatement, se gardant de laisser la moindre trace de son viol, elle en ouvre une, déplie son contenu et en fait la lecture avant de remettre le tout en place. Elle répète une deuxième, une troisième,... huit fois les mêmes gestes! Ce sont toutes des lettres d'amour, écrites à l'encre bleue, des lettres savoureusement composées.

Troublant: aucune n'est signée et ne porte le moindre nom ou signe indiquant à qui elles sont destinées, sinon qu'elles se trouvent bien dans la chambre de sa pensionnaire.

Simone referme la petite boîte et la replace sous le lit. Puis, s'assurant qu'il est impossible de déceler la moindre trace de son passage, elle regagne son salon. Toute souriante, de la main droite, elle tasse le rideau de la fenêtre pendant que sa main gauche tient fermement une enveloppe jaune.

.··.

Le bureau et les meubles de bois d'acajou donnent à la pièce toute son opulence. Le plafond, d'une hauteur anormale, orné de boiseries du même bois rougeâtre que celui que l'on retrouve aux murs sur une hauteur de quatre pieds à partir du plancher, assure sa vastitude.

— Monseigneur, tel est mon rapport sur le curé de la paroisse Notre-Dame-du-Canton.

Confortablement assis sur chaise, accoudé à ses deux bras, les mains soudés, Médérik Gobeil, évêque du diocèse de Chicoutimi, est tout à l'écoute. Sa bonne humeur s'est envolée en entendant les propos de son émissaire. Il lui faudra prendre une décision qui ne lui plaît pas. Déplacer un seul curé l'oblige à bousculer un équilibre déjà trop précaire. Il se souvient de l'an dernier où comme celui qui enlève une pièce d'une tour, il en a menacé la stabilité...

Les yeux bien cambrés derrière ses lunettes rondes, il demande sur un ton qui laisse deviner son irritation:

— Vous avez bien vérifié tous vos dires?

– Oui, monseigneur. Considérant l'importance de la situation, j'ai veillé à ce que les propos que je vous rapporte puissent être confirmés deux fois plutôt qu'une. De plus, j'ai observé un maximum de confidentialité et si j'en crois les mesures prises, il ne devrait pas y avoir de retombées... du moins pas avant que votre décision ne soit connue.

– Eh bien, merci de votre promptitude et de votre grande dévotion à l'Église du Christ.

– Je serai toujours là pour vous servir, monseigneur.

Comprenant qu'il vient de recevoir le signal de quitter les lieux, le diacre Joseph Cyr disparaît en coup de vent.

Seul dans son vaste bureau, tous les neurones de l'évêque s'activent pour trouver une solution qui sauvera son statut de justicier devant les concitoyens de l'Église. Cette décision doit avoir le moins de conséquences possible. Cette année, pas plus d'un curé du diocèse ne se verra dans l'obligation de faire ses bagages et il y tient. Donc, oui, c'est ça, après Pâques, il annoncera la nomination du vicaire actuel de la paroisse Notre-Dame à titre de curé et amènera l'abbé Lampion ici à Chicoutimi au séminaire. « Il aime prêcher, se mêler de ce qui ne le regarde pas; prêcheur, confesseur des séminaristes, un excellent travail pour lui », se dit l'évêque tout en balançant la tête et en se frottant les mains.

12

Rencontre à l'épicerie et départ...

Deux heures pile sonnent au moment où Henri, accompagné de Flora et William, déclenchent le carillon de la lourde porte du magasin général suscitant une vraie cacophonie. Construite en bois de bouleau peint en rouge vif, elle annonce clairement le commerce avec l'inscription sur sa demi-vitre «Magasin général Boivin» identique à l'énorme pancarte de la façade. Premier commerce de la stature d'un magasin, Wilfrid Boivin l'a ouvert en 1875 et l'a cédé vingt ans plus tard à son fils qui poursuit la tradition. Depuis quinze ans, le beau-frère d'Henri, Edgard, Thérèse son épouse et leurs cinq enfants, deux garçons et trois filles, tiennent le commerce avec assurance et loyauté. Une affaire de famille en soi.

Le Magasin général Boivin porte bien son nom, car on y trouve presque de tout: conserves, viandes, épices, confiseries, tabac, tissus, graines, farine, fruits, jouets, matériaux et quincaillerie pour la construction, équipements pour cuisiner, chapeaux et de nombreuses autres choses comme des vêtements. En pénétrant à l'intérieur, les étalages, les comptoirs et les produits aux odeurs multiples répartis sur les cinquante pieds sur quatre-vingts du premier plancher de l'immeuble de briques rougeâtres donnent un atmosphère chaleureuse à ce lieu. Adolescent, Edgard adorait ces odeurs, ces senteurs de tabac, de fruits, de tissus neufs qui se sont incrustées au cours des années. Rattaché à l'immeuble, un hangar recouvert de bois de cèdre aussi haut et long que le magasin sert à entreposer entre autres le sucre, la farine, le bois et la quincaillerie lourde. Une fois la semaine, le train gare un de ses wagons devant ses doubles portes pour y débarquer ou embarquer de la marchandise trop lourde ou trop énorme pour l'entrepôt de la gare. Solidement érigé sur une base de ciment, le sous-sol de quatre pieds de haut fait la longueur et la largeur du bâtiment. Un deuxième plancher couvre la partie briquetée dans laquelle habitent Edgard, Thérèse et leurs cinq enfants ainsi que Julie Saint-Arnault, l'épouse de Jean, le plus âgé.

– Salut beau-frère, clame joyeusement Henri. Thérèse n'est pas là ?

– Elle s'occupe d'une cliente à l'étalage des tissus, répond Edgard. Ça va prendre du temps. Vous avez affaire à elle ?

– Pas précisément; comme il fallait venir ferrer le bon vieux boulonnais, on en profite pour venir chercher ce qui manque. Tu connais Germaine, avec elle, il manque toujours quelque chose !

– Tu as bien raison.

Sur ces mots, les deux hommes rient de bon cœur. Déjà, Flora et William se sont éloignés à la recherche des différents articles inscrits sur la liste de Germaine.

– Et puis, comment ça se passe à la ferme?, demande l'épicier habillé d'un long chemisier blanc.

– Ça va bien, même très bien. Mes deux gars, à les voir aller, ils aiment ça; Flora et Germaine s'entendent à merveille. Il y a peut-être ma fille qui s'ennuie de la ville, mais avec encore un peu de temps, elle va s'habituer.

– Ah, les jeunes d'aujourd'hui et la vie à la campagne ! Mais dis-moi, tu n'as pas de problème avec les voisins par hasard ? Icitte, j'entends toutes sortes de choses...

Sans attendre que son beau-frère en dise plus, Henri déclare :

– C'est un peu pour ça que je suis venu aujourd'hui: le cheval, l'épicerie pis le notaire.

Il s'approche d'Edgard :

– Tu te souviens qu'aux fêtes, je vous ai dit que j'avais envoyé au diable l'offre du maire d'acheter mes lots à bois. Eh bien, imagine-toi que mardi matin, en allant marcher les terres afin d'identifier les champs que j'allais semer...

Sur ce, la porte du magasin laisse bourdonner son carillon, avertissant de l'entrée probable de clients. Dos à celle-ci, Henri se retourne et, semblable à un coup de foudre, la vue de la femme et de la jeune fille transperce tout son être. Sans se l'avouer, il reste sensible à la beauté et à l'élégance de cette femme, celle qui l'a tant fait souffrir, Camille!

Derrière son comptoir, Edgard, avec son sourire radieux, accueille ses nouvelles clientes:

— Bonjour, je suis à vous dans quelques instants, lance-t-il à la mère et à la fille qu'il connaît bien.

Camille a reconnu l'homme qui discute avec l'épicier. Toute joyeuse, elle réussit malgré sa nervosité à conserver son calme.

— Prenez votre temps, monsieur Boivin, nous allons regarder, répond-elle avec un ton que ne lui connaît pas Edgard. Puis, en marchant presque sur la pointe des pieds, elle entraîne sa fille vers l'étalage des vêtements.

Les yeux qui regardent droit devant, comme cloués au marteau, la bouche tirée en ligne droite sans la moindre ébauche d'un sourire, Henri lance de façon à que seul Edgard puisse entendre:

— C'est Camille Desmeules!

— En effet, et l'autre, c'est sa fille.

— Ah, oui!

— Et au sujet des champs, tu me disais... demande Edgard à Henri sur un ton inquisiteur.

Incertain, Henri qui a repris sa place devant son beau-frère;

— Ne parlons pas trop fort. Je ne voudrais pas que Camille et sa fille...

— Pas de problème.

— Imagine-toi qu'on a bûché sur mes lots. Au moins une bonne centaine de gros pins.

— C'est pas le bonhomme Therrien par hasard?, échappe Edgard dont le sang bouillonne à ce seul nom.

— Tu as frappé juste. Les bûchés voisins appartiennent à qui d'après toi?

Baissant la voix encore plus bas, Henri s'avance vers Edgard et ajoute :

– Je vais rencontrer le notaire pour ça. Je laisserai pas traîner !

– Ça n'a pas de sens, toujours aussi emmerdeur ce gars-là.

Son appétit de nouvelles satisfait, Edgard sent la nécessité de revenir à son métier d'épicier.

– Écoute, si tu as besoin de quelque chose, je suis là pour t'aider, O.K. ? Je vais aller aider ta femme.

Henri se retrouve seul devant le comptoir derrière lequel est disposé l'étalage de boîtes de tabac et de bonbons. À côté, à sa gauche, une énorme caisse reluit de toute sa robe de fer blanc ornée d'une bordure de métal doré. Ses touches surélevées ne peuvent être découvertes clairement qu'en y faisant face. Recouvertes de petites plaques de marbre rondes incrustées de chiffres et de signes celles-ci s'enclenchent facilement à la moindre pression du doigt. Une mallette de métal blanc d'environ un pied de longueur permet d'activer cette calculatrice indispensable pour un commerce.

Mu par il ne saurait dire quoi, Henri se retourne et... Camille qui désirait parler à cet homme qu'elle a tant aimé s'en est approché à pas de chat.

– Salut Henri, ça va ? demande-t-elle en déployant tout son charme.

Sous le choc, il ne répond pas, se contentant d'un signe de la tête à la vue de cette femme dont le qualificatif idéal pour la décrire est « séduisante ».

– Tu as l'air tout surpris que je t'aborde.

– Heu... ouais... un peu.

Puis il reprend ses esprits, et lui dit :

– Toi, ça a l'air à bien aller... En jetant un regard sur la jeune fille maintenant aux côtés de cette dernière, il dit :

– ... ta fille, presque ta jumelle, à part la grandeur.

Toute souriante, Camille continue à dévisager son ancien amoureux et de sa voix doucereuse qui laisse deviner son bien-être :

– C'est bien ça... et toi, là-bas, c'est ta femme et ton fils. Je les ai déjà remarqués à l'église, surtout ton fils dont tout le monde parle tant.

Sans gêne, comme pour provoquer une réaction chez cet homme dont elle se souvient des interminables baisers, elle ajoute :

– Ma fille Éliane semble, elle aussi, bien l'apprécier. D'ailleurs, il te ressemble beaucoup, autant que ma fille peut me ressembler.

– Ah ça, c'est de la bonne souche, relance en souriant Henri de plus en plus à l'aise.

Tranquillement, comme une louve qui a réalisé que son territoire a été envahi, Flora arrive à la hauteur de son mari et, sans avertissement, d'un ton qui ne peut que le ramener sur terre :

– Henri, tu me présentes à madame ?

Retrouvant toutes ses facultés, celui-ci s'exécute :

– Flora, mon épouse... Camille Desmeules, l'épouse de notre voisin et sa fille...

– Éliane, madame Desbiens, s'exclame gaiement la jeune fille aux cheveux noirs et aux yeux bleus.

Percevant de la tension chez Flora, Camille veut la rassurer

– Je connais Henri depuis longtemps. Nous avons été à la même école... mon père avait une ferme voisine de la vôtre... de l'autre côté de la rivière !

– Camille a toujours été proche de mes deux sœurs Marie et Marguerite, précise Henri.

– Ah! Ça, c'était le bon vieux temps. Même si j'étais plus jeune qu'elles, elles ne me lâchaient jamais. Ça fait bien longtemps que je ne les ai pas vues.

L'effet bénéfique de ces quelques mots se fait sentir. Flora, tantôt agressive et irritable, laisse maintenant aller un sourire.

À l'autre bout de la pièce, William aide son oncle Edgard à compléter la commande. Il jette de temps à autre un regard sur l'attroupement. Que peuvent-ils bien se dire ? Il a hâte de les rejoindre, surtout de voir de proche son bel amour. Plusieurs mois se sont écoulés depuis la dernière rencontre dans leur lieu secret. Avec le beau temps qui s'installe, il pourra reprendre ses promenades du dimanche. Un seul mot d'Éliane et il accourera...

– Ça y est, je crois que c'est complet. Tu peux amener la boîte au comptoir pour que je vérifie le tout.

Promptement, William saisit le carton et son contenu et rejoint le groupe.

– Ha ! te voilà, lui dit sa mère, tout est prêt ?

– Presque, il reste à mon oncle à vérifier.

Fière de son garçon, Flora tient à le présenter à cette dame qui n'est pas sans intérêt. Saisissant William par le bras, elle le ramène près d'elle et d'un ton solennel :

– Madame, voici mon fils William, l'aîné de la famille.

Camille tend la main au jeune homme qui l'accepte spontanément. Les yeux brillants, elle enchaîne :

– Je suis bien contente de vous connaître, ma fille Éliane ne dit que du bien de vous. Vous vous connaissez, je crois... par l'intermédiaire de son amie, Estelle.

Sûr de lui et ne voulant pas manquer cette occasion de plaire à la dame, William répond :

– C'est bien ça. J'ai connu votre fille à la gare.

Prenant la main gauche d'Éliane dans la sienne, Camille, fixe William :

– C'est fort la vie, j'ai connu votre père toute jeune. Voilà qu'il part sans dire un seul mot à personne et vous, l'une de vos premières connaissances à votre arrivée, c'est ma fille...

Puis s'adressant à Flora, elle lui demande :

– Est-ce que vous aimez ça le coin, vous qui êtes native de la grande ville ?

– J'adore, surtout depuis qu'on a les mêmes commodités qu'en ville. En plus, c'est tranquille...

– Henri, ta commande est prête, avertit Edgard qui, sans le vouloir, sonne la fin de la conversation.

«Cette dame et sa fille ont sûrement fait des efforts pour être courtoises», pense en elle-même Flora. Ne viennent-elles pas de la famille du grand ennemi des Desbiens! Mettant un terme à ses réflexions, elle s'avance vers Camille et lui tend la main:

– Je suis bien contente d'avoir fait votre connaissance. Si jamais vous avez besoin, nous sommes là.

Camille accepte la main, la serre et d'un ton amical, lui dit:

– Merci à vous trois d'avoir accepté de nous parler. Cela me fait chaud au cœur. Avant de vous quitter, sachez que toute notre famille est redevable devant la vôtre et surtout envers William pour avoir sauvé la vie de mon fils Gaston.

Elle rend la main à Flora et ajoute:

– Au revoir, Henri, et merci encore William pour Gaston.

Elle se dirige aussitôt vers le comptoir où l'attend Edgard. Suivant l'élan de sa mère, Éliane, dont le teint blanchâtre a rosi à différents moments de la conversation, salue timidement d'un signe de tête Henri et Flora en leur disant:

– William m'avait dit que vous étiez des gens aimables. Il avait raison. Au revoir madame, monsieur.

Puis, lentement, elle se tourne vers William, s'approche de lui et lui chuchote:

– Peut-être nous verrons nous dimanche à la même place...

Des yeux pétillants, des sourires pointant aux extrémités des lèvres et de rapides clins d'œil scellent l'entente.

Marchant derrière sa mère et son père, William quitte la place. Rapidement, ils passent à la forge et, après avoir repris possession du boulonnais chaussé en neuf, ils se dirigent vers le bureau du notaire.

Trois heures: Henri est à l'heure. Accompagné de Flora, il entre dans la maison du notaire pendant que William, debout à côté de la calèche, les attend. Une bonne dose de nervosité envahit Henri qui se dit en lui-même: «Un si gros contrat a de quoi faire l'envie de bien du monde, il n'en a jamais signé! Ses pins, le voisin a beau en abattre et en abattre, ce qu'il va signer en consentant à céder un coin de terre à Jos Dufour pour établir une scierie va rapporter plus qu'il ne faut pour assurer une vie agréable à toute sa famille. Ouais! de quoi rendre fou le mari de Camille...».

Dehors, en attendant le retour de ses parents, William flotte entre ciel et terre. Un espèce de demi-rêve qui peut se confondre avec l'état de grâce, où la créativité envahit l'esprit et le cœur. Il rêve éveillé à sa rencontre du lendemain avec sa douce Éliane, à ses baisers si voluptueux, à ses courbes si gracieuses...

.:.

À quelques milles de là, Raphaël Dominique sirote un café. Parti au début de l'hiver, le voilà de retour avant la date prévue.

La petite maison annexée à l'étable l'attendait toute propre, vide de poussière sur les meubles, le lit ensaché, la vaisselle rangée, le poêle noirci d'un enduit adroitement frotté. Il fait bon travailler pour la famille Desbiens. Des gens que ses dieux aiment et qu'il faut protéger, particulièrement celui qui sait et possède le don des anciens!

Pensif devant son café, Raphaël réfléchit sur son dernier appel des forces de la scapulomancie. «Beaucoup de bon temps pour la famille Desbiens, un juste retour du balancier de la grande roue de la vie, mais quelques difficultés pour William...»

Ouais, il est là pour l'aider si les dieux le permettent!

.:.

Un mois, jour pour jour, passé Pâques, six mois suivant sa fameuse envolée, Joseph Lampion ferme pour la dernière fois la porte du presbytère où dix ans de sa vie se sont écoulés. Vingt-quatre heures auparavant, il ouvrait l'enveloppe beige déposée par la ménagère sur son bureau. Cette lettre de la main même de l'évêque lui ordonnait de se présenter dans les deux jours suivant sa réception au séminaire de Chicoutimi, sa nouvelle affectation.

Ébranlé sur le coup, il a rapidement retrouvé son aplomb et s'est empressé de communiquer avec son paroissien le plus fidèle.

Le téléphone, cette nouveauté au Canton, quelle merveilleuse invention: plus besoin de se déplacer. Une sonnerie et le voilà déjà en communication avec la répartitrice.

– Bonjour, monsieur le curé, vous voulez parler à qui?, demanda Armande Lespérance.

– Théodore Therrien.

– Un instant, c'est le 37. O.K., vous pouvez parler.

« Il ne reviendra que dans deux jours, répondit Camille. Voulez-vous qu'il vous rappelle? »

Laisser faire! Quelle déveine! Peut-être que le maire... À bien y penser, cela ne servira à rien. Ce maire n'est qu'un imbécile qui n'influence surtout pas l'évêque. Réfléchir, raisonner rapidement, songer à une idée, trouver des alliés. Les marguilliers, les chevaliers de Colomb, les dames de Sainte-Anne, le vieux médecin, de biens bonnes gens mais pas très influents. Restent les Gobeil, mais comment recevoir de l'aide de leur part? En prenant le bord de Théodore, il s'en est fait des ennemis à jamais. Et pourquoi pas le vicaire? Celui-ci pourrait sûrement dire de bonnes choses sur son compte à l'évêque. Oui, mais... Cela lui revient en mémoire, lui aussi a reçu une lettre de l'évêque. Soudain, une immense fatigue gagne tout son être. Abattu, pris au dépourvu par la rapidité des événements, il se lève et va directement à la cuisine où il sait qu'il peut toujours retrouver son insignifiante ménagère. Le dos courbé par le poids de la morosité, sur un ton qui se veut à la fois autoritaire et mélancolique:

– Je pars demain matin. Préparez une valise avec mes affaires personnelles et mettez le reste à l'intérieur de la grande malle noire que vous trouverez au grenier. S'il vous manque d'espace, servez-vous des boîtes de carton.

– Vous partez?, s'exclame la cuisinière, sous le choc, les deux bras pendant sur les côtés et le visage décomposé.

– Ouais... c'est un ordre de l'évêque, n'est-il pas le patron?, répond le vieux curé sur un ton sarcastique.

– Qui va prendre votre place?

Empressé, il lui répond, tout en la fixant de ses yeux noirs comme un commandant le ferait avec son sergent;

– Je ne le sais pas.

Et il ajoute;

– Avertissez le bedeau d'être là dès neuf heures demain. Il me conduira à Chicoutimi avec mes bagages.

Que lui reproche donc l'évêque pour lui donner l'ordre de partir si vite? Que diront les gens du Canton lorsque la nouvelle lancée par la ménagère sera connue de tous? Qui le remplacera?

Au deuxième étage du presbytère, agenouillé sur un prie-Dieu en bois de pin, Daniel Couture réfléchit sur les événements des dernières heures. Après sa messe de sept heures, il a tout de suite gagné sa chambre afin d'éviter toute discussion avec le curé Lampion. Il valait mieux le laisser digérer seul les ordres de l'évêque!

Daniel déjeunera plus tard. La lettre de l'évêque en main lui indique clairement: «poste de curé du Canton dès le départ de...».

Il essaie de comprendre; «curé au Lac-Saint-Jean, nommé vicaire du Canton l'année dernière, aujourd'hui de nouveau curé, que s'est-il donc passé dans la tête de l'évêque?»

Mais en homme de devoir et de service qu'il est, il ne cherche pas plus loin; connaissant l'évêque, il réalise rapidement qu'une page de la paroisse du Canton vient de se tourner pour toujours.

La lettre mentionnait deux jours. Livrée le lundi, dès le mercredi matin, Joseph Lampion quitte pendant que la nouvelle de son départ circule, non sans semer une certaine joie chez la gent féminine. Dès le lendemain, la vague des rumeurs annonce que le vicaire obtient la cure du Canton.

∴

Dans le rang 5, chez les Therrien, la nouvelle rend songeur. Singulièrement, Théodore n'émet aucun commentaire bien qu'il vienne de perdre un ami dévoué. Pensif, il se dit: « Voilà une décision de l'évêque difficile pour ne pas dire impossible à renverser... Je connais trop bien la façon de procéder... pour savoir qu'il est trop tard pour intervenir. Si j'avais su auparavant! Oui, une page vient de se tourner. Maintenant, comment composer avec ce jeune et insipide vicaire qui fraye avec les Desbiens ? »

∴

Le maire, Cyrille Gervais, fidèle compagnon de Simone depuis plus de vingt ans, est troublé. Dans sa maison, comme à l'extérieur, l'ordre règne. En effet, chaque objet, meuble, vêtement, serviette, tout a sa place précise et rien ne peut ou ne doit être dérangé sous peine de se voir pointé du doigt. Qui aurait pu prédire un tel événement? Un grand vide entoure la réponse, mais une chose est claire pour Cyrille, son administration vient de perdre l'un de ses plus fidèles propagandistes, et ce, même si à l'occasion, ce dernier démontrait une certaine réserve.

∴

À la forge de Samuel Girard, le travail ne manque pas en cette période préparatoire aux futurs travaux de culture des champs. Réparation de voitures, de charrettes, de râteaux, de charrues, ferrage de chevaux venant de partout dans le Canton; on veut faire affaire avec ce spécialiste qui a fait son nom. L'annonce du départ précipité du vieux curé Lampion suscite de nombreux commentaires... de quoi écrire un bon recueil! Mais il y a une phrase qui revient très souvent: «Il a fait son temps, un plus jeune fera mieux l'affaire. »

Au milieu de tout ce brouhaha, le cordonnier Albérick Couture et son épouse Lucie ne font ou ne disent rien qui pourrait trahir leur sentiment. Le soir venu, dans leur petite maison, à l'abri de tout regard indiscret, ils saluent la grâce de Dieu par son évêque en levant un petit verre de brandy, boisson favorite de leur fils.

13

Lettre et songe

– Wil, je t'aime... tout mon corps papillonne à ton contact.

– Mon amour, tu es si belle... avec cet hiver blanc qui n'en finissait plus, je croyais que l'on ne se verrait jamais. J'avais tellement hâte au retour de nos dimanches ensoleillés.

– Tout comme moi!

Les deux jeunes gens tombent dans la paille et, là, tout doucement, commencent l'intense cérémonie de l'amour fou à l'intérieur de ce nid qui n'existe que pour eux.

Pendant ce temps, dans le salon d'Henri Desbiens, confortablement installé dans le grand sofa, un visiteur de marque discute avec lui.

– Comme convenu voici le solde de notre transaction. On avait bien dit cinq mille dollars à la signature et un autre cinq mille dans les dix jours suivants. Dans la soirée d'hier le notaire m'a prévenu de votre signature et je me suis dit pourquoi pas passer voir monsieur Desbiens demain.

Homme d'une droiture exemplaire, Jos Dufour n'a pas coutume de manquer à sa parole, même si cela peut lui causer des ennuis. En contrepartie, il exige un comportement identique de ses partenaires. Il se souvient du voisin des Desbiens, un homme sans scrupule, malhonnête et particulièrement rancunier envers ces mêmes Desbiens.

«Ne faites jamais affaire avec ces emmerdeurs de Desbiens qui croient que tout leur appartient.» Ce sont presque mot pour mot, les paroles que Théodore Therrien lui avait lancées quelques jours avant que la transaction visant la cession du moulin à scie ne tombe à l'eau, faisant perdre du coup plusieurs milliers de dollars à Jos.

– Vous connaissez bien votre voisin?, demande-t-il à Henri.

– Pas particulièrement. Mon père et mon grand-père, oui! Mais moi, je reviens après plus de vingt ans et mes relations avec cet homme sont rarissimes pour ne pas dire inexistantes. Question d'histoire de famille, vous savez!

– Ouais, j'ai moi-même eu l'occasion de faire des affaires avec lui et, croyez-moi, vous ne perdez pas grand-chose. Passons! En voilà déjà trop dit à son sujet, si on revenait à notre entente...

– O.K., répond Henri qui ne trouve pas grand intérêt lui non plus à parler des Therrien.

– Je veux m'assurer que vous avez bien compris qu'avec ce paiement s'ajoute une clause stipulant que, dans le cas où le moulin devrait cesser ses activités pour une période continue de cinq ans, le terrain et tout ce qui s'y trouve vous reviendra de plein droit. En retour, vous n'aurez qu'à débourser la somme de deux mille dollars.

– C'est bien cela que j'ai compris et je vous trouve très généreux.

Sur ce propos, l'homme porte sa main droite à l'intérieur de son complet noir rayé d'une mince ligne grise qui accentue la grandeur de celui qui le porte et, comme un magicien, en ressort deux gros cigares qu'il tend à Henri.

– Il faut fêter cela, prenez-en un et, à la manière de nos ancêtres, scellons notre entente en tirant une bouffée...

Henri saisit l'un des gros cigares qui fait au moins huit pouces de long sur un de diamètre et le pose sur la table devant le sofa. Il se lève, va vers l'armoire de vitre et présente à son généreux visiteur une bouteille de rhum encore bouchonnée.

– Nos ancêtres ne se limitaient pas à la fumée, ils accompagnaient le tout d'une bonne dose de liqueur de vie. Vous en prenez?

– Certainement, rien de mieux pour accompagner notre cigare et, en passant, ne pensez pas que j'ai été généreux avec votre famille. Sachez que l'on doit beaucoup à nos ancêtres et les vôtres ne sont pas exclus.

Les deux verres remplis à ras bord sont portés haut et au salut, les deux hommes se comportant comme s'ils se connaissaient depuis très longtemps trinquent à leur entente.

.˙.

Dans la majestueuse maison, où règne un calme tout dominical, Camille et son fils Jacques s'abandonnent à une petite sieste en ce dimanche ensoleillé de mai.

La première est dans son lit tandis que le deuxième, la tête en ballant, le cou cassé sur le devant, le tronc et le fessier campés en angle suivant l'appui, les jambes fermées en ciseau à la hauteur des pieds, se contente d'un simple fauteuil.

Tic tac, tic tac, tic tac, deux heures viennent de sonner quand zing, zing, zing, zing, zing, zing...

— Maudit appareil! On ne peut jamais avoir la paix, grogne Jacques qui se lève pour répondre.

La sonnerie de l'appareil lâche encore plusieurs zing, zing, zing, avant qu'il ne soulève l'écouteur, colle sa bouche sur le haut-parleur de l'appareil et dit d'une voix qui laisse paraître sa mauvaise humeur

— Ouais...

— Bonjour, ici, Simone l'épouse du maire.

— Icitte, Jacques Therrien, vous voulez?

— Je voudrais parler à Théodore. Il est là?

— Non, il ne sera de retour qu'en fin de journée. Il est parti visiter sa sœur à Chicoutimi avec mes grands parents, mon frère et ma sœur.

— Ouais, je voulais lui parler, j'ai un colis pour lui... peut-être...

— Je vais mener Éliane chez vous ce soir, je pourrais le prendre pour lui remettre.

— Je sais pas, j'aurais préféré lui parler auparavant.

— C'est comme vous voulez, madame Simone, moi, je disais ça pour vous rendre service.

– Tu es bien gentil mais... Écoute, je finis de préparer le colis et tu le remettras à ton père, mais n'oublie pas de lui dire que ça vient de moi.

– Pas de problème, madame la mairesse. Comptez sur moi !

– À ce soir, mon garçon.

– À ce soir !

Jacques remet l'écouteur sur son support tout en se faisant la réflexion suivante : « Encore une histoire de politique... » Pour ne plus être dérangé, il gagne sa chambre.

∴

Enlacés, Éliane et William savourent les derniers moments de leur rencontre. Ce temps de retrouvaille si longtemps attendu est encore trop court pour eux. Un après-midi par semaine pour un amour aussi intense que le leur, c'est un peu comme un seul repas par semaine pour un gourmand.

Son corps blanchâtre allongé sur son amoureux, Éliane glisse sa langue entre les lèvres charnues de William qui promène lentement ses mains sur la peau douce et lisse de son dos.

– Hum ! Hum !, murmure Éliane tout en enfonçant plus profondément sa langue qui s'enchaîne à celle du jeune homme.

Stimulé par tant de vigueur de sa compagne, William sent tout son corps se durcir et ne peut s'empêcher de l'inviter une autre fois à la valse de l'amour.

– Encore une dernière fois, mon amour...

– Oui, je t'aime tant, mon beau Wil...

Les ébats des deux jeunes amoureux s'éternisent au gré d'un jeu qui stimule les sens et les attentes, mais toute bonne chose a une fin. Fatigués, la sueur coulant sur leurs corps chauds, ils attendent en silence le retour du battement habituel et continu de leur cœur.

La tête sur le torse du jeune homme, Éliane encore toute frissonnante du dernier ébat lui dit;

– C'était délicieux, comme je t'aime. Je voudrais que jamais ça ne finisse. Toi?

– C'est pareil... tu es l'amour de ma vie et rien ne peut exister sans toi.

La jeune fille soulève la tête, décroche un large sourire en direction de William qui le lui renvoie et repose doucement celle-ci balayant le torse du jeune homme de sa longue et épaisse chevelure noire.

– Wil, je pense qu'il va falloir être plus prudent.

– Tu crois?

– J'en suis sûr. Déjà que ma mère se doute de notre relation et que mon père n'arrête jamais de faire pression sur elle; on ne sait jamais, elle pourrait s'échapper!

– J'ai confiance, elle ne parlera pas. Ta mère t'aime!

– Je n'en doute pas, mais il y a une chose qui me trouble et que je ne t'ai pas encore dite.

Sensible aux propos d'Éliane, William ne bronche pas. En compagnon fidèle, il remonte ses mains sur ses épaules et attend la suite.

– Tu sais, Wil, que j'aime écrire. Après les fêtes de Noël et du jour de l'An, j'ai commencé mon projet de recueil de lettres d'une amoureuse à son amoureux. J'en ai déjà plus d'une douzaine d'écrites. Imagine-toi que la semaine dernière, je me suis aperçue qu'il manquait la dernière lettre que j'ai composée. Je l'ai peut-être égarée, mais cela m'étonnerait car je les dépose toutes dans une boîte sous mon lit chez les Poitras. C'est impossible que je l'aie perdue! Wil... après mûre réflexion, j'en suis arrivée à la conclusion que quelqu'un espionne ce que je fais. Qu'est-ce que tu en penses?

– C'est possible! Tu sais Éliane que ça fait déjà un bon bout de temps que l'on se rencontre en cachette; il se peut bien que l'on nous ait vus et que l'on nous surveille secrètement. Tu as raison, il faudrait faire plus attention.

Sans s'en douter, William et Éliane viennent de découvrir une partie de la vérité. Oui, une partie seulement, car si en effet il y a quelqu'un qui cherche à tout savoir, un dévoué protecteur accompagne en silence les deux amoureux...

∴

Éclair, jadis un élégant trotteur, démontrait depuis le début du printemps les signes de son âge. Après quinze ans, un trotteur de cette trempe demande beaucoup plus d'être laissé au champ qu'à tirer une calèche. «Il a gagné ses galons», disent les vieux du Canton, ce que son propriétaire, avec son caractère et sa façon de penser, conteste. En effet, pour lui un cheval reste un cheval et même si Éclair revendique son statut de pur-sang, il doit répondre aux exigences de ses maîtres.

L'aller-retour pour amener Éliane à sa pension chez le maire s'est effectué à demi-trot afin de ne pas trop fatiguer le cheval qui, pourtant l'année dernière, pressait continuellement le pas tout au long de ce trajet.

Aussitôt le trotteur et la calèche garés dans l'étable, Jacques monte directement à sa chambre prétextant qu'il veut se coucher tôt en vue de la dure journée du lendemain.

Étalé de tout son long, ventre caressant le matelas, les deux pieds pendant sur le bord, lentement, avec une attention que l'on ne lui soupçonne pas, il réussit à lever sans le briser, le rabat de l'enveloppe que lui a confiée Simone. D'un mouvement brusque, il la secoue vidant devant lui son contenu: une feuille blanche pliée et une enveloppe d'un jaune qui ne lui plaît guère.

Délicatement, Jacques déplie la feuille et constate que la mairesse a écrit un petit mot à l'intention de son père.

Le 17 mai 1925

Monsieur Théodore Therrien,
Vous trouverez ci-joint une lettre que j'ai par hasard
trouvée sur le parquet de ma cuisine. Ne sachant à qui

elle s'adressait, je me suis permise de lire son contenu qui m'a quelque peu étonnée constatant que celle-ci provenait de la main de votre fille.

Me considérant comme une gardienne du comportement de ma pensionnaire, j'ai cru bon de vous remettre cette lettre.

Votre toute dévouée
Simone Poitras

Jacques sait maintenant que cela concerne Éliane, sa jeune sœur, la protégée de sa mère, l'instruite de la famille et, surtout, l'insolente qui se permet de répliquer à tout. Sans attendre, il saisit l'enveloppe et remarque qu'elle s'ouvre sans poser de résistance, l'encollage sur le rabat n'étant pas appliqué. Deux feuilles du même jaune que l'enveloppe s'y trouvent qu'il s'empresse de sortir et de déployer. Rédigées à l'encre bleue, les mots sont clairement formés laissant présager que la personne qui a composé cet écrit possède une bonne formation.

Dieu comme il anticipe le pouvoir de connaître le contenu de cette lettre qui, curieusement, ne porte le nom d'aucun destinataire. Peut-être qu'à l'intérieur, en lisant attentivement...

Mon amour, seule dans mon abri transformé en cellule, je pense à toi, à ce premier jour où pour la première fois j'ai pu lire dans la profondeur de tes yeux noirs.

Quel est donc ce beau rêve que d'être à tes côtés, dans ce doux lit de paille et de connaître tes suaves baisers ? Je t'aime d'un amour qui me rend folle de liberté, de devenir... Oui, je suis en devenir, avec mes dix-huit ans, je bâtis tout doucement ce qui sera moi. La beauté de mon âge est que d'une journée à l'autre, je ne suis pas la même, cherchant le bonheur dans tout ce que je fais, voulant profiter de cette vie sur terre pour grandir et m'épanouir de façon constante.

Mais, aujourd'hui, je sais une chose, c'est que je t'aime et qu'à regarder dans tes yeux si profonds, j'y perds la mémoire du quotidien. Avec toi à mes côtés, je sais que je peux, que je suis en mesure de défendre mon bonheur d'une manière presque sauvage et que tout ce qui est négatif et peut mettre notre bonheur en péril, je ne peux le tolérer.

Je suis amoureuse de tes yeux qui chantent l'amour dans la grandeur des champs et du ciel bleu. Je suis amoureuse de l'AMOUR, je suis amoureuse de TOI, de tes mains qui me caressent, de tes bras et de tes jambes qui m'enlacent, de ta langue qui me transporte, de TOI aux yeux si grands qui me disent que TOI aussi tu aimes l'AMOUR dans un vice versa qui embaume tout notre univers.

Mon amour aux si beaux yeux qui ouvrent la porte du bonheur à tous ceux qui savent y lire ; je rêve d'être toujours à tes côtés, de t'apporter bonheur et joie de vivre. Oui, je veux vivre avec TOI cette vie qui m'a été donnée, voir une multitude de paysages différents et rencontrer ce Dieu qui permet que j'aime, que tu aimes, que l'on s'aime.

La première réaction de Jacques est de relire la lettre à la recherche de quelques indices qui lui permettraient de reconnaître à qui ce cri du cœur est destiné. Non, rien, même pas de signature, pas un seul indice.

Scrutant chacun des mots, Jacques en arrive à conclure que sûrement, le couple qu'il a entrevu l'automne dernier dans les champs était sa sœur avec son amoureux.

Tout en se mordillant la lèvre supérieure en signe de victoire à la pensée qu'il vient peut-être de découvrir une partie du secret d'Éliane, Jacques se dit en lui-même : « Il me suffit maintenant de trouver l'homme aux yeux noirs. Mais encore faut-il savoir où le chercher ! »

Remisant le tout dans l'enveloppe de madame Simone, Jacques, d'un mouvement de langue, humidifie la colle du rabat et la scelle. Puis, il descend au salon dans l'espoir de trouver son père qui, comme chaque dimanche soir, somnole dans sa chaise berceuse.

Ressentant une pression sur son bras droit, Théodore ouvre les yeux et aperçoit son aîné qui lui dit :

– Papa, je dépose sur la petite table une lettre que m'a remise pour toi madame la mairesse.

– Ouais, ça ne pouvait pas attendre, répond Théodore en maugréant.

– Eh bien, j'avais promis de te la remettre aussitôt arrivé.

– Bon, ça va...

Et sur ce, Jacques remonte dans sa chambre.

Encore tout endormi Théodore agrippe avec ses gros doigts l'enveloppe et il l'ouvre aussitôt... Il lit la lettre de la mairesse d'un seul trait ainsi que les feuilles manuscrites de l'enveloppe jaune, puis il dépose les documents sur la petite table et se rendort.

.·.

La classe du matin terminée, bien emmitouflée dans son manteau de coton qui la protège de cette froide journée de printemps, Éliane se dirige vers sa pension lorsqu'elle aperçoit au loin une silhouette familière.

Estelle, la gracieuse fille aux longs cheveux châtains, s'empresse de la rejoindre.

– Salut, comme je suis contente de ne pas te manquer... je ne voulais pas aller chez la vieille commère, annonce cette dernière en adaptant son pas à celui d'Éliane beaucoup plus lent.

– Mais qu'est-ce qui se passe?, demande Éliane toute étonnée de voir sa copine si excitée.

– Ça ne va pas, non pas du tout. Imagine-toi que ce matin à la gare, ça colportait sur toi et un supposé amoureux.

– Comment ça?, s'étonne Éliane qui s'immobilise et dont la blancheur de la peau ne permet pas de voir toute l'ampleur des effets de cette nouvelle.

– Tu connais le vieux soûlon Roland Bouchard, que tout le monde surnomme le fouineur. Ce matin, à la gare, il répétait à tout le monde qu'il t'avait vue dans les champs hier après midi avec un gars et que vous aviez l'air de ne pas trop vous ennuyer!

– Est-ce qu'il a dit de qui il s'agissait?

– Je ne crois pas.

– Ouais, ce n'est pas drôle du tout; moi qui faisais si attention! Avec ce vieux qui ne se mêle pas de ses affaires, ça ne tardera pas à venir aux oreilles de mon père et...

Estelle ne laisse pas sa copine aller plus loin; elle enclenche sur un ton plutôt directif:

– Écoute ce que j'ai pensé faire... Tu n'auras qu'à me dire si tu es d'accord. C'est connu que le vieux Bouchard est un soûlon. Il peut s'être trompé! Si... si je partais la rumeur qu'il était en boisson et que c'est moi qui étais avec toi dans les champs hier après-midi à la recherche de plantes pour ta classe.

– Pas mauvais comme idée, d'ailleurs, j'ai un peu de botanique à enseigner à ma classe. Ouais, ça peut marcher tu crois?

– Eh bien, ça a déjà marché, c'est ce que j'ai fait ce matin et tous ceux qui étaient à la gare ont bien ri du bonhomme...

– Ah! toi, je t'aime, je t'aime... tu es une vraie sœur pour moi, s'exclame Éliane en sautant au cou de son amie.

Satisfaite que son idée plaise mais tout de même soucieuse, Estelle murmure à son oreille:

– Éliane, sois prudente, rien ne me dit que tout ira et que les propos du vieux ne porteront pas.

Elle marque une pause, puis la regarde droit dans les yeux et ajoute:

– ... l'amour nous fait faire des choses que l'on peut parfois regretter et dans ton cas... tu connais déjà ton histoire de famille avec les Desbiens!

Utilisant des mots comparables à ceux qu'elle a utilisés dans sa dernière lettre, Éliane répond:

– Rien, non, rien ne m'empêchera d'aimer l'homme que je veux. Toutes les montagnes, les embûches, je saurai les surmonter. Moi, j'ai le goût d'aimer!

Main dans la main, souriantes, les deux jeunes filles marchent en direction de la pension.

– Et toi, Estelle, comment ça va avec ton beau Benjamin?

323

– J'en ai parlé à mon père. Samedi, il devrait venir veiller...

. •

Si la veille, Théodore n'a pas réagi à la lecture des documents remis par Jacques, ce n'était que pour mieux rebondir le lendemain.

Ayant patiemment attendu le départ de ses fils et de ses parents, il se retrouve seul à la table à manger avec Camille. Celle-ci sait depuis la matinée que son mari a quelque chose sur le cœur. Il n'a pas dit un seul mot au déjeuner et pas plus au dîner. En bonne actrice qu'elle peut être, elle joue le jeu et espère résolument qu'il enclenche le sujet.

Camille n'a pas à attendre longtemps; aussitôt seul avec celle-ci, son bol de thé à la main, Théodore lance la conversation en utilisant son ton des mauvais jours.

– Savais-tu que ta fille est en amour?

– Éliane! Non!

– Eh bien, maintenant tu le sais!

– Voyons, elle nous en aurait parlé ou au pire on s'en serait aperçu, reprend Camille en espérant ramener son mari sur une autre voie.

– N'essaie pas de noyer le poisson, j'ai assez de preuves pour croire qu'elle nous cache quelque chose.

– Comment des preuves?, demande-t-elle en cherchant à connaître la source d'information de Théodore.

– Ça, ce sont mes affaires. Moi, je te dis que ta fille s'imagine être amoureuse, comme le font toujours les femmes et qu'elle ne possède plus toute sa tête. D'ailleurs, je me demande si elle en a déjà eu une... toujours à me contredire, à s'enflammer au moindre propos qui ne fait pas son affaire.

Sentant que la discussion prend un tournant qu'elle ne pourra contrôler, Camille se lève et commence à desservir la table, portant assiettes, tasses et ustensiles sur le comptoir pour les nettoyer. Son impuissance face à ce mari si dominant, si intransigeant, si revêche, l'empêche de s'affirmer et de défendre sa fille.

Théodore remarque que ses coups viennent de porter : sa femme plie encore bien qu'à l'occasion elle essaie de réagir, comme dans les premières années de son mariage, mais...

Il porte à ses lèvres sa tasse de thé, ingurgite une dernière lame de ce liquide qui lui plaît tant et qu'il considère comme un stimulateur de pensée avant de se racler la gorge et de rugir :

– Ouais, on va voir ça en fin de semaine ces amours-là !

Et chapeau à la main, il se dirige tranquillement vers la porte sentant qu'il est le vrai maître des lieux, une sensation indescriptible pour lui.

∴

Très haut, très haut, il arrive presque à toucher les nuages qui meublent le grand ciel bleu, encore un petit effort et il les touchera, les traversera. Un coup d'ailes et, voilà, il pénètre dans l'univers inconnu de la blanche robe d'un nuage, dans cette enveloppe moutonneuse qui, de loin, semble clairement définie mais qui en réalité, n'est que blancheur inconstante, que légèreté en suspension. Quelle merveilleuse sensation de connaître enfin ce haut lieu et de voir qu'il n'est en soi qu'espace inoccupé qui ne demande qu'à se laisser habiter en exigeant comme redevance du visiteur son acceptation de repartir avec un volume d'eau équivalent à son propre poids.

Grand duc que je suis, ma force me permet d'accepter cette redevance sans contrariété ! Je voltige, voltige, entrant, sortant... entrant, sortant... entrant... dans cet amas de blancheur, croyant respecter ce lieu, ce territoire, ce qui n'est évidemment pas le cas, car pénétrant plus profondément dans cette immense blancheur, je constate un grand changement.

Désagréable sensation de ressentir que ce qui pesait cinq livres en pèse maintenant dix livres, et ce, en l'espace d'un ou de deux coups d'ailes. Lourdeur, fatigue, lourdeur... abattement... je tombe, je... tombe, tombe!

Sans tarder, il me faut réagir rapidement et je me dis qu'avec un coup d'ailes, peut-être redeviendrai-je le grand duc que je suis. Je sort de la blancheur et...

Mais, non, non, n... peut-être que si... un autre coup, un autre et... oui, oui, enfin le miracle se réalise, tel l'enfant qui éclate en sanglots et rit dans la minute qui suit, j'ai retrouvé mon poids. Sèches sont mes ailes et maintenant tout mon corps flotte dans le ciel poussé par cet air qui m'entraîne vers je ne sais où.

Mes yeux de grand duc ouverts, moi, William Desbiens, je vole, vole, flotte au-dessus des montagnes recouvertes de cônes verdâtres. Curieusement, avec une rapidité étonnante, la clarté du jour s'éteint dans une étendue d'eau pendant que je me permets de descendre tellement bas que les pointes de mes ailes touchent quasiment l'eau.

Long, long est ce grand lac me poussant presque à mes limites, encore fatigué du si fantastique voyage dans les amas de blancheur dispersés çà et là dans le ciel.

À ce moment se dessine dans le paysage l'ombre d'un ouvrage qui, à l'image de celle du castor, vise à retenir l'écoulement de l'eau. On les surnomment barrages ou écluses.

Un, deux coups d'ailes et me revoilà à une hauteur qui me permet d'éviter les moindres embûches qui pourraient fracasser l'une de mes aigrettes.

L'ouvrage a bonne mine, une fois terminé il paraîtra gigantesque avec ses nombreuses arches et ses déversoirs qui s'étendent sur plusieurs centaines de pieds.

Que de détermination cela exige pour dresser un tel chantier! Encore plusieurs mois de durs labeurs pour ces humanoïdes qui, à l'image des fourmis, s'activent en groupes à l'intérieur d'une danse où chaque mouvement des pieds, des mains et des têtes s'harmonisent au rythme de la nature et de l'objectif à atteindre.

Aussitôt l'ouvrage derrière, le ciel s'enveloppe du noir de la nuit, m'obligeant à accélérer mes battements si je veux rejoindre ma montagne et mes grands cônes. Un, deux, trois... un, deux, trois... un... mais... mais à ma gauche, c'est un... un feu!... Que de dangers dans les reflets de cette chaleur rouge, bleu, jaune... Vite un abri, vite... ma montagne est là, en face de moi, un coup d'aile, un deuxième... mais la curiosité me ronge: il me faut voir la couleur de ce feu de plus près. Je dégage à ma gauche et un, deux, trois, un, deux et il est là devant moi ce feu avec ses flammes assez hautes pour éclairer presque toutes les constructions qui dissimulent ces humanoïdes des regards indiscrets.

Prudemment, je survole le feu qui dévore le bois d'une petite maison d'humains et, lentement, en planant, je trace un cercle tout autour de la source de chaleur. Plusieurs mâles et femelles sont là immobiles comme fascinés. Je ferme mon cercle lorsque la sensibilité de mes oreilles entraîne mon regard vers l'ardent foyer.

Hurlant de douleur, criant à perdre haleine, un, deux, trois... huit humains se consument au gré des flammes qui pétillent en crachant de la neige noire.

.·.

Il est minuit et, semblable à l'éclair qui émerge des nuages, William sort de sa chambre, frappe aux portes des chambres de Benjamin et de son père en leur criant:

—   Vite, vite à l'étable j'ai besoin de vous autres.

Au pas de course, il gagne l'étable, réveille l'Indien et avec son aide attelle le boulonnais pendant que les deux autres les rejoignent.

«Un feu, un énorme feu», sont les seuls mots que prononce William qui, dès que ses compagnons sont montés dans la calèche, demande à Raphaël de lancer le boulonnais dans un galop qui ne lui est pas familier.

La noirceur de la nuit est profonde, pas de lune dans ce ciel étoilé de mai et devant, tout proche, le petit hameau. Le boulonnais passe devant la première maison pour se retrouver à l'autre bout du village sans qu'aucune flamme ne soit aperçue. Raphaël stoppe la monture, lui fait faire demi-tour et cette fois, lentement, très lentement, la calèche avance sur la principale et unique rue de la localité.

— Regardez attentivement, commande William aux autres.

Pendant que les quatre paires de yeux scrutent l'espace occupé, les lourdes pattes du boulonnais frappent le sol d'un mouvement régulier en laissant l'empreinte de ses sabots.

— Non, non, il n'y a rien de problématique par ici, murmure Benjamin à l'oreille de son frère.

— Attendons à la dernière maison, répond Henri.

Le presbytère, la nouvelle école, la gare, la maison du maire, le magasin général, le forgeron et...

— William, William, crie subitement Raphaël... là, regarde, regarde !

À la course, les quatre hommes grimpent l'escalier et, dans un mouvement commun, enfoncent la porte de la petite maison où dorment profondément l'ébéniste Léonard Lemieux, sa femme et ses six enfants. Dans la minute qui suit, tous sans exception sont devant la maison de bois qui se consume avec la rapidité d'un feu d'allumettes.

Appuyé sur une des roues de la calèche, fasciné par le brasier, Benjamin pose une main sur l'épaule de William et lui dit :

— Ouais, tu l'as vraiment ce don !

– *14* –

Colère et pensée

Aussi rapidement que la volée de l'angélus entre dans chacun des foyers du Canton, le dernier exploit de William capte les cœurs de ses habitants.

« Il est de la même souche que son grand-père Augustin. Il peut lire dans les pensées... Moi, je veux le voir. Il n'a qu'à toucher quelqu'un pour lui prédire son avenir. Les Desbiens ont toujours possédé ce don de clairvoyance. Il va toujours à la messe du dimanche. » Ces commentaires sont des créateurs de petite légendes qui deviennent grandes et témoignent bien de la renommée qu'a acquise le jeune homme.

Que ce soit le chef de gare, l'ébéniste et sa femme, le forgeron, tous ces gens comme des dizaines d'hommes, de femmes et d'enfants débordent de reconnaissance pour leur héros. Même le maire, le grand ami de l'homme qui déteste les Desbiens, a des propos élogieux envers ce jeune homme et ses compagnons qui ont sauvé huit personnes d'une mort atroce. Que peut-on dire devant un tel exploit, sinon remercier son auteur !

Bien que le Canton possède des limites, celles d'une nouvelle de cette ampleur sont difficilement définissables, si ce n'est de l'événement en lui-même et celles des gens eux-mêmes.

Tous les membres de la famille Therrien, excepté Éliane et Blanche, sont attablés pour se régaler de l'excellent repas cuisiné par Camille.

Aujourd'hui, l'heure a sonné pour Camille. Elle est bien résolue à ne pas laisser filer l'occasion de démontrer à sa famille que les Desbiens sont des êtres pleins de bonne volonté comme ils l'ont d'ailleurs exprimé en sauvant son fils. Aussi, elle lance le sujet :

– L'aîné des Desbiens fait parler de lui. On dit qu'il a sauvé au moins huit personnes.

– Encore lui, s'impatiente Théodore. Il vient faire quoi ce jeunot dans notre décor. Depuis son arrivée, tout le monde n'en a que pour lui, que pour ses exploits qui ne sont probablement que le concours des circonstances.

– Mais voyons, Théodore, lui et les siens sont partis en pleine nuit pour aller directement au village... Ce n'est pas comme pour le train ou notre fils, Gaston... Cette fois-ci, il y a plusieurs témoins; beaucoup de gens les ont vus! L'ébéniste jure que...

– Ouais! Impression, vision, magie, je m'en fous de tous ces gens qui croient à n'importe quoi. Moi, je ne veux rien savoir de cette bande de Desbiens et de leurs chimères. Pis toi qui fait partie de la famille, tu devrais faire comme tous nous autres icitte, la fermer!

Rabrouée une fois de plus par son bourreau de mari, Camille ne sait quoi répondre. Des années et des années de semonce l'ont habituée à baisser la tête, mais rassemblant son courage, elle regarde fixement son mari et, comme s'il était le seul présent, elle lui dit d'un ton qui ressurgit du fond de sa jeunesse :

– Là, j'en ai assez enduré! Tu as bien beau être le roi de cette maison remplie de vieux démons haineux, moi, j'en fais partie parce que l'on m'y a un jour obligée...

Camille qui a effacé de sa pensée la présence des autres, se lève de sa chaise et se met vis-à-vis de Théodore :

– Écoute une fois pour toutes, comme tu le dis si souvent. Moi, Camille Desmeules... Desmeules et non Therrien, je suis un être humain, avec des sentiments, des pensées, des idées... oui, mes propres idées... mes propres jugements... et plus jamais, non plus jamais, ni toi, ni aucun de ta famille ne me dira comment penser, comment réagir.

Ensuite, elle se tourne pour se diriger vers la sortie; elle ouvre la porte et lance :

– Vous ne me faites pas peur, non pas peur du tout. N'essayez jamais de me menacer! Je suis ici chez moi autant que vous tous. Sachez que si en me mariant, Théodore a acquis des droits de propriété sur les terres et les lots de notre famille, moi aussi, j'en ai acquis sur les vôtres... N'oubliez pas que je possède la moitié de tout ce que vous voyez autour de vous, terrains, bâtiments, animaux... un contrat de mariage en communauté de biens, c'est pour les deux et non pour un seul.

Camille ferme lourdement la porte derrière elle, dans un « paf » qui résonne aux quatre coins de la pièce. Puis, sans bruit, en silence et tel un groupe de religieux dans un monastère, chacun se lève et quitte cet espace pour rejoindre un lieu plus clément.

Seul dans le salon, Théodore reprend ses esprits. Consternation, étonnement et stupéfaction décrivent bien son état. Jamais il n'aurait cru possible un tel scénario. Camille, la douce, la fragile, la compréhensible, elle, oui elle, métamorphosée en diable, lui était apparue pour disparaître après l'avoir sérieusement éclopé. Ouais, peut-être vaudrait-il mieux l'éviter pour un certain temps ! Juste le temps de régler le cas de sa fille.

⁘

Il y a de ces rumeurs qui perdurent et d'autres qui s'éteignent aussi rapidement qu'elles naissent comme celle du soûlon Roland Bouchard concernant Éliane. À la défense de celui-ci, il faut mentionner que l'intervention spontanée d'Estelle jeta sur lui le discrédit. Comment croire un soûlon à la place d'une jolie et intelligente jeune fille ?

Malgré l'impossible, la rumeur de Roland Bouchard fit son bout de chemin auprès des mauvais garçons du Canton. Quelle satisfaction pour eux de savoir qu'une jolie fille pouvait jouer à des jeux défendus avec un garçon ! Qui d'entre eux à la vue de la plus belle fille du coin n'avait pas rêvé de baisers langoureux, de tendres caresses, de...

Mauvais garçon, Jacques peut en revendiquer le statut non en raison de ses fréquentations, de son travail, de son langage mais bien pour ses pensées et ses gestes de rancune. En vouloir à sa mère, à sa sœur, aux femmes en général jusqu'à en faire une maladie, voilà la grande malice de l'aîné de la famille Therrien. À l'image de son père et de son grand-père, la femme n'existe que pour satisfaire l'homme ; elle doit obéissance et respect à celui qui apporte nourriture, chaleur et confort.

Aussi, lorsque Camille monta le ton, la réflexion de Jacques ne porta pas tant sur le cas de William Desbiens que sur les paroles de sa mère concernant la propriété des terres. Elle venait de le blesser au plus profond de son être, de renforcer son esprit de réparation, de représailles envers tout ce qui porte le jupon.

À la recherche d'une revanche qui pourrait le satisfaire, Jacques comprend que punir sa mère peut devenir scandaleux, embêtant et même pervers aux yeux des membres de la société. Il doit trouver réparation; ces propos portent ombrage à la famille, à son père, à son grand-père. Que faire ?, s'interroge-t-il étendu sur son lit, dans cette chambre, ce lieu qui a entendu tant de doléances, de plaintes à l'endroit de la femme qui l'a mis au monde mais qui n'aime que ses fainéantes de filles. Le sommeil veut le gagner à sa cause lorsque jaillit l'idée dans cette tête qui croit qu'un jour, maisons, bâtiments, terres, animaux doivent lui revenir.

« Telle mère, telle fille ! » En touchant la fille, il punit la mère sans qu'elle ne le sache. Voilà ! Il a trouvé sa solution !

Pour commencer, retracer le fameux amoureux qui, selon la rumeur, existe; ensuite tout dévoiler au grand jour devant son père. Il lui faut des preuves, une certitude inébranlable. Avec la lettre, pas grand-chose à faire, mais s'il pouvait les voir, les surprendre... Oui, surprendre sa sœur en flagrant délit... Surveiller ses moindres gestes !

Fier de sa trouvaille, aussi gonflé qu'un paon, Jacques, les deux mains derrière la tête, le sourire lui fendant presque à rompre les pointes de ses lèvres minces, se dit en lui-même: « C'est en fin de semaine que commence le calvaire de sœurette ! »

Éliane aperçoit par la fenêtre du salon des Poitras que le conducteur de la calèche qui la ramènera à la maison n'est nul autre que son père. Immédiatement, elle appréhende qu'il ne soit pas là que pour ses beaux yeux, à part le fait qu'il ait amalgamé affaires et retour de sa fille.

Installée sur le même siège que lui, assise tout près, elle sent son humeur rêche «Que peut-il bien me vouloir?», se demande-t-elle.

Aussitôt la dernière maison du village derrière eux, Théodore sort de la poche de son pantalon, une enveloppe, la montre à sa fille et lui dit:

– Ça veut dire quoi, ça?

Surprise non des propos de son père mais de voir l'enveloppe jaune dans ses mains, Éliane ne lui répond pas.

– J'ai reconnu ton écriture... Ne fais pas l'innocente, cette lettre est bien de toi.

Puis, allant directement sur ce qui le préoccupe, il ajoute...

– C'est qui cet amoureux aux si beaux yeux?

– Je n'ai pas d'amoureux... cette lettre que l'on a prise dans ma chambre fait partie de mon projet d'écriture. Je la cherche depuis au moins une semaine!

– Projet d'écriture. Quel projet d'écriture peut porter sur une lettre d'amour? Voyons ma fille, trouve autre chose pour t'en sortir.

Cherchant à renforcer sa cause, Éliane réplique fermement:

– Père, ce que vous m'avez remis est bien une lettre d'amour, mais ce n'est pas la seule que j'ai écrite. J'ai débuté en janvier mon projet d'écriture pour édition qui consiste en un recueil de lettres d'une jeune fille à son amoureux. On appelle cette forme d'écrit des nouvelles.

Désarmé par cette logique, Théodore attend avant de répondre:

– Voyons, ma fille, tu ne penses pas que je vais te croire comme ça!

– Père, je vous le répète, cette lettre qui est tombée, je ne sais comment dans vos mains, fait partie de mon projet de livre. D'ailleurs, j'aimerais la ravoir...

– Ouais! On en reparlera... Je la garde ta lettre... J'ai hâte de le voir ce livre!

.˙.

Indien, Montagnais, Peau rouge, Amérindien, quelle que soit la façon dont on l'appelle, l'homme se sent à l'aise. Vivre dans un pays où l'on ne domine pas en nombre peut être frustrant pour une multitude d'individus, mais lorsqu'on s'appelle Raphaël Dominique, fils du grand chef Pier Dominique, la fierté des ancêtres nous porte au-delà des nombres. De plus, lorsqu'on sait que ce territoire aujourd'hui occupé pas des hommes et des femmes à la peau plus pâle, a porté les nôtres des milliers d'années avant que ces derniers n'apparaissent, on comprend que cette terre ne nous appartient pas, qu'elle nous est prêtée pour un temps, afin d'y apprendre à respirer, à grandir, à procréer et à trépasser. Cette terre, on doit la dorloter, y porter attention pour la protéger, la conserver dans cette bleutée du ciel et de l'eau, dans la grisaille des rochers et du sable, dans la verdure des arbres et de ses nombreux tapis d'herbages. Vivre dans cet état de grâce exige peu, seulement l'amour de la nature, ce que Raphaël possède à n'en pas douter.

À l'intérieur de sa petite maison rattachée à l'étable, il surveille sa bouilloire. Un délicieux café! Pour lui, quel grand et beau moment de la vie que de siroter calmement, en silence, ce liquide d'un brun noir dans lequel il aime ajouter quelques grains de sucre brun. Agréable moment qui favorise la réflexion et parfois le rêve éveillé.

Mais en cette soirée précédant la journée que William nomme dimanche, Raphaël ne se laisse pas gagner par celui-ci: il est préoccupé et a grand besoin de faire travailler tous les rouages de son cerveau.

Quand il a quitté aux premières neiges cette ferme pour rejoindre sa femme et ses cinq enfants sur la réserve, aux abords du grand lac d'eau douce, il savait que William ne courait plus de risques. Les prochaines rencontres ne viendraient qu'avec le retour du chaud soleil.

Jamais, il ne doit arriver d'incident fâcheux à celui qui possède le pouvoir des ancêtres. Lui, Raphaël Dominique, doit préserver l'esprit des anciens. Ce sont eux qui l'on conduit jusqu'à cette famille, ces descendants de cette Amérindienne, Perle, de la famille Nepetta. Souvent son père Pier lui racontait que voilà de nombreux hivers, certains des leurs possédaient l'esprit du savoir, la vision de la vie. Aujourd'hui, ils ne sont plus de ce monde, mais un jour un enfant de ceux-ci les fera réapparaître au grand jour. Sois attentif à tout ce qui se passe autour de toi et rappelle-toi la marque de l'étoile.

Après la mort de son père, il ne manque jamais une occasion de questionner, de surprendre la moindre conversation qui peut le mettre sur une piste. Un soir, discutant sur la vie d'autrefois avec un ancien de la tribu nouvellement installée dans la réserve, celui-ci lui raconte... «Les Dieux m'ont privilégié. Voyageant avec mon père dans les terres profondes du Saguenay, j'ai eu la chance de mettre mes pieds dans la maison de la grande princesse Perle de la famille Nepetta. Elle était mariée avec un blanc, un homme bon! Je ne me souviens plus de son nom, mais la place se nomme Kanton... Kanton de Etchécoutimi... ».

Dès le lendemain, Raphaël se dirige vers Chicoutimi et, là, après avoir rencontré dans un beau et grand édifice de pierre l'agent du gouvernement responsable des siens, il prend la direction du Canton. Sur place, il entre dans la boutique du forgeron et le questionne. Le gros homme aux bajoues aussi démesurées qu'une balle de la grosseur d'un poing, l'informe qu'à moins de deux milles, réside un dénommé Augustin Desbiens, fils du premier habitant. Son père était marié à une Indienne dont il ne se souvient pas du nom mais qu'on disait d'une rare beauté.

Le jour suivant, après avoir passé la nuit à la belle étoile, il se présente chez l'individu en question. La femme qui lui répond lui mentionne que si c'est pour la job d'aide, elle fournit le logis, la bouffe et un demi-dollar par jour. Dans l'après-midi même, Raphaël commence son nouveau job. Cela se passait au début de l'été 1922.

Trois ans ont passé et il occupe toujours le même travail auprès de cette famille qu'il a adoptée, non pas par obligation mais par amour. Il aime ces gens, cette vieille fille qui s'efforce de cacher son grand cœur, cet homme qui s'ignore mais qui a su prendre la bonne décision de revenir, cette femme intelligente et perspicace qui sait soutenir les siens et ces jeunes qui le respectent et collaborent avec passion aux travaux de la ferme. Oui, il aime cette famille et plus particulièrement ce jeune homme, celui qui, à l'image de son grand-père, sait !

Demain, comme chaque dimanche, le jeune William ira rejoindre la jolie fille aux yeux bleus. Les deux jeunes gens forment un si joli couple, dommage que les deux familles soient en guerre... un si joli couple, si amoureux, si épris l'un et de l'autre, si aveugles dans leurs ébats qu'il faut les protéger d'eux-mêmes.

La vapeur d'eau monte, judicieusement à point pour le café. Raphaël se lève, une tasse à la main, et se dit en lui-même : « Leur lieu de rencontre est bien choisi, mais pour s'y rendre, il faut traverser les champs et, en ce début de saison, les herbes et les arbustes sont encore tellement maigres qu'on peut sur plusieurs pieds de profondeur voir tout intrus qui s'y aventure. Ouais... Tôt demain, après le repas du midi, il faudra que je reprenne le guet. Cette fois, je laisserai William aller seul... je vais plutôt aller du côté de la jeune fille où se situe le vrai danger, son frère que j'ai aperçu tel un chasseur...

Faire le guet et faire un bon guet n'est pas pareil. Dans le premier cas, il suffit d'être présent, mais dans l'autre, il faut aussi passer inaperçu et c'est là qu'excelle Raphaël. Cet art, il l'a appris à la chasse, lors de ses nombreuses journées à ne pas savoir qui est vraiment le chasseur et le chassé... Demain, il mettra son art à contribution !

.˙.

« ... pas de vicaire, avant la fin du printemps prochain. » Ces quelques mots écrits de la propre main de l'évêque font tressaillir Daniel. Avec ses mille cinq cents paroissiens égrenés par-ci par-là sur plus de dix milles, le nouveau curé du Canton se demande comment il pourra remplir toutes les obligations de sa tâche. La messe du matin, l'office du dimanche, les vêpres, les mariages, les décès, les baptêmes, les premiers vendredi du mois, l'Avant et la Nativité de Notre-Seigneur, le temps du carême, la Semaine sainte et la Pâques, la Fête-Dieu, le mois de Marie, la première communion et la communion solennelle, la visite paroissiale, la retraite et... «Mon Dieu, il me sera impossible d'accomplir tout ça seul! Il a pensé à quoi monseigneur?», se dit le nouveau curé, la tête bien appuyée sur le long dossier de la chaise de son bureau. «Curé un jour, vicaire le lendemain et curé le surlendemain! C'est bien beau, mais...» Puis, comme si une mouche l'avait piqué, il se lève et se met à arpenter son bureau de long en large. Une habitude qu'il a inconsciemment développée depuis sa nomination. Cette habitude a un effet bénéfique sur Daniel, elle revitalise ses sens, le porte vers une sérénité qui aurait fait de l'ancien curé Lampion un être dont tous les villageois pleureraient aujourd'hui la perte.

«Prenons un jour à la fois et on verra bien», conclut celui que la mère et le père portent au plus haut de leur fierté. Martelant le plancher de bois de ses larges talons, celui-ci se dirige vers une des fenêtres, jette un regard à l'extérieur et remarque que la noirceur de la nuit irrigue déjà le passage du samedi au dimanche, journée du Seigneur et de congé pour ses paroissiens, tout le contraire pour lui.

Officier la messe dominicale, prêcher la parole de Dieu, célébrer les vêpres... Certainement pas un congé pour lui le dimanche, ce jour du Seigneur.

Comme poussé par un mécanisme qu'il ne contrôle pas, Daniel recommence à marteler le plancher. Pensif, il réfléchit à son sermon. «... Pour ce dimanche, l'évangile de Saint Mathieu porte sur la parole de Jésus à ses disciples qui lui demandèrent: Qui donc est le plus grand dans le royaume des cieux? Jésus appelant un petit enfant, le plaça au milieu d'eux et dit: En vérité, je vous le dis, si vous ne vous convertissez et ne devenez comme les petits enfants, vous n'entrerez point dans le royaume des cieux. Celui... »

Non, il n'aura pas besoin de revoir celui-ci, la teneur de ses propos fera effet. Il retourne vers sa chaise et saisit les feuilles sur son bureau pour les classer. Son sermon de demain, une lettre des dames de Sainte-Anne, la lettre de l'évêque et quelques notes dont une en particulier attire son attention: William Desbiens et le feu chez l'ébéniste.

La note à la main, Daniel, après avoir regagné sa chaise, semblable à celui qui cherche refuge, se dit: «Ouais, le jeune prend de plus en plus de place... son don va lui apporter des troubles... Demain, j'vais aller le rencontrer; du même coup une petite visite à Henri, ça va me remonter le moral. »

∴

Agenouillée derrière le feuillage d'un arbuste, la jeune fille tâche de ne pas bouger et de minimiser le mouvement de sa respiration. Elle veut s'assurer de ne pas avoir été suivie. Depuis son retour de la classe de vendredi, Jacques ne l'a pas lâchée. Toujours sur ses pas, à sa poursuite, presque pas à pas. Au début, elle a rigolé de le voir agir ainsi, mais après un avant-midi, son agacement était à son comble. Que lui veut-il? Que cherche-t-il?

Informée des propos que sa mère a tenus en réaction aux paroles de son père concernant William Desbiens, elle s'est dit qu'il voulait peut-être lui parler et qu'il ne savait pas comment s'y prendre, mais... rendu au dimanche midi, elle comprend que ce n'est pas le cas. Son frère la surveille, observe le moindre de ses mouvements et va jusqu'à la suivre dans le caveau à légumes, lui qui n'y a jamais mis les pieds.

∴

Rien ne se passe, aucun signe, aucun son! Il ne l'a peut-être pas vue partir! La vaisselle du midi terminée et rangée, elle part pour le rendez-vous amoureux. Méfiante, elle décide de ne pas utiliser son parcours habituel bien que la courte jupe à carreau bleus et blancs qu'elle porte ne soit pas tellement de mise. Elle ira jusqu'à la scierie, coupera à travers le boisé pour rejoindre la terre des Desbiens et longera les champs jusqu'à la grange.

Non, il ne vient pas, déjà elle respire mieux, mais prudence, encore un moment d'attente avant de reprendre la route.

Un, deux, trois... Éliane s'apprête à sortir de sa cachette mais quelque chose la retient par le bras gauche. Ses yeux fixés sur la pince qui la retient, elle sursaute en apercevant une main, une énorme main toute plissée et d'un brun rougeâtre qui n'est certes pas celle de son frère.

— Ne bougez pas, lui murmure l'homme qu'elle vient de reconnaître comme étant l'aide des Desbiens. L'Indien, comme l'appelle son tyran de père.

Incertaine de ce que lui veut cet homme, elle reste immobile et attend son explication. « Que vient-il faire ici? », pense-t-elle en elle-même.

— Il approche... il vous a vue partir et vous suit... dit ce dernier comme s'il avait deviné son questionnement.

— Mais que me voulez-vous?, demande Éliane toute proche de l'homme qui, malgré sa bonne volonté, dégage une odeur désagréable contrairement à l'homme qu'elle s'apprête à rejoindre.

— Tout simplement votre bonheur.

— Comment mon bonheur?

— Je sais que votre frère vous surveille, sûrement pour vous surprendre avec votre amoureux. Moi, je suis là pour vous protéger. On va attendre qu'il soit passé et ensuite, vous reprendrez le même chemin que d'habitude pendant que je m'occuperai de votre frère, répond d'un trait l'Indien à la jeune fille tout en ne lâchant pas le sentier de son regard perçant.

Ébranlée par ces révélations, Éliane reste silencieuse. William ne lui a-t-il pas dit que du bien de cet homme...? Il faut lui faire confiance...

— Chut, pas un mot, dit ce dernier en plaçant son index sur sa bouche pour mieux se faire comprendre.

Éliane se fait de marbre. Les deux genoux sur le sol, elle observe à l'intérieur du vert feuillage du printemps le sentier qui sillonne à moins de dix pieds droit devant elle et l'Indien. Et là, sans bruit, il approche, défile devant eux et disparaît, caché par les arbres et arbustes. C'était Jacques, son incroyable frère qui, d'un pas décidé, la tête droite, fonçait à sa recherche.

— Revenez sur vos pas et rejoignez William dans votre cachette. Au retour, faites attention. Allez, sans crainte, s'il y a quelque chose, je serai là, chuchote Raphaël à Éliane en pointant le sentier de la main.

— Et vous, que ferez-vous de Jacques?

— Je vais le suivre jusqu'aux limites des terres de monsieur Henri et là, je vais lui faire la surprise d'apparaître.

Puis souriant de ses dents jaunes, il ajoute :

— Je suis certain qu'il va revenir sur ses pas. Vous, vous serez déjà loin...

Une bonne heure plus tard, lorsque Jacques entre dans la cuisine où se trouve sa mère, il lance sans explication sur un ton qui démontre clairement sa mauvaise fortune :

— Maudit Indien! Je lui revaudrai bien ça!

Sans dire un mot de plus, il se dirige vers l'escalier qui conduit au deuxième étage.

Ça brasse dans le Canton

–   Ah! j'm'en doutais que Raphaël connaissait notre secret, s'exclame William après le récit d'Éliane. Depuis l'automne dernier, chaque fois que je parle de ta famille, il me regarde d'une drôle de façon.

Comme pour réfléchir, il marque une pause et regardant droit dans les yeux de sa douce, il ajoute:

–   Comme ça, il nous suivait en cachette!

–   Oui, pour nous protéger, comme un garde du corps du roi et de la reine.

Aussitôt les deux jeunes amoureux partent à rire, d'un rire fou de joie de se revoir, de savoir qu'un gardien, un ange les protège dans la poursuite de leur amour fou.

Tendrement, ils approchent leurs lèvres suaves et là, dans la grange aux mille ravissements, les deux jeunes gens fêtent dans les plaisirs de l'amour l'intensité de leur ennui de la semaine. Qu'il fait bon de réchauffer ce bonheur au plus profond de leur cœur, ces moments du dernier été qui n'appartiennent qu'à eux!

Pendant que cette festivité suit le rythme de la jeunesse créative et libertine d'Éliane et de William, à la maison de ce dernier un visiteur inattendu s'est présenté en ce bel après-midi de mai.

Sur le balcon de la devanture, les souliers d'un noir charbon uniformément astiqués, la tunique romaine bien tombante et le collet d'une blancheur qui illustre sa rigueur personnelle, Daniel Couture converse amicalement avec ses hôtes Henri, Flora et Germaine Desbiens. Au deuxième étage de la maison, Benjamin et Angella terminent leurs travaux scolaires. L'année scolaire chemine à grands pas et les deux jeunes vont avoir un été beaucoup plus agréable s'ils obtiennent les notes de passage à une classe supérieure.

– Votre fils William est-il présent?, demande Daniel au bout d'une bonne demi-heure de discussion.

– Non, il fait sa grande tournée du dimanche, répond aussitôt Flora.

– C'est ça, ajoute Henri... Depuis qu'on est installés icitte, chaque dimanche, il en profite pour prendre une longue marche dans les bois et dans les champs. Il dit que ça le détend... Qu'il fait le vide de la semaine!

– Il part vers une heure et revient toujours pour le souper l'estomac vide. Je pense que le repas du dimanche soir, c'est son plus gros de la semaine, lance Germaine entraînant une pouffée de rire de tous.

La déception se lisant sur le visage du curé, il enchaîne :

– Ouais! J'aurais bien aimé lui parler.

– Vous tombez bien mal, peut-être qu'on peut lui dire d'aller vous rencontrer, ou encore qu'on peut répondre pour lui, formule Henri qui cherche à connaître le pourquoi de ce déplacement.

Se joignant à son frère, Germaine ajoute :

– Oui, peut-être qu'on peut répondre pour lui.

Saisissant rapidement l'inquiétude ou le désarroi de ses convives, Daniel se veut rassurant et dit :

– Ce n'est pas bien grave, s'il n'est pas là. Un jeune de son âge a le droit à ses loisirs, je le verrai plus tard.

Puis, il se ravise :

– En y pensant bien, ce qui m'amène ici vous concerne tous autant que lui.

Il fait une courte pause à la recherche des meilleurs mots à dire puis il ajoute :

– Je voulais discuter avec William des derniers événements. Celui-ci est maintenant un gars pas mal populaire dans le coin, je me demandais comment il prend ça. Et vous, est-ce que tout ce brouhaha autour de William vous dérange?

Les trois hôtes hésitent, chacun regarde l'autre, comme en attente de qui va relancer pendant que le jeune curé déplace constamment son regard de Henri, à Flora, à

Germaine pour revenir sur le premier et ainsi de suite...
moyen qu'il a adopté pour évaluer plus facilement l'accueil
de ses propos.

Après quelques secondes de silence, Germaine, de sa
voix discoureuse de franchise :

— Tous ces on-dit ne me dérangent pas du tout. Mon
père, ma mère, mon grand-père, ma grand-mère ont tous
déjà provoqué des cancans dans le Canton. Ce que le jeune
a pu faire, il n'y a rien de mal là-dedans, tant mieux s'il rend
service...

Anxieux de bonifier les paroles de sa sœur, Henri ne la
laisse pas terminer et dit :

— Ce que dit Germaine, je suis en accord. Notre famille
est l'une des plus anciennes du coin et à ce que je sache,
elle n'a jamais nuit à personnes, contrairement à ce qu'en
pensent certains. Mais il n'y a rien là... ils peuvent bien
penser ce qu'ils veulent... si Dieu a procuré à William
comme à mon père et à sa mère la capacité d'aider les
autres, moi, je l'épaule... comme tous nous autres icitte.

— Moi aussi, je suis en accord. Mon fils William, c'est
un bon gars et je ne crois pas qu'il y ait personne dans le
coin pour dire le contraire, rajoute Flora, la digne défen-
deresse de son fils.

Ayant le sentiment d'être abusé par celui qui se dit son
ami, Henri veut en savoir plus sur ses intentions en ce qui
concerne son fils. Assis devant ce dernier et camouflant
son trouble, il le questionne :

— Toi, Daniel, en tant qu'ami de la famille, qu'as-tu à
dire sur mon garçon ?

Perspicace, le fils du cordonnier du Canton, maintenant
curé de ce petit coin du Saguenay, sait qu'il se doit de répondre à son ami. «Ne rien dire qui installerait de quiproquo
entre lui et eux,» pense-t-il en lui-même avant de déclarer :

— Henri, il ne faut pas voir dans mes questions quoi que
ce soit qui porterait à croire que je suis contre votre famille
ou plus particulièrement contre ton fils. Je te connais depuis

mon premier jour d'école et notre famille à toujours estimé la vôtre.

Tout en continuant à discourir, Daniel s'incline par en avant comme si cela l'assurait d'être parfaitement compris de ses hôtes. Il baisse la voix :

– Depuis votre arrivée, il s'est produit des événements auxquels William se trouve impliqué en tant qu'acteur principal ou plutôt en tant que héros. Moi, tout comme les gens du Canton, je ne suis pas insensible à ses exploits ; déjà que votre père avait la réputation de voyant. Si je suis ici, c'est tout simplement pour dire à William qu'en tant qu'ami de la famille et curé de cette paroisse, je lui accorderai tout mon appui si jamais le besoin s'en fait sentir. De plus, même si l'Église réfute tout individu ou événement qui lui porte ombrage, je l'encourage à aider et à apporter du soutien aux gens qui en ont besoin.

Dans un mouvement presque gracieux, l'homme à la robe noire reprend sa position initiale, le dos bien appuyé sur le dossier de sa chaise de bois. Le regard bien campé, il dévisage ses hôtes et ajoute :

– J'aimerais que vous le disiez à William.

Un sourire naissant sur les lèvres, Henri répond :

– Compte sur nous, mon ami...

Depuis une quinzaine de jours, Théodore a l'impression que son univers s'écroule. D'abord, son fils Gaston qui semble s'adoucir face aux Desbiens et à leur sacrée magie, puis sa fille Éliane qui, malgré ses dires, joue à la cachette, ensuite sa femme qui éclate d'une colère dont il ne la savait pas capable et, finalement, les employés du moulin à scie qui revendiquent une rémunération égale à ceux de son concurrent, Jos Dufour. Jamais il ne s'est senti si las, si fatigué, mais l'homme qu'il est ne peut et surtout ne doit pas montrer de faiblesse. Comment pourrait-il assurer ses arrières si l'on découvrait sa terreur, ses craintes, sa grande fatigue, son état d'âme?

Prendre un par un les problèmes, ne pas chercher à tout résoudre du même coup et commencer par le plus simple ou le plus complexe, voilà la façon de procéder. Mais encore, cela nécessite d'être en mesure de cerner l'importance de chacun des problèmes et ça, toute la pédanterie de Théodore l'empêche de le faire. N'est-il pas un homme puissant, celui qui dirige, celui qui fait vivre, celui qui donne le travail, celui qui développe, celui...?

« Ouais, dans peu de temps tout va se régler. Ma femme, mes enfants ainsi que mes employés vont comprendre le bon sens... Restons calme et attendons... », se dit en lui-même Théodore en s'enfonçant en ce dimanche de mai dans un sommeil réparateur.

∴

– Théod... Théod... réveille-toi! Théod..., chuchote à son oreille Camille. C'est ton contremaître, il veut te parler.

Engourdi par la chaleur de son sommeil, ce dernier marmonne des propos inaudibles à l'oreille de sa femme.

– Je lui dis quoi?, insiste Camille.

– Dis-lui de venir ici, répond-il en maugréant.

Vêtu de son costume de ville gris qu'il remplit sans difficulté avec ses deux cents livres et ses six pieds, l'homme pénètre dans le salon. La rougeur de son visage garni d'un barbichon illustre son incertitude quant à l'accueil que lui réservera son patron. À son service depuis plus de dix ans, il sait que pour un rien, cet être exigeant peut le renvoyer, l'abîmer de bêtises, lui lancer les pires injures. Travailler pour un être semblable exige une totale abnégation.

D'abord ouvrier au moulin à farine, Ernest Truchon a été promu contremaître du moulin à scie après un accident dans lequel il a perdu deux doigts de la main droite. Son père Alexis, un ami de la famille Therrien, a alors plaidé auprès du patron pour qu'il le nomme au poste de contremaître au moulin à scie. « Mon fils va te faire le meilleur des contremaîtres. C'est un gars honnête, fidèle, dévoué et qui sait quoi faire pour reconnaître celui ou ceux qui l'aident. »

Dès le lendemain, celui-ci était promu aide au contremaître, lequel tiraillé par un insupportable mal de dos, quittait le travail le mois suivant. Cela se passait il y a cinq ans. Sans le savoir, Ernest venait d'arriver en enfer; un enfer qui, à chaque nouveau jour, deviendrait de plus en plus difficile à vivre. Cependant, dans ce monde où grands et petits, riches et pauvres, érudits et incultes ou quelque soit le qualitatif qui le désigne, chaque homme possède ses limites et, ça, Ernest n'en n'est pas exclu.

— C'est quoi ça me déranger le dimanche, émet Théodore avec son air des jours difficiles. Qu'est ce qui se passe?

De sa voix nerveuse qui lui enlève un bon pied de grandeur et un cent livre de poids :

— Eh bien, patron, je voulais vous mettre au courant qu'il y a un groupe d'ouvriers de la scierie qui brasse. Il paraît que demain ils veulent manifester pis, ils disent à tout le monde que si vous n'acceptez pas leurs demandes, ça va vous coûter encore plus cher que ce qu'ils exigent.

— Comment ça plus cher? Où as-tu déniché cette information?

— Ben, hier soir, j'étais à la nouvelle auberge, celle à côté de l'épicerie pour prendre un petit remontant. Les deux frères Tremblay qui travaillent à la scierie prenaient eux aussi un fortifiant et...

— Ouais! Je vois... les frères Tremblay, ce sont bien eux qui s'occupent de l'entretien de la courroie?

— Oui, patron, ils disaient qu'eux autres étaient pas d'accord avec la gang. Ils auraient aimé vous parler pour vous dire que, quant à eux, le salaire, ils le trouvent bon et même que le plus jeune, Mario, répète à tout le monde qu'il est ben chanceux de pouvoir travailler par icitte grâce à votre moulin à scie.

346

– Ouais, ils n'ont rien dit qui peut donner des indices sur ce que les autres voulaient faire ? Pas un seul mot... des gestes...

– Non, patron.

– Ouais, O.K. ! Tu peux y aller, marmonne Théodore en montrant la sortie d'un signe de la main.

« Gros imbécile, pense en lui-même ce dernier... Pas capable de reconnaître que les Tremblay l'utilisent pour me faire leur message. Ouais » !

∴

Au même moment, au village du Canton, Cyrille Poitras vient de subir un énorme choc. L'effet est tel, que depuis presque une demi-heure sa femme Simone déploie toute sa patience pour l'aider à retrouver son calme.

Quel contraste avec la réputation de cet individu qui entreprend son deuxième mandat de maire et que l'on dit posé et paisible! Si l'un de ses électeurs le voyait dans cet état, sa carrière en serait indubitablement entachée. Que peut-il être survenu pour qu'il perde ainsi maîtrise? Elle se rappelle qu'encore une fois, sa tarte au sucre venait de confirmer tout son savoir-faire lorsque l'on frappe à la porte d'entrée. Albert Simard et Jean Belland, deux gros cultivateurs du rang trois, demandent à voir le maire. Elle conduit Albert et Jean dans le salon, lesquels sont rejoints par son mari dans la minute suivante. Vigilante, elle constate que dès sa sortie de la pièce, la discussion s'anime et monte fortement de ton. Ce n'est qu'au bout d'une bonne heure que la rencontre prend fin, laissant un Cyrille à la fois abattu et bouleversé.

∴

Étendu sur le sofa, une serviette humide sur la tête, Cyrille reprend lentement ses esprits. Les battements de son cœur récupèrent progressivement un rythme qui dégourdit les membres et stabilise la couleur rosée de sa peau. Fatigué par tant d'effort sanguin, son corps à besoin de relaxer et gagne un demi-sommeil battement après battement pendant qu'à ses côtés, son épouse, Simone, si fidèle et si maternelle, a les yeux rivés sur un document étalé sur la table.

Silencieuse, la maîtresse de la maison décode l'en-tête écrite d'une main nerveuse à la plume.

Canton le 18 mai 1925

Monsieur le maire

Nous, citoyens du Canton, demandons au gouvernement du Québec de former une nouvelle municipalité. Nous soussignons que nous sommes d'accord pour nommer la nouvelle municipalité Paroisse du Canton Notre-Dame. Celle-ci regroupera les citoyens des rangs un, deux, quatre, cinq, six et sept de l'actuelle municipalité du Canton.

Nous avons signé :

Albérick Lévesque	*Joseph Simard*
Eudore Simard	*Pierre Tremblay*
Auguste Gagné	*Adélard Simard*
Pierre Simard	*Joseph-Élie Pinard*
Samuel Pinard	*Ange-Émile Lévesque*
Paul Gagné	*Albert Gagnon*
Jean-Joseph Renauld	*Pierre Renauld*
Isaac Tremblay	*Manuel Gagné*
Paul Turcotte	*Ernest Gagné*

La liste s'allongeait sur plusieurs pages...

– 16 –

Découverte à la grange et...

« Wo, wo, c'est beau, c'est beau... wo», hurle Jacques en tirant sur les harnais de cuir habillant le mustang d'un noir charbon, un magnifique descendant de race espagnole. Âgé de quatre ans, sa jeune stature ne permet pas de l'employer pour les durs travaux du sol avec la charrue, l'araire, la houe ou la bêche; on lui réserve plutôt le tir de la charrette ou de la calèche.

Hier en après-midi, l'aîné de la famille Therrien a débuté le transport des balles de foin de la vieille grange. Nourrir de novembre à juin une cinquantaine de têtes de bétail sollicite une énorme quantité de foin et comme la coupe de l'année dernière n'a pas été aussi fructueuse que prévu, les réserves de la vieille grange sont bienvenues.

– Je vais charger les balles de foin qui restent en bas pendant que tu montes au deuxième ouvrir la porte.

– O.K.!, répond joyeusement Blanche qui, sans tarder, saute en bas de la charrette et court vers la grange.

Elle pénètre dans la pénombre du lieu et grimpe les barreaux de l'échelle deux par deux pour se retrouver au deuxième étage. Lentement mais sûrement, l'orifice à diamètre variable de ses yeux, la pupille, s'adapte à la noirceur. Sans problème, elle se dirige vers la porte qu'elle entrouvre dans un grincement de pentures rouillées. Instantanément, la lumière du chaud soleil de ce samedi de mai, comme une ampoule qu'on allume, profite de cette ouverture pour entrer et apporter à l'espace assez de lumière pour permettre à la jeune fille de vaquer aisément à sa tâche.

Blanche s'avance vers l'amoncellement de balles de foin. Elle saisit la première du bord par la corde et s'apprête à la soulever lorsque son regard est attiré par un curieux agencement. Tout en avant d'elle, un grand nid d'oiseau.

Incrédule, elle s'approche à pas légers de cet aménagement et constate que ce n'est pas une hallucination. Semblable à un grand matelas, plusieurs balles ont été dégarnies de leur ficelage afin d'être réunies dans cette forme qui permet de s'asseoir, de s'allonger aisément.

« Il y des gens qui viennent ici en secret », se dit Blanche. « Des jeunes... Oui, peut-être des jeunes du village... des amoureux... ou encore quelqu'un qui veut se cacher. J'aimerais bien savoir qui... ».

– Hé ! Hé ! Là haut... Hou... Hou... , résonne aux oreilles de la jeune fille.

La voix de plus en plus forte de son frère frappe ses tympans d'un appel qui se veut pressant.

– Blanche !... Blanche !..., crie à tue-tête l'aîné de la famille Therrien qui se pose des questions sur ce qui retarde sa sœur à lui lancer des balles de foin... Blanche !... Blanche !...

– J'arrive, j'arrive ça ne sera pas long, répond Blanche pour rassurer son grand frère.

Nerveusement elle saisit une balle par ses ficelles et la traîne jusqu'à la porte en criant :

– Je t'envoie une balle... j'me sers pas de la poulie... O.K. !

Celle-ci n'attend pas la réponse de son frère et laisse tomber la balle vers la charrette en bas. Démontrant son agilité et sa grande force, Jacques l'attrape au passage et la place par-dessus deux autres tout en s'exclamant d'un ton impatient.

– Qu'est-ce que tu brettais ! Tu ne t'es pas fait mal, toi pis tes jeux d'enfant gâté !

– Mais non, voyons, je regardais la quantité de balles qui restaient icitte en haut.

– Ouais ! La prochaine fois, tu réponds immédiatement... sinon je ne te ramène plus jamais avec moi... Je ne perdrai pas mon temps à courir après toi.

– O.K., je ferai attention, répond-elle. Je retourne chercher une autre balle, je fais de mon mieux, tu sais !

– Ça va. Mais essaie de faire vite, je ne veux pas passer l'après-midi sur ce voyage, avertit Jacques en haussant le ton après avoir vu sa sœur disparaître à l'intérieur de la grange.

Blanche connaît bien son frère et sa façon d'agir ne l'a pas surpris. Fouineur, grand talent, égoïste, égocentrique, rancunier ne sont que quelques-uns des qualitatifs qui décrivent ce frère qui fait tout pour ressembler à son père, mais sans succès.

Malgré son jeune âge, Blanche ne s'en laisse jamais imposer. Dernière de famille, elle sait évaluer les enjeux de sa position. Une mère au caractère fragile qui patronne la plus vieille de ses filles, deux frères qui s'opposent, des grands-parents usés par les années et survivant grâce à l'air de la haine et un père unique en sa grandeur et sa force de bâtisseur, mais aigri par des voisins envieux et sans morale.

Transportant balle après balle, elle ne quitte pas des yeux sa découverte, une toile qui ne demande qu'à être remplie et à surprendre. «Oui, elle se gardera de dévoiler à qui que ce soit ce qu'elle vient d'apercevoir! À moins de... Dès demain, elle fera le nécessaire pour repérer les auteurs de ce nouveau jeu de la grange».

Un début de semaine difficile pour Théodore: d'abord l'avertissement de son contremaître pour son moulin, ensuite la visite éclair de Cyrille pour l'informer de la pétition menée par les Gobeil pour demander au gouvernement de former une nouvelle municipalité et pas encore de nouvelles de sa demande pour les nouveaux lots.

Dans la minute suivant le départ de son ami le maire, il communique avec le député. N'est-il pas son organisateur politique dans le Canton?

«O.K., j'vais m'en occuper. Sois sûr que je ne laisserai pas faire ça... de toute façon le ministre devra me consulter, répond Wilfrid Langlais, député du comté depuis déjà deux mandats. Je t'en donne des nouvelles aussitôt que j'ai vu le ministre. Salut! Oui! oui je n'oublie pas tes lots à bois. Salut!»

Théodore connaît l'efficacité de son député à traiter les dossiers, mais sa qualité de fin stratège le laisse songeur. En effet, comme la prochaine élection s'annonce difficile, ce dernier souhaite sûrement satisfaire le plus grand nombre d'électeurs possible et, si on y regarde de près, la demande des Gobeil concerne plus des deux tiers des habitants du Canton! «À bien y penser, ne vaut-il pas mieux se pencher du côté des plus nombreux? Mais, concernant les lots à bois, ça, c'est autre chose: Avec un petit coup de pouce... l'élection arrive bientôt et le député aura besoin d'argent.»

La contestation des ouvriers de la scierie annoncée pour le lundi matin ne se manifeste que le surlendemain, le temps pour les hommes de remarquer le début des travaux de la nouvelle scierie Dufour sur les terres des Desbiens. Comment ne pas les apercevoir quand on passe devant? Oui comment!

Théodore vit des heures difficiles. Il en rage tellement que dans sa folle vendetta, son cerveau le projette dans les faubourgs de la démence: Maudits soient-ils! Tous, sans exception, tous du père à la mère aux moindres des descendants. Encore une fois, les Desbiens s'attaquent à ma famille, veulent voler mes biens! Pourquoi ce faux richard de Jos Dufour a-t-il conclu des affaires avec ces vauriens? Moi, Théodore Therrien, descendant de la plus prestigieuse famille du coin, je lui ai déjà rendu service et, pour me récompenser, il enrichit ces minables! Non, mais que Dieu intervienne, qu'il libère sa justice, qu'il élimine ces démons qui me volent, qui... mais pourquoi, pourquoi moi? Les miens et quelques initiés sommes-nous les seuls à voir le manège de cette race de vauriens, de chenapans? Et ce matin, pourquoi mes ouvriers me contestent, me décochent tant de bêtises, en veulent aux miens? Pourquoi? La cause de leurs soucis n'est-elle pas tout à côté d'eux, sur les terrains voisins, dans ces descendants du diable, les Desbiens?

Une nuit, deux nuits que ce rêve revient hanter l'esprit de William. Sa clarté ne fait aucun doute mais lui crée de l'embarras. En effet, comment faire savoir à quelqu'un qui nous voit comme un ennemi qu'on lui veut du bien? Comment faire si l'on ne peut soi-même intervenir?

En soi, ce n'est pas tant le contenu du message qui le rend crédible que son porteur. Voilà le défi, il faut rapidement trouver un porteur crédible, car dans quelques jours le partenaire qu'est le temps s'apprête à se muter en un adversaire qui pourra agir sans que l'on puisse l'avoir déjoué.

Qui peut s'avancer devant cet homme et lui déclarer: «Monsieur, il vous faut faire très attention! William Desbiens, le même qui est intervenu au feu de la maison de l'ébéniste, vous demande pour les deux ou trois prochains jours...». Oui, qui peut faire cela?

Son père? Non! Sa tante? Sûrement pas! Son frère? Sa sœur? Non plus. Sa mère? Sa mère... oui, sa mère peut-être! L'homme ne la connaît pas beaucoup sinon qu'elle peut être la femme d'un Therrien. Ouais!

Une pelle à la bouche droite et au ventre carré dans les mains, William termine de curer à fond le plancher de l'étable. Habillé d'une chemise de lainage bleu et d'un pantalon de coton gris strictement réservé selon les vœux de sa tante pour cet ouvrage, tout en travaillant, il réfléchit, cherchant une issue à ce qui peut paraître insoluble.

Sa mère, cette femme à l'esprit ouvert, aux propos toujours justes et au jugement posé, détient peut-être la solution. Oui, la solution!

Soulagé, il se dit: «Dès que j'ai terminé, je vais lui parler... et si elle ne veut pas, il reste Raphaël et Estelle.»

.·.

Dans cette belle et grande région du Saguenay, la température de mai a cette curiosité du fourneau d'une cuisinière de s'allumer et de se fermer selon la commande du matin, du midi, du soir et de la nuit. Aussi, lorsque William et Éliane quittent leur refuge d'amoureux, les chauds rayons du soleil du midi ont disparu en faveur d'un ciel qui ne tardera pas à répandre son surplus d'humidité.

Étrangement, la pluie ne vient qu'avec la noirceur du jour comme si elle attendait ce compagnon pour traverser la nuit et comme un visiteur aux multiples costumes, elle passe de bruine à giboulée pour finir en un vrai déluge qui transforme les ruissellements en torrent.

Allongé sur son matelas dans sa petite maisonnée adjacente à l'étable, Raphaël, les yeux fermés, écoute le crépitement de la pluie sur le toit de tôle. Dans sa bulle, ce lieu aux senteurs terriennes, à l'allure d'amphithéâtre, il évoque le grand manitou, le Tshitshe Manitu, bâton à la main dictant aux forces de l'eau et de la lumière du tonnerre, l'instant et l'intensité de leurs actions.

Lentement, l'action de la pluie chantante le fait basculer dans le sommeil. Bientôt, il rêve des siens, à cette femme qui attend son retour, que sa mission s'achève, que...

«Raphaël, Raphaël», murmure une voix à ses oreilles. Serait-ce le grand Manitu qui m'appelle...

«Réveille-toi, c'est William, tu rêves.»

Vacillant, les yeux à demi-ouverts, l'homme à la peau rougeâtre prend conscience que son esprit arrive d'un voyage de son imaginaire. Lentement, il se lève et dit comme pour se rassurer:

— Je ne sais pas si je rêvais, mais je crois que l'odeur de la pluie, du mauvais temps, m'a alourdi.

— Pas mal alourdi... tu dormais!

— Ouais... peut-être! Que me vaut ta visite?

— Ben! Je voulais te remercier pour cet après-midi.

— Ah! Pour quoi au juste?

La main dans les cheveux signe d'un certain embarras, William répond sur un ton mi-assuré:

— Tu sais pourquoi.

– Tu penses!, réplique l'Indien, un léger sourire sur les lèvres.

Puis à la façon d'un père qui comprend que son enfant a besoin d'être rassuré, il chuchote, le regard perdu dans la profondeur des yeux de William :

– Je sais tout, et ce, depuis le début de tes amours. J'étais dans les champs le premier jour de votre rencontre, les framboises... À partir de ce moment, quand j'étais libre, je vous suivais discrètement. Pis, un jour, j'ai vu un homme caché dans un boisé qui vous attendait ; les dieux étant de votre côté, vous avez disparu avant qu'il ne vous reconnaisse : c'était un des fils Therrien. À partir de ce moment, je me suis dit que je devais voir à votre sécurité. Je connais les problèmes entre vos familles, maintenant tous les dimanches, je me rend aux limites de la maison des Therrien et je suis pas à pas la fille aux longs cheveux noirs.

17

Avertissement et poursuite...

– Tu crois, man, que ce sera mieux ?

– Je crois, répond Flora à William. Si je me retrouve seule devant cet homme, je vais perdre mon assurance.

– Ouais ! Je comprends, mais il n'aime pas les Desbiens. Imagine sa réaction quand il me verra !

– Ce sera pareil pour moi... pour lui, je suis une Desbiens.

– On va le voir quand ?, demande Flora

– Le plus tôt possible.

– Demain, en revenant de la messe, O.K. !

– O.K. ! Le dimanche c'est un bon jour. Les gens sont plus accueillants.

Sur ce, Flora retourne à ses casseroles: sa soupe aux pois l'attend...

.·.

– Je voudrais parler à Théodore, demande une voix féminine au bout du fil.

– Puis-je savoir qui veut lui parler, questionne Camille.

– C'est Simone, la femme du maire.

– Un instant, je vais voir s'il est encore au salon.

Lentement, Camille se dirige vers le salon. Sa démarche laborieuse reflète l'ampleur du travail accompli durant la journée. Elle s'arrête sous la voûte de la porte et, d'un coup d'œil rapide, aperçoit, assoupi, les bras pendant le long du corps, son mari allongé sur le sofa. Sur les deux fauteuils à côté, le vieil Arthur et sa femme Melvira, à l'image d'un chat et d'une chatte qui ronronnent, accompagnent leur progéniture. Doit-elle le réveiller, lui et sa mauvaise humeur ?

Debout, habillée d'une robe de coton d'un jaune usé qui lui tombe sous les genoux, elle réfléchit et retourne au téléphone.

– Madame, je ne le trouve pas, il doit être à l'extérieur... sûrement à la scierie.

– Ouais! J'aurais bien aimé lui parler

– C'est dommage... Voulez-vous qu'il vous rappelle à son retour?

– Oui, vous ne l'oublierez pas?

– Certainement pas, mais vous connaissez Théodore. Il rappelle si ça fait son affaire.

– Oui, je le connais. Dites-lui que c'est au sujet d'une lettre que je lui ai fait parvenir par votre fils Jacques...

– Ah! Il ne m'en n'a pas parlé.

– Ah bon! Je voulais en avoir des nouvelles, au cas. J'attends son appel.

– O.K.! Madame Poitras, je lui fais le message. Au revoir!

– Au revoir!

«Une lettre, une lettre que... votre fils Jacques...», ces mots bourdonnent dans la tête de Camille comme l'annonce d'une mauvaise nouvelle, le prélude à de mauvais moments. Cette lettre, elle n'en a jamais entendu parler, pourtant son mari ne manque jamais une occasion de démontrer son pouvoir. Elle se demande bien ce que peut contenir cette lettre pour qu'il l'ait gardée secrète.

La fatigue de la journée envolée comme par magie, Camille grimpe l'escalier qui mène à sa chambre; la vieille armoire de chêne est sa cible. Se croyant à l'abri de tout, même des siens, son incandescent mari a la curieuse habitude d'y cacher ses documents.

Prudente, Camille referme la porte de la chambre et pousse le petit loquet de sécurité. Elle se positionne devant la fameuse armoire au bois défraîchi par les nombreuses années de service et comme on ouvre un coffret au trésor, elle l'entrouve et... criq... criq... malgré ses précautions, un grincement sourd la fait sursauter la rendant nerveuse. «... Ouf! je suis seule...», se dit-elle retrouvant presque instantanément son calme. Elle est là devant l'armoire aux mille secrets de son grincheux de mari. Les deux portes ouvertes lui donnent accès aux fruits qu'elle n'a jamais osé prendre depuis que deux êtres qu'elle aimait tant l'ont trahie, vendue, livrée en pâture...

Ses yeux balaient de haut en bas l'intérieur de l'armoire. Sur la gauche, un espace réservé au rangement des chemises, des pantalons et des habits et, sur la droite, cinq tablettes.

L'assurance de Théodore est telle qu'il n'a même pas pris la peine de soustraire ses documents à la vue d'éventuels fureteurs. Là, sur la dernière tablette, tout en bas, plusieurs enveloppes et des feuilles se trouvent pêle-mêle ne demandant qu'à être examinées par le premier venu.

Calmement, Camille fouille dans ces enveloppes et trouve enfin celle qu'elle cherche. Elle l'ouvre aussitôt et, surprise, il y a là une plus petite enveloppe d'un jaune réservé normalement aux échanges entre amoureux. Empressée de connaître son contenu, elle déploie les feuilles d'un même jaune et immédiatement, reconnaît l'écriture de sa fille.

Que de mots tendres, que de douceurs et de sentiments, déliant des larmes sur les joues blanchâtres de Camille. Dans ces mots remplis d'émotion, elle se retrouve, elle, toute jeune, et ne peut s'empêcher de penser à sa vie gâchée par un père et une mère amoindris, affaiblis par la vie, par la société et par le temps.

Avec précaution, elle remise l'enveloppe, referme l'armoire et redescend à la cuisine.

Du bout des doigts de la main droite, Camille touche la cafetière et constate que son contenu est encore chaud ; elle se sert une tasse et s'assoit à la grande table. Et là, elle prend la résolution de soutenir sa fille dans la recherche du bonheur. Éliane ne doit pas connaître le même destin qu'elle. Ce n'est que le lendemain après-midi que Camille informe Théodore de la communication de Simone Poitras.

Après la messe dominicale, William dépose Angella à la maison et repart avec sa mère.

Le soleil en cette fin du mois de Marie laisse présager un été aussi chaud que le dernier. Un deuxième été sans pluie, voilà de quoi aggraver la situation de plusieurs fermiers avec des récoltes et des fourrages qui suffisent à peine à nourrir les animaux et à compenser les sueurs et les investissements des hommes. Mais William sait, il sait que ce ne sera pas le cas, la pluie, les orages, les vents du sud et de l'ouest s'installeront d'ici quelques semaines, le temps de permettre les semences : une bonne année en perspective.

En sortant de la courbe, les deux cheminées de l'énorme maison de style canadien recouverte d'un bardeau de cèdre blanchie à la chaux attirent le regard de William.

Beauregard, ce bon vieux boulonnais à la crinière touffue, répond immédiatement à la commande de son jeune maître qui le pousse à tourner. Avec ses lourdes pattes aux sabots épais, il pilonne au trot le sol de l'embranchement qui conduit à la maison des Therrien et s'immobilise devant la porte de derrière sur l'ordre de son conducteur. Aussitôt on entend :

— Vous n'avez pas d'affaires icitte ! Repartez immédiatement, vocifère un jeune homme tout habillé de noir que William reconnaît comme l'aîné des garçons.

— Vous êtes bien un des fils du propriétaire de ce domaine, lance Flora au jeune homme ne voulant pas s'en laisser imposer par lui.

Debout sur la première marche de l'escalier comme s'il voulait en interdire l'accès :

— Ouais ! Vous n'avez pas d'affaires icitte, répond Jacques sans plus.

Malgré l'attaque du jeune homme, Flora conserve son calme. Son fils à ses côtés, elle regarde le garçon droit dans les yeux et lui demande :

– J'aimerais parler à votre père. Pourriez-vous lui demander de venir ?

– Je vous ai dit de déguerpir. Partez d'icitte, beugle le jeune homme pour toute réponse.

– Voyons, nous ne vous voulons aucun mal. Bien au contraire...

Elle n'a pas le temps de terminer que la porte s'ouvre et apparaît une femme que Flora reconnaît. Cette dernière porte une robe à mi-mollet d'un bleu difficilement définissable surmontée d'un large collet blanc qui rehausse le tout.

Étonnée de voir ces visiteurs, la femme referme la porte derrière elle et s'avance vers eux.

– Bonjour, madame Therrien, s'exclame Flora qui voit dans Camille sa bouée de secours.

– Bonjour, madame Desbiens. Feignant un trou de mémoire elle ajoute, hésitante :

– Bonjour Wil... William, c'est bien votre prénom ?

– Oui, madame.

Au pas de course, Jacques disparaît. Flora en profite pour demander :

– Madame, moi et mon fils, nous aimerions rencontrer votre mari.

Surprise de cette initiative, Camille qui connaît les ressentiments de son mari envers ces visiteurs et son humeur des dernières journées ne sait que répondre.

Incertaine, surplombant ses visiteurs du haut de la galerie, elle se mordille les lèvres à la recherche d'une réponse qui peut les satisfaire lorsqu'elle entend William dire :

– Madame, il ne faut pas vous en faire, nous connaissons les sentiments de votre mari à l'égard de notre famille ainsi que les problèmes qu'il vit actuellement. Ma mère et moi insistons pour le voir...

– Ouais ! Je vois que vous avez saisi ma préoccupation. Je vais aller voir... At...

– Comme ça, vous voulez me voir, grogne le gros homme qui vient d'apparaître ! Eh ! bien, moi pas !

Sur le même ton qu'un crieur d'encan, il ajoute :

– Partez! Partez! Partez!

Et il fait un geste pour rentrer dans la maison.

William comprend immédiatement que l'homme ne veut rien entendre. Sa haine est telle qu'elle l'empêche de voir la moindre apparence d'entraide, de solidarité que pourraient démontrer ses visiteurs. Que de souffrances pour ceux et celles qui, quotidiennement fréquentent cette brute mal dégrossie!

Impassible, d'un calme étonnant, le jeune homme, les guides dans les mains, s'adresse directement à Théodore:

– Monsieur! Monsieur! Ma mère et moi sommes venus pour vous prévenir d'être très prudent avec votre moulin à scie. Vous courez un grand risque...

Éclatant de rire l'homme se détourne et

– C'est ça, le grand sorcier... Pas fort, pas fort comme grand esprit... C'est tout ce dont tu es capable... Me parler de mon moulin à scie... C'est déjà réglé. Ce matin même, les hommes sont retournés au travail! Le travail continue comme avant...

Puis, ne laissant aucune chance à William de reprendre, il disparaît aussi promptement qu'il est apparu.

– Mais, monsieur... monsieur...

« C'est comme je le pensais: il ne veut vraiment rien savoir!», se dit intérieurement Camille.

– Mais, je n'ai même pas pu lui expliquer que...

– Expliquer quoi? questionne la femme qui a enfanté Éliane, sa bien-aimée.

Sur ce, William pose le talon droit de son soulier de cuir noir sur le pied gauche de sa mère, signal qu'elle doit prendre la relève. Compréhensive, elle clame frémissante à Camille:

– Mon fils croit que votre mari devrait faire preuve de beaucoup de prudence à son moulin à scie... Contrairement à ce qu'il pense, les contestations ne sont pas terminées. Du moins, il peut y avoir encore beaucoup de problèmes... S'il-vous-plaît avertissez votre mari!

– Donc si j'ai bien compris, la controverse avec les employés du moulin à scie n'est pas close et Théodore court un danger.

– C'est ça. Je veux surtout pas passer pour un sorcier, je veux seulement aider..., plaide William.

– Vous comprenez mon fils, il ne cherche qu'à aider, ajoute Flora.

D'un mouvement de la tête, Camille confirme qu'elle a clairement saisi les propos du jeune homme. Elle descend en bas de l'escalier et chuchote ces simples mots :

– Merci, de votre grande bonté. Dieu vous le rendra ! Soyez assurés que je vais faire mon possible pour avertir Théod... puis démontrant qu'en dépit de son âge elle a conservé sa légèreté, elle pivote sur elle-même et remonte l'escalier.

– Merci, madame, répondent presque à l'unisson Flora et William. Au même instant, celui-ci, d'un léger coup de guides sur le dos du boulonnais, déclenche le roulement de la calèche.

Rapidement, suivant le rythme des pas lourds de Beauregard, le paysage défile à l'inverse pendant que la mère et le fils, emportés par la vague du temps, s'enferment silencieusement au gré des pensées de leur conscience respective. La tête bien droite, le boulonnais, que Raphaël dit aussi fort que dix hommes, pénètre à l'intérieur de la cour de la maison familiale lorsque Flora échappe cette réflexion: « Ouais, il n'est pas un cadeau cet homme... que de misère pour la femme qui vit avec lui ! Ça prend une sainte femme... »

⁂

L'index de la jeune fille se promène sur le visage de son prince charmant. Pas une partie de celui-ci n'est oubliée, pareille à une aveugle qui veut imprégner grâce à ce lecteur sensoriel son esprit d'une image immortelle.

– Comme ça, ma visite a eu des effets, relance William après le récit d'Éliane.

– Tu dis de l'effet. Pire que ça, répond celle-ci de sa voix amoureuse, tout en continuant de faire voyager son doigt. Quand j'ai quitté, mon père rageait de colère après ma mère parce qu'elle ne vous a pas mis dehors. Des charlatans qu'il criait, pendant que mes grands-parents et le beau Jacques en ajoutaient sur la maudite race des Desbiens. Tout à côté de moi, Blanche riait, demande-moi pas pourquoi, je ne le sais pas. Seule ma mère et Gaston étaient aussi tristes que moi. Toute une famille !

– C'est regrettable que ton père ne veuille pas m'écouter. Je te répète que...

– Wil, arrête de t'en faire. Tu as fait ce qu'il fallait. Moi, je crois en toi... comme d'ailleurs beaucoup de gens du Canton, affirme la jeune fille en déposant ses lèvres humides sur celles du jeune homme, prélude aux jeux de l'amour.

Et là, allongés l'un contre l'autre dans leur nid de paille, ils s'abandonnent...

Tout près de cette scène inconvenante pour ce temps où la femme et l'homme ne doivent convoiter et consommer que dans l'état du mariage, l'homme à la peau rugueuse continue son guet. Depuis son intervention auprès du frère de la belle amoureuse aux yeux d'un bleu tellement profond que l'on peut s'y perdre, sa surveillance s'est amplifiée tel un loup qui protège sa meute. Bizarrement, le frère de la jeune fille ne s'est pas montré... Peut-être que ses soupçons se sont envolés, que ce n'était qu'un jeu pour lui ? Allez savoir, avec cette race de gens que sont le Therrien, un rien peut être un tout et un tout un rien.

Assis, les jambes en rouleau à la mode de ses ancêtres, sur un rocher dominant l'horizon au-delà du nid des amoureux, Raphaël se roule une cigarette au tabac brunâtre. Ce tabac, que les vieux de la réserve cultivent, lui procure une telle sensation de bien-être qu'il ne peut s'en passer. Il avait dix ans lorsqu'il a fumé pour la première fois, acceptant la cigarette que lui offrait son père. Il n'avait pas apprécié... âcre, le cœur en compote qui voulait sortir de son corps... il se sentait malade. Deux jours plus tard à l'abri des regards, il répétait l'expérience avec des amis. Cette fois-là, chaque bouffée qu'il inhalait lui procura tant de bonheur, de légèreté, de délice qu'il avait adopté ce petit bout de papier enroulant quelques brindilles de tabac.

Une première bouffée s'introduit à l'intérieur des vieux poumons de l'homme lorsque ses yeux ridés aperçoivent une forme humaine qui longe la clôture de pieux de cèdres. Beaucoup plus petite que celle de l'homme attendu, la délicate silhouette recouverte d'un tissu vert qui se fond dans la nouvelle végétation s'approche dangereusement de la vieille grange.

Courant aussi vite qu'il peut, l'Indien part à la rencontre de son inquiétude qu'il intercepte à moins de deux cents pieds du bâtiment.

Surprise, la délicate silhouette est une jeune adolescente, aux cheveux et aux yeux bruns : pas plus de 15 ans, peut-être moins... elle avance lentement... avance... pour s'arrêter à moins de dix pieds puis avec la candeur de sa jeunesse qui lui donne cette assurance qui fait des adolescents des êtres à la recherche de la nouveauté, sans crainte et sans peur :

— Vous faites quoi sur nos terres ?

Décontenancé par la promptitude de la jeune fille à communiquer, Raphaël ne répond pas immédiatement, sachant par expérience qu'une telle façon d'aborder les gens exige un sang froid peu commun que la jeune fille ne devrait pas être en mesure d'avoir.

— Ici, ce sont nos terres, et je ne crois pas que vous ayez eu la permission de vous promener comme ça, relance la jeune fille.

— Je travaille pour le propriétaire des terres voisines de celles-ci. De temps à autre, je me promène par icitte. J'aime bien le cran de roche tout à côté.

— Oui, mais icitte, c'est chez nous et vous n'avez pas la permission d'y venir.

– C'est vrai, mademoiselle, je repars immédiatement si vous y tenez, mais vous devez savoir que pour mon peuple, les terres appartiennent à tout le monde, pourvu que l'on protège l'esprit de la nature.

Constatant que l'homme qui fait presque deux fois sa hauteur semble vraiment sans danger, Blanche manœuvre d'une façon telle qu'elle s'étonne elle-même et lui dit:

– Ouais! Vous n'avez vraiment pas l'air méchant. Tant qu'à moi, cela ne me dérange aucunement que vous vous promeniez sur nos terres. Vous pouvez continuer, mais faites attention à mon père ou à mon grand frère, eux autres, je pense pas qu'ils vont réagir pareillement.

– Merci, mais je crois que je vais retourner sur mes pas. Comme je vous le disais auparavant, j'aime ce cran!

Voyant qu'il a semé une graine de confiance, Raphaël qui ne demande qu'à en savoir plus sur les intentions de la jeune fille, demande:

– Vous cherchiez quelque chose?

– Avec cette belle température, j'avais le goût de me promener et il me semble que j'ai aperçu ma grande sœur venir par ici. Vous ne l'avez pas vue? Un peu plus grande que moi, elle porte ses cheveux noirs très longs sur les épaules...

– Non.. Je n'ai vu personne. Pourtant je suis arrivé au cran lorsque les cloches de l'église sonnaient midi. C'est rare de rencontrer des gens par icitte.

Voulant amener la jeune fille sur une autre piste, il lui dit presque en murmurant comme un secret que l'on confie:

– L'année dernière j'ai aperçu plusieurs fois des jeunes qui arrivaient par les champs du village pénétrer dans la grange. Surtout le samedi! Cinq ou six jeunes, des gars et des filles... Si jamais, je les vois encore, je m'organise pour vous le faire savoir...

– Ça c'est correct... vous n'avez qu'à laisser le message à la maison et à demander Blanche. Bon, comme il n'y a rien par ici, je repars.

Avec l'agilité de sa jeunesse, elle tourne les talons et lance:

– Salut!

– Salut, peut être que l'on se reverra, crie Raphaël rassuré de voir partir la jeune fille dans une autre direction que la grange.

Regagnant son poste d'observation, ce dernier pense en lui-même: «Ouais ça commence à devenir de plus en plus risqué pour les deux jeunes.»

.·.

«... Dira, dira pas, dira...». Tout au long du trajet la ramenant à la maison familiale, Blanche jongle avec sa découverte. Personne, à part l'Indien, ne connaît son secret. Même ce dernier ne sait pas qu'elle a tout vu, car elle ne lui a pas dit toute la vérité. Oh que non!...

En effet, aussitôt le dîner terminé, Blanche a gagné le champ derrière l'étable pour prendre la petit route qui conduit directement à la vieille grange. Rapides et légers sont ses pas. Elle traverse le premier champ et s'arrête en se disant: «Il faut me méfier, personne ne doit me voir venir; je vais prendre par un autre chemin.»

Au pas de course, elle atteint la clôture délimitant les terrains de sa famille de ceux des Desbiens et constate que son idée est juste. Sa petite stature lui procure cet avantage que la hauteur et la densité des arbustes la dissimulent facilement des regards. Mais malgré tout, elle se doit de rester à l'affût du moindre bruit et d'ouvrir grand les yeux.

Rapidement, elle parcourt un bon demi-mille et décide de faire une courte pause. Assise sur un rocher qui lui évite le contact frais du sol printanier, le dos courbé, les jambes croisées à la façon d'une Amérindienne, les deux mains en appui sur ses cuisses, elles imprègnent tout son être des forces de la nature qui l'entourent. C'est ainsi que ses yeux s'arrondissent à la vue de l'immensité des espaces, que ses oreilles s'apaisent sous l'ampleur du silence, que ses narines s'aromatisent de la douce odeur des premières pousses et que ses poumons se gavent de la pureté de l'air. Qu'il fait bon de savourer... de vivre dans un si grand espace... d'être jeune...

«Switch, switch...» le bruit de pas qui foulent l'herbe fraîche du sol la fait sursauter. Elle qui se croyait seule au monde! Calmement, elle se lève et cherche la source de ce bruit qui s'amplifie dangereusement. Néant de son côté, elle remarque l'éclaircie sous un arbuste qui lui permettrait d'entrevoir de l'autre bord, s'avance et... Costaud est l'homme tout habillé de gris!

Que fait-il par ici? Pourquoi se dirige t-il à pas accélérés vers leur propriété? Elle veut savoir!...

De loin, sur la pointe de ses petits pieds, à environ une centaine de pieds, elle suit l'homme.

À la limite du premier champ, il s'arrête, le corps face à l'étable et s'assoit par terre comme dans l'attente d'un quelconque événement.

Bien en retrait, Blanche se positionne de façon à ne pas se faire remarquer et observe les yeux grands ouverts. À voir l'homme qui se lève à mi-hauteur la tête bien droite, il a certainement aperçu quelque chose. Mais quoi?

Attentive, la jeune fille remarque qu'au loin, de son côté de clôture, se dessine une silhouette. Vite se cacher, ne pas se faire voir, est le premier réflexe de Blanche qui constate avec fierté que sa robe verte se marie au feuillage des arbustes et de l'herbe. «... Quelle heureuse initiative,» pense-t-elle.

Sans trop d'efforts, elle s'engage entre les arbrisseaux, soucieuse du moindre bruit qu'elle peut causer. À genoux, à l'abri des regards, elle attend, impatiente de découvrir la personnalité de la silhouette.

«Switch, switch...» À moins de cinq pieds, à pas accéléré, martelant le sol, apparaissent des souliers noirs surmontés de jambes fines recouvertes à partir des genoux d'un tissu bleu azur. À la fois étonnée et rassurée, la plus jeune de la famille Therrien vient de reconnaître sa sœur. Elle ne bronche pas, en attente de ce que fera l'homme. Celui-ci n'a pas bougé, continuant de contempler un paysage vide de tout mouvement.

Impatiente et curieuse, Blanche s'apprête à sortir de sa cachette lorsque l'homme se lève et prend la même direction que sa sœur.

Toujours accroupie, elle attend que ce dernier qu'elle croit avoir reconnu comme étant l'Indien des Desbiens, prenne de la distance pour se lever et le suivre.

Pas après pas, elle avance dans le sillon de l'homme, de l'Indien, pendant qu'au loin elle distingue sporadiquement, à travers les montées des champs, le bleu azur de la robe de sa grande sœur. Étrangement, l'homme marche en direction de la vieille grange...

L'Indien continue de suivre Éliane à bonne distance. De temps à autre, il s'arrête et regarde dernière lui comme s'il soupçonnait qu'on les suive. Son comportement ressemble étrangement à un surveillant, à un protecteur. «Oui, c'est ça, celui-ci encadre sa sœur, il la protège, mais pourquoi?»

Accélérant le pas, Blanche gagne prudemment du terrain sur l'Indien et sa sœur maintenant rendus à quelques pieds de la vielle grange. Elle s'immobilise sur un petit monticule habillé d'arbustes et s'installe derrière eux pour se camoufler des regards tout en conservant une vue parfaite de la scène qui se déroule.

En avant de Blanche, l'Indien s'arrête derrière un arbrisseau et se positionne dans la direction de Blanche. Tel un bon chien de garde, tout son corps se fige sauf sa tête qui tourne de tous les côtés afin de lui permettre d'enregistrer le plus petit des mouvements.

Pendant ce temps, derrière l'Indien, se passe une scène qui n'est pas sans étonner Blanche. Aussitôt sa sœur arrivée, un homme apparaît de derrière la grange, l'enlace de ses bras et mon Dieu, l'embrasse sur la bouche... longuement...

Le nouveau venu porte un pantalon et une chemise brune. Plus grand que sa sœur, les cheveux aussi noirs qu'elle, celui-ci paraît aussi jeune qu'elle.

Marchant l'un contre l'autre, ils avancent vers la porte de la grange, l'ouvrent et disparaissent à l'intérieur non sans oublier de refermer la porte.

Bien que Blanche possède une excellente vue, la distance ne lui permet pas de reconnaître le jeune homme. Il faudrait qu'elle s'approche ! Mais, comment faire avec l'Indien qui surveille ? Elle doit attendre, être patiente. Mais... mais... où est ?...

Concentrée sur le comportement de sa sœur et de son amoureux, Blanche a oublié l'Indien. Disparu, celui-ci vient peut-être vers elle ou encore, il est peut-être parti.

Incertaine, mais consciente de la nécessité de le retracer, la cadette de la famille Therrien, l'intrépide et tenace jeune fille, décide de passer à l'attaque.

Aussitôt, elle se lève et, d'un pas décidé, fonce...

∴

Dira, dira pas, dira... au souper, dira, dira pas... Indécise, seule dans sa chambre le soir venu... dira, dira pas, dira... dira... oui dira, dira à son père... ! Mais quand ?...

L'audacieuse Blanche trouve enfin le sommeil, toute heureuse de savourer son nouveau pouvoir, de sentir qu'elle fait maintenant partie de la même horde que son père, ce père à qui elle apprendra, très bientôt que ce n'est pas son fils Jacques qui lui ressemble le plus, mais bien elle, son entreprenante fille.

Le lendemain matin, un lundi déjà tout ensoleillé, dans la calèche avec son père qui la conduit à l'école, Blanche s'élance :

– Pa, hier...

18

Déclaration et châtiment

Ce dernier lundi de mai s'amorce très mal pour le maire Cyrille Poitras. Neuf heures du matin résonne de tous ses « ding dong» du clocher de l'église, quand un visiteur inattendu se présente à sa résidence.

Col monté, souliers cirés, habit pressé, l'homme ne s'est pas encore assis, qu'il déclare à Cyrille que sa venue est motivée par la demande de plusieurs citoyens du Canton de fonder une nouvelle localité. Fonctionnaire venant de Québec, sa tâche consiste à rencontrer les principaux intervenants et soumettre un rapport au ministre afin de l'éclairer dans sa décision.

La rencontre dure une heure, le temps pour Cyrille de présenter des arguments qui démontrent l'impertinence et surtout l'incompréhensible raisonnement de cette démarche. Comme maire, n'a-t-il pas toujours été juste envers les citoyens, et ce, qu'ils proviennent des rangs ou du centre ? Le conseil municipal a toujours investi en considérant les intérêts de l'ensemble de la municipalité. Le territoire regroupe des citoyens ayant les mêmes racines et les membres d'une même famille résident autant au centre que dans les rangs. Non, cette demande n'a pas lieu d'être, il ne comprend pas !

Son visiteur parti, Cyrille saisit le téléphone : il veut parler à Théodore.

– Théodore est déjà en route pour le village. Il reconduit sa fille à l'école et doit passer chez le forgeron et le notaire. Peut-être passera-t-il chez vous, lui répond Camille.

Tenace, Cyrille rejoint son ami chez le notaire Jules Gaudreaut.

– Aussitôt ma rencontre terminée, je serai là, dit de sa voix autoritaire le fermier.

C'est un Théodore nerveux et particulièrement grincheux qui se présente chez Cyrille. Qui ne le serait pas lorsqu'on apprend que sa fille qui se dit sage rencontre en cachette un inconnu? Que ce qui a fait que notre fortune s'écroule comme un château de cartes parce qu'un intrus venu de nulle part s'y ingère avec des moyens financiers beaucoup plus efficaces? Que cet intrus favorise son pire ennemi grossissant ses avoirs pendant que les nôtres fondent comme la neige au printemps? Que nos amis de toujours, nous fuient? Que notre douce femme se change en odieuse mégère? Que chaque jour qui se lève depuis un ou deux mois n'est source que de soucis et de malheurs?

— La visite du fonctionnaire me surprend, car j'ai parlé avec Wilfrid et il devait intervenir auprès du ministre pour faire arrêter tout ça. Ouais! Avec ce que tu me dis, je crois bien qu'il n'y a plus grand-chose à faire.

— Voyons, Théodore, tu vois ça, deux municipalités! Une au centre et l'autre tout autour. Un vrai beigne, comme ceux que fait Simone aux fêtes! Non, pour moi, ça n'a pas grand sens!

— Écoute, Cyrille, c'est dommage, mais j'ai actuellement d'autres chats pas mal plus importants à fouetter que de me battre pour conserver une municipalité au lieu de deux. De toute façon, moi, ça ne me dérange pas. Pour mes affaires, j'ai autant besoin des gens des rangs, que ceux du village. Pis toi, ça devrait faire ton affaire, tu seras sûrement réélu maire, rassure Théodore en se levant, décidé à partir.

— Tu pars déjà?, questionne Cyrille surpris de voir son ami, habituellement plein d'assurance et d'idées audacieuses, lâcher prise si facilement.

— Je viens de te le dire! J'ai d'autres préoccupations de ce temps-ci! Je reviendrai un autre jour! Salut!

— Salut!

Sans dire un mot de plus, Cyrille, avec ses yeux noisette et sa barbe d'un blanc qui témoigne de son âge, observe son ami partir en pensant: «Ça ne va pas du tout; je me demande bien ce qui ne va pas... étrange...». Lentement, il saisit sa canne et se dirige vers la cuisine...

Sa femme, dont les doigts possèdent une agilité surprenante malgré ses soixante ans, entrelace minutieusement ficelle sur ficelle d'un futur chandail de laine; il lui dit :

– Simone...

⁖

Sa classe du matin a été agréable, les jeunes travaillant leurs mathématiques sans relâche et surtout sans qu'elle ait à intervenir. L'heure du dîner sonne et elle regagne sans hâte sa pension, sachant que tous les lundis midis, la soupe aux légumes et les œufs en crêpes de Simone l'attendent presque à coup sûr. Après plus de huit mois de pension, Éliane commence à connaître les habitudes alimentaires de ses hôtes.

Il est là de sa hauteur imposante, installé sur le portique de sa pension à l'attendre. Pas un bonjour, seulement un signe de la main pour l'accueillir et bredouiller d'un ton qui révèle sa colère :

– Allons dans ta chambre...

«Passer un mauvais quart d'heure» est une expression qu'Éliane connaît bien maintenant. Incapable de placer le moindre mot, d'exprimer ses commentaires, de se défendre, elle supporte pendant d'interminables minutes un père rendu colérique par l'argent, la haine, l'animosité et le manque d'amour.

Des larmes chaudes et salées perlent sur les joues de la jeune fille. Allongée de tout son long sur le lit, elle est incapable depuis une bonne heure de fermer le réservoir alimentant la glande lacrymale qui produit ces gouttes qui rendent l'œil si aqueux.

Rester enfermée dans sa chambre, ici, dans cette désagréable pension et à la maison familiale, voilà ce qui l'attend. Elle se souvient clairement des paroles de son père : «Ta conduite est celle des filles de rue... Je t'ai pas fait instruire pour que tu te jettes dans les bras du premier venu comme une vraie putain non! Tu es encore sous ma responsabilité, et ce, jusqu'à tes vingt-et-un ans. D'ici là, ou jusqu'à ce que tu trouves un mari qui me plaise, tu resteras à la maison. Plus possible de sortir ma fille: tu termines ton contrat d'institutrice et pour l'année prochaine, je verrai. J'ai averti Simone que je n'autorisais aucune sortie, j'ai dit aucune sortie. Ma fille, regarde-moi bien dans les yeux, les petites rencontres dans la vieille grange, c'est fini... F... I... N... I...».

Des mots à vous couper toute envie de vivre, d'inonder de larmes un continent...

∴

«Mais comment peut-elle s'être comportée comme une putain... Me faire ça à moi... à notre famille. Imagine-toi ce que diront les commères du Canton si jamais... Non, j'aime autant pas le savoir. Une vraie écervelée qui s'imagine être amoureuse, comme le font toujours les femmes. Elle n'a déjà plus tout son bon sens... Non, mais dans cette maison, c'est moi qui commande, c'est moi qui lui trouverai un partenaire convenable, quelqu'un qui aura sa place ici.» Tout au long de la soirée, ces paroles résonnent aux oreilles de Camille, sortant à l'unisson de la bouche de ses beaux-parents et de celle de Théodore.

Plongée dans la noirceur de la nuit, allongée sur un lit à baldaquin à moins d'un pied de distance de celui qui lui a empoisonné la vie, Camille est incapable de trouver le sommeil. Les yeux grands ouverts, elle fixe la tenture de soie blanche dressée au-dessus du lit et elle réfléchit aux derniers événements.

La colère de Théodore ne la surprend guère. Comment un homme qui n'aime que lui et ses avoirs, pourrait comprendre ce qu'est le détachement, la complicité et l'immensité de l'amour pour un autre? Jamais il ne lui a dit «je t'aime», ne lui a démontré le plus petit des sentiments ou expressions qui font la complicité de ceux qui s'aiment. Non, elle se souvient vaguement d'un sourire le jour de son mariage, mais, mon Dieu, c'était pour mieux la prendre, lui infliger le supplice de son corps puant. Oui, puant de méchanceté, d'envie, de haine! Dieu merci, l'Église, malgré ses rituels du Moyen Âge qui réduit la femme à l'état de servante de l'homme, la protégée, permettait à cet infâme et grossier personnage de ne la prendre que pour lui faire des enfants par quatre fois!

Camille sait que sa fille aime d'un amour qui transporte l'être, le transforme en un immense brasier de sentiments, d'émotions souvent difficiles à comprendre et à éteindre. Un amour qu'elle n'a pas eu le droit de vivre... ni le courage d'exprimer...

∴

«Ne jamais se servir de tes rêves pour tes intérêts personnels», William n'a jamais cru possible que les paroles de son grand-père puissent le toucher.

Pour la première fois depuis sa courte existence, un rêve le bouleverse personnellement. Quoi faire avec ce rêve? Ce rêve dans lequel ses yeux de strigiformes, de grand duc, ont aperçu hors de son lit une rivière charriant des eaux tumultueuses, puis dans les champs bordant celle-ci, des animaux en proie à la panique courant dans tous les sens, enfin, seule dans la pénombre d'une pièce ne contenant qu'un lit recouvert d'un drap noir, une jeune fille toute en larmes, ressemblant étrangement à Éliane. Oui, quoi faire? Sa belle amoureuse est en danger... un énorme danger venant d'êtres qui lui sont proches... des ennuis majeurs qui la perturberont... qui modifieront le cours de sa vie!

Intervenir! Oui, mais comment? Il ne peut transgresser la loi divine sans conséquences, sans suites qui pourront être néfastes à son amour. Quoi faire, plutôt comment faire?

Toute la matinée, William travaille en solitaire, seul dans son monde, les yeux renversés dans l'espace de son cerveau obsédé par une seule pensée: son Éliane! Rien ne semble pouvoir le faire sortir de sa torpeur, même pas le sifflet aigu du train qui traverse les champs à quelques centaines de pieds de la ferme.

Les cloches de l'église vont bientôt sonner l'angélus du midi.

– Tu es pas mal silencieux aujourd'hui, ça ne va pas? demande Raphaël au jeune homme occupé à réparer une des ridelles de la charrette.

À l'image de celui qui met toute son énergie à sa survie, à contrôler son environnement, ce dernier ne répond pas, se bornant à jeter un coup d'œil rapide à l'homme à la peau rouge.

– Tu n'as pas dit mot de la matinée... Voyons, William, qu'est-ce qui ne va pas?

Malgré le ton suppliant de Raphaël, le garçon continue son travail comme s'il n'avait rien entendu. Constatant le profond mutisme de ce dernier, l'Indien qui cherche à savoir, lance au hasard:

– Il n'y a qu'une chose qui peut te toucher si durement, ta petite amie! C'est ça!

Cette fois William réagit; il tourne la tête vers Raphaël, le regarde sans dire un mot.

– J'ai bien deviné: Tu as des problèmes avec ton amoureuse.

– Non! Je n'ai pas de problèmes avec mon amoureuse, comme tu le dis. C'est elle, qui a des problèmes...

– Des problèmes?

– Un ou des problèmes... mais je suis sûr que ça ne va pas du tout! Tu me connais, moi, pis mes rêves!

– Ouais! Qu'est-ce que tu comptes faire?, demande l'Indien.

William reprend de sa voix triste:

– Je ne sais pas! Depuis que je me suis réveillé, je pense rien qu'à ça. Je me dis qu'il serait bon de la voir, de lui parler. Mais comment faire sans éveiller les soupçons?

– Ben! Moi je pense que tu devrais t'ôter de la tête l'idée de la voir ou de lui parler toi-même. Si tu l'aimes, tu dois la protéger... Et dans ce cas, tu évites de te faire voir avec elle... surtout que ça fait un bon bout de temps que la famille Therrien vous surveille.

– Ouais, tu as ben raison... il suffirait de pas grand-chose... c'est déjà assez dur pour elle!

Du haut de ses six pieds, dépassant l'Indien d'une bonne demi-tête, William fait une pause, puis il ajoute tout simplement :

– Je vais passer par Estelle; elle saura bien ce qui se passe... après ça, je verrai quoi faire.

– Excellente idée... si tu as besoin de moi, je suis là. O.K.?

– O.K.!

Le pacte scellé, les deux hommes se séparent...

.·.

Dans la pénombre de la chambre au plafond de lattes de pin teintes en un blanc tirant plus sur le jaune que sur le bleu, deux jeunes filles murmurent pareillement à deux complices :

– Estelle, tu diras à William qu'avec ce qui se passe, on ne pourra se voir avant un certain temps, chuchote Éliane d'un ton larmoyant.

– Pas de problème, il m'attend à la gare pour avoir de tes nouvelles.

Assises l'une contre l'autre sur le petit banc de la pension, Éliane et Estelle échangent un regard complaisant. Amies depuis leur jeune âge, elles ont développé des liens comparables à ceux de sœurs jumelles, qui sont unies dans la joie comme dans la peine.

– Il possède vraiment un don... venir à la maison et me demander de venir te voir afin de vérifier pourquoi tu pleurais tant! J'en reviens pas... c'est comme le soir du train!

– Ah oui! Tout un don, répond Éliane qui ajoute de sa voix encore tremblante de sanglots: Estelle, tu dois nous aider! Tu connais mon père, il ne lâchera pas d'un pouce, je vais avoir besoin de toi. L'école va finir bientôt et on ne pourra plus se voir qu'à la maison. Tu viendras?

– Voyons, s'il faut que je fasse le parcours à pied, je le ferai. Mais attends, il reste encore un bon mois avant les vacances d'été. Ton père va peut-être changer d'idée...

.∙.

Jacques, son misérable frère, au sourire triomphant conduit la calèche qui la ramène à la maison pour la fin de semaine. D'humeur maussade, la jeune fille se demande si c'est lui le responsable de tout ce drame, lui qui ne la lâchait pas d'une semelle! Quel abominable être! Tout le long du trajet, des pensées dignes d'une cérémonie où l'horreur est de mise règnent dans le cœur d'Éliane.

Dès son arrivée, elle rejoint sa chambre, ce lieu de solitude l'apaise et la réconforte. Dans moins d'une heure, le souper sera servi et elle devra affronter les sourires malicieux des siens. Que de joies pour son grand frère Jacques, lui qui cherche depuis longtemps à l'amoindrir devant son père comme le font les enfants du roi devant un trône vide! Que répondre à ces infâmes gens qui se feront un plaisir de l'interroger, d'essayer de la piéger, de détruire sa vie.

Toc, toc, toc, et la porte de bouleau donnant sur le corridor conduisant à sa chambre s'entrouvre:

– Je peux entrer?, demande Camille.

Étendue de tout son long, la tête appuyée sur son oreiller de plume recouvert d'une taie de coton du même bleu que sa descente de lit, Éliane regarde sa mère et lui répond;

– Certainement, toute heureuse de cette visite inattendue.

Agile, elle prend une position assise au milieu de son lit et tapote de sa main droite le matelas.

– Man, viens! Viens t'asseoir à côté de moi!

377

D'un mouvement qui démontre de la prudence, Camille ferme la porte et s'avance d'un pas léger vers le lit sur lequel elle prend place à côté de sa fille. D'un geste maternel qui exprime clairement sa compassion, elle soulève délicatement la tête de sa fille avec ses mains, la regarde intensément dans les yeux et après avoir passé ses doigts dans sa douce chevelure, lui dit :

– Tu as beaucoup de chagrin !

Ces paroles ont l'effet d'ouvrir la champelure qui ferme le réservoir des larmes d'Éliane.

– Tu as bien raison de pleurer, l'amour, ce n'est pas facile pour une femme. Ici, tout est permis à l'homme, mais pour la femme... et surtout à ton âge.

Camille s'approche de sa fille, l'entoure de ses bras. Spontanément, sa fille pose sa tête sur son épaule et en sanglots, prononce des paroles remplies de peine.

– Oh, maman, comme j'ai mal ! C'est injuste ce qui m'arrive, injuste !

– La justice ! Pauvre toi, tu ne sais pas encore qu'elle est l'affaire des hommes. Console-toi vite, car tu vas pleurer souvent... surtout icitte dans cette famille ! Avoir une bonne carapace, voilà ce qu'il faut pour une femme qui veut vivre dans ce monde. Moi, je m'en suis posée une voilà déjà bien longtemps, sinon...

– Mais, man, j'aime et personne ne peut briser mon amour. J'ai le droit d'aimer, d'aimer celui que je veux.

– Ah ! Ça, c'est ce que tu crois... mais la réalité est tout autre. Ne viens-tu pas de t'en rendre compte ? Moi, j'ai appris...

– Pourquoi dis-tu ça ?, demande, intriguée, Éliane à sa mère en s'éloignant d'elle comme pour mieux lire sur son visage.

Camille détourne le regard à la recherche d'un îlot qui lui permettra de se réfugier : se sauver, ne pas répondre à cette question qui la ramène vingt ans en arrière. Elle et son beau voisin, le premier baiser, les rencontres secrètes... elle l'aimait ce jeune homme avec ses boucles blondes et ses yeux d'un bleu aussi profond que le ciel... un amour à l'image de celui de sa fille. Que de coïncidences ! Mais, cette fois, l'amour aura le dessus, elle fera ce qu'elle a résolu lors de la lecture de la lettre d'amour de sa fille. Elle l'aidera, contribuera à réaliser son rêve et, s'il le faut, elle la défendra, foncera comme elle aurait dû le faire pour elle-même.

– Moi aussi j'ai eu ton âge et comme toi, j'ai aimé... tellement aimé ! Il était si beau, si grand et ses yeux, mon Dieu ! Je l'aimais tant que j'en perdais la raison. On avait des projets d'avenir... Mais mon père avait d'autres plans pour moi et bien que je m'y fûs opposée, j'ai vite compris que je n'avais pas grand choix... et si ma mère avait... Allons, je dis des sottises... le temps a fait les choses et j'ai épousé ton père.

– Tu t'es mariée obligée ?, demande Éliane.

– Si tu appelles obligé le fait de suivre l'ordre de son père et de sa mère, c'est ça !

– Mais, maman, non ! Comme tu dois être malheureuse ! Vivre sa vie avec un homme qu'on nous impose. Non ! jamais je ne pourrai le faire...

– Eh bien ! Nous allons tout faire pour que cela ne t'arrive pas. Je suis là pour t'aider...

Camille fait alors une courte pause et en profite pour prendre une bonne respiration, puis elle enchaîne en demandant :

– Le jeune homme que tu aimes, le jeune Desbiens et ton amie Estelle, peut-on compter sur eux ?

– Indéfectible, maman, indéfectible !

– Écoute ma fille, dans une demi-heure, tu vas descendre pour le souper. Ici, seul Gaston et moi sommes de ton bord. Les autres, ils vont tout faire pour que tu montes sur tes grands chevaux, pour que tu leur déclares ton secret pour mieux t'asservir. Ça peut même durer des mois. Tu restes calme, ne réplique pas trop fort, même s'ils te traitent de putain, de femme de mauvaise vie et, surtout, fais attention à Jacques et à ta sœur. D'ailleurs, c'est elle qui a tout découvert! Elle s'était cachée dans les champs... une vraie peste, comme son père... Tu n'oublies pas et fais bien attention à ton père, il n'est pas à prendre avec des pincettes de ce temps-ci. Les affaires ne vont pas très bien avec le moulin à scie et ses amis politiques...

.·.

Amour, amour quand tu nous tiens, quand tu guides nos pas, quand tu nous dévoiles les secrets de la vie, quand tu nous fais rire, quand tu nous fais souffrir, maudit amour ou merveilleux amour!

L'espoir de revoir son amour ne peut s'éteindre, car William le nourrit de ses pensées, de ses rêves, de ses gestes. Près de deux mois, exactement cinquante-cinq jours, qu'il n'a pas revu sa tendre Éliane et qu'il ressasse sans cesse dans sa tête les derniers mots de la lettre que lui a remise Estelle «... *je t'aime mon bel amour aux yeux de marbre. Je t'aime d'un amour si grand, que même les plus hautes montagnes, les plus dévastateurs des orages, les plus grandes armées de la terre ne pourront nous séparer. Patience, patience, le temps est avec nous. Je t'aime de tout mon être...* ». Que de douceur et d'espoir dans ces mots!

Du haut du rocher, gardien de leur premier baiser, assis, les jambes pendant vers le sol, l'amoureux au cœur imprégné d'une crevasse qui de jour en jour s'élargit au couteau de l'espoir du temps qui s'écoule, cherche au fond de ses pensées une clé pour délivrer son amour du cauchemar de sa prison.

Une chambre comme prison, sa propre chambre! Incroyable mais néanmoins véridique! De quoi en dresser la crinière du boulonnais! Une chambre inaccessible aux étrangers où, pas une fois depuis la fin de l'année scolaire, il n'a été possible même pour Estelle, son amie de toujours, de lui parler. Chaque fois, oui chaque fois, son père, son grand-père ont dressé un mur infranchissable, et ce, malgré la bonne volonté de sa mère. Prisonnière de sa famille, de ceux et celles qui normalement sont les anges de l'amour, de la vie. Quelle tristesse ! Mais ne faudrait-il pas aider le temps ? Brusquer ce temps qui passe, qui s'effrite sans renouveau, renverser ce qui a créé ce grand malheur, cette barrière de l'amour ? Bousculer, le temps, l'accompagner dans l'égrenage des secondes, des minutes, des heures, des journées, tracer le chemin du futur, l'amener à se préoccuper de l'amour, de la vie de deux êtres qui ne demandent qu'à unir leur destinée.

Comme alimenté par le soleil de juillet qui tape sur son crâne garni, une idée jaillit. Oui, oh oui ! Il doit revoir Estelle afin qu'elle parle à la seule personne apte à leur faciliter l'accès à son amour, capable de fournir des nouvelles fraîches et même de servir de courrier, la mère d'Éliane. Oui, servira de courrier ! L'aidera à libérer son amour !

∴

Deux mois, oui deux mois se sont écoulés avant que la rumeur concernant la fille de Théodore commence à se répandre et en moins de vingt-quatre heures, elle remplit les discussions de maison en maison, de porte en porte, de salon à salon, de cuisine à cuisine, d'individu à individu.

Cette rumeur a l'effet d'une goutte d'eau dans un vase déjà trop plein. C'est ainsi que dans tout le Canton, l'image des Therrien a perdu de son éclat. Tout d'abord, la chicane avec son voisin, un des ancêtres fondateurs du Canton, puis la construction de l'école et de la salle communautaire, ensuite le moulin à scie et, maintenant, enfermer sa fille parce qu'elle possède assez de caractère pour leur tenir tête. Non, mais !

À l'épicerie, les discussions vont bon train :

— Moi, je la connais bien cette petite, déclare Simone Poitras, bien élevée, toujours polie, pas un mot plus haut que l'autre et sa chambre jamais en désordre. Non, je ne comprends pas Théodore ! Elle lui tenait tête quelque fois, mais rien d'important, juste un peu de caractère, ça ne fait de mal à personne. Enfermer sa propre fille, une institutrice si douée et aimée de ses écoliers et écolières! Ça n'a pas de bon sens!

– Vous avez sûrement raison, madame la mairesse, mais n'a-t-elle pas la réputation d'être très jolie et plus ou moins réservée avec les garçons?, lance Aline Simard.

Ceux et celles qui connaissent cette vieille fille déchiffrent aisément ses propos. Peu gâtée par la nature, célibataire avec ses quatre pieds dix pouces et ses cent quatre-vingt livres, jamais, elle ne laisse la chance à la beauté féminine, comme si cela pouvait réparer son handicap.

– Non, en 1925, ça ne se fait plus ces choses-là... surprotéger sa fille des garçons parce qu'on la trouve attirante, parce que l'on a peur qu'elle ne se marie pas avec celui que l'on voudrait. Voyons!, réplique la femme du forgeron. Moi, j'ai trois filles, toutes assez jolies, je ne me vois pas et surtout pas Samuel en enfermer une parce qu'elle préfère tel garçon à tel autre.

Jugeant le moment approprié pour placer son mot, la femme du notaire, Marcelle Berger, dont il est connu de tous que son fils unique de 25 ans, Julien, éprouve de sérieux sentiments pour la fille Therrien, ne se gêne pas pour dire:

– Moi et mon mari approuvons Théodore. Avec tous ces garçons et ces hommes que l'on voit apparaître et disparaître depuis le début des travaux sur le chemin de fer et au nouveau barrage, vaut mieux protéger nos filles. Vous savez, mesdames, les hommes passent facilement mais qui récolte? Qui enfante?

Puis, profitant de l'occasion pour souligner l'importance de sa famille dans la communauté, elle ajoute:

– Même monsieur le curé est d'accord sur ce point. Mon mari a discuté avec lui de ce sujet, pas plus tard qu'hier soir. Je crois qu'il va d'ailleurs rendre visite à Théodore dans les prochains jours...

19

Prisonnière

Au loin, à travers la colonne de fumée qui grimpe au firmament bleuté et sans nuage, une lueur orange scintille dans l'horizon montagneux rempli de cônes verdâtres. Un battement d'ailes et me voilà aligné directement avec la source de ce qui ressemble à un autre feu. «Ce coin de pays est vraiment propice à cette forme de désastre», me dis-je en moi-même. Encore, encore, j'accélère au bruit des «vlam, vlam» qui accompagne le battement de mes ailes de plus de cinq pieds en fendant l'air sur toute leur longueur.

Une forte odeur de bois surchauffé agresse mes narines et pique mes grands yeux de nocturne. D'un fort battement, je gagne de la hauteur afin de protéger mes yeux et par la même occasion, j'acquiers une vision étonnante des lieux. En bas, à moins de deux cents pieds, à côté d'une énorme bâtisse de bois dont une partie est assise dans le cours d'eau, un amoncellement de cônes dénudés de leurs exubérances s'enveloppe de flammes si ardentes, qu'instinctivement tout mon corps de grand duc veut fuir ce lieu de peur de s'enflammer ou d'être atteint par l'une des nombreuses étincelles qui s'en libèrent.

Prenant naissance dans le cours d'eau, trois ou quatre cordes humaines s'affairent à faire voyager des seaux d'eau que l'on déverse sur le brasier. Malgré les efforts des hommes, rien ne semble pouvoir arrêter l'esprit du feu qui s'anime de seconde en seconde au son des cris et des pleurs.

Je survole une seconde fois l'espace aérien contaminé par l'épaisse fumée et, à moins de dix battements d'ailes de l'incendie, à environ mille pieds, se trouvent une maison et des bâtiments de ferme. Je descends à la recherche de quelconques indices qui me permettraient de reconnaître les lieux, mais rien sinon un calme plat comme si le temps s'était arrêté.

Je refais le chemin à l'inverse et constate à mon arrivée qu'il ne reste de l'amoncellement de bois qu'un amas de cendres. Les chaînes humaines se sont cassées ou se sont fondues en attroupements. Je descends et m'approche dans l'espoir de reconnaître des connaissances à travers ces visages noircis par la souffrance, la désolation et la tristesse lorsque j'entends une voix pleine d'anxiété «Jacques! Jacques! Arrête, voyons!»

Ce rêve qui hante William depuis quelques jours le bouleverse. Comment être compatissant avec ce bourreau, avec celui qui retient prisonnière l'amour de sa vie, celle qui lui a fait découvrir le sens de la vie, le pourquoi de son existence, oui comment?

Doit-il refaire la même démarche que la fois où lui et sa mère ont été ridiculisés par cet impétueux personnage. Mais, cette fois, les événements annoncés seront beaucoup plus spectaculaires et dévastateurs qu'une simple marche de contestation.

∴

De sa cellule, Éliane voit les jours s'écouler avec une lenteur désespérante. Habituée à la présence humaine, au grand air, à de longues marches, à effectuer divers travaux soit à la maison, à la ferme ou à l'école, elle s'éteint à petit feu, semblable à une fleur privée de lumière et d'eau. Depuis la fin de l'année scolaire, elle n'a pas revu son amie, qui lui apportait des nouvelles de William, qui la nourrissait d'espoir et de conseil. Seule sa mère vient couramment lui tenir compagnie, mais tout comme elle, ses sorties sont surveillées, contrôlées. Impossible pour Camille d'aller à l'épicerie, à la gare, à la messe ou à tout autre lieu hors de la ferme sans un gardien. Deux mois d'enfer sans aucune nouvelle de l'extérieur! Un père, un frère, une sœur, un grand-père et une grand-mère comme tortionnaires, voilà de quoi affaiblir un esprit ou au contraire, le raffermir, surtout chez une fille aussi déterminée, audacieuse et tenace dans ses croyances.

Oui, elle doit se lever, montrer son caractère, toute sa volonté à se sortir de cette situation visant à l'amoindrir, la rétrécir dans le plus profond de son être de femme qui, selon ses geôliers, doit se soumettre à l'homme, à la famille et à ses exigences.

Penser, réfléchir, examiner toutes les solutions pour retrouver son amour, reprendre possession de sa vie de jeune femme. Elle doit parler à sa mère, à Estelle, trouver un moyen de faire parvenir une lettre à William et s'échapper de cette prison...

∴

« La jolie maîtresse enfermée par son père parce que trop entêtée... refusant de se marier à... ». Combien de vérités possibles, de «j'en suis sûr» de «moi», de «je l'ai entendu de mon frère qui connaît le beau-frère de... ».

Des propos malicieux tenus par des personnes aux paroles aisées, voilà une recette infaillible pour propager une nouvelle aux quatre coins de l'univers, même dans le presbytère du Canton.

Le nouveau et jeune curé Daniel Couture a entendu les médisances sur la jeune institutrice Éliane Therrien. Bien qu'il connaisse la famille et ses antécédents, il a de la peine à croire que son père lui fasse subir un tel sort. Que peut-elle avoir fait pour provoquer tant de colère et, si la rumeur de son emprisonnement est véridique, une telle punition ! Son rôle de curé, de gardien de la parole de Dieu, de l'amour et du pardon l'oblige à aller voir, à cerner fidèlement les événements qui préoccupent tant ses paroissiens et, coïncidence, n'est-il pas rendu au rang 5 dans ses visites paroissiales ?

Aussitôt terminé son dîner composé de soupe aux légumes, de pâté au poulet, de tarte au citron et de thé pour digérer, il quitte le presbytère pour se rendre chez les Therrien. Ensuite, il ira comme il l'a annoncé dans son sermon dominical, chez Henri Desbiens et les trois autres fermiers du rang.

Tiré par une des plus belles juments du Canton, Perle bleue, nommée ainsi en raison de sa peau d'un blanc bleuté, la calèche avance rapidement sur la route de terre. Daniel s'étonne de constater que malgré le peu de résidants, l'entretien de cette route se compare à la rue principale du village. Mais en y réfléchissant bien, il suffit de penser que l'homme fort du Canton y réside. En effet, Théodore Therrien n'est-il pas l'ami personnel du maire et l'employeur le plus important si l'on exclut Jos Dufour...?

– Bonjour, monsieur le curé, précise Camille malgré qu'elle connaît depuis longtemps Daniel pour avoir été à la même école primaire que lui.

– Bonjour, madame Therrien...

Il pénètre dans la pièce et remarque que derrière la femme sont agenouillées plusieurs personnes. Le missel à la main gauche placé sur son cœur, il prend sa posture d'officiant et, avec sa main droite, il trace le signe de la croix. Profitant de l'immobilité des individus, il jette un regard rapide sur l'assemblée à la recherche de la jeune institutrice. Tout en avant, le père, le grand-père et sûrement sa femme, derrière, un garçon, un deuxième, une jeune fille et derrière celle-ci, à la droite de Camille, elle est là...

∴

La feuille blanche attend patiemment que l'homme, avec ses doigts agiles, promène l'insaisissable bout de métal. Va-t-il mettre un minimum de pression ou un maximum de pression, faire glisser ou grafigner ? Une, deux,... cinq minutes, pas encore un seul mouvement, un signe de l'intention de l'homme. Peut-être ne fait-il que jouer avec l'instrument ou, encore, ne sait pas comment l'utiliser !

Devant la feuille dégarnie, William médite. Dans son esprit, tout virevolte, s'entremêle. Quoi écrire, quels mots employer pour réconforter Éliane, pour lui témoigner son amour, son soutien ? Puis enfin, les idées jaillissent, nombreuses, surprenantes...

Canton, 21 août 1925

Éliane, mon grand amour,

Quand tu liras cette lettre, deux longs et terribles mois se seront écoulés à l'intérieur de cette chambre, entre ces quatre murs qui délimitent ta prison. Deux mois que tes baisers me manquent, que la beauté de tes yeux si grands et tes cheveux si noirs n'embellissent plus mon horizon.

Comment trouver les mots qui pourront apaiser ta souffrance ?

Mon amour, que de douleur pour toi, que de larmes sur tes joues, dans cette chambre, cet espace que tu ne quittes plus.

Comment peut-on te faire subir un tel calvaire ? Quel est cet être, ou plutôt, quels sont ces êtres qui, pour des raisons qu'eux seuls sont en mesure de justifier, sont capables de faire subir ces tourments à la chair de leur chair ?

Quand je relis jour après jour tes lettres aux mots si tendres, je ne peux croire que notre amour n'a duré qu'un seul été, que les doux moments passés ensemble ne peuvent se renouveler et que, soudain, tout se meurt.

Éliane, mon amour, comme toi, j'ai le goût de créer mon bonheur, de danser encore plusieurs étés avec toi.

Cauchemar impossible, imaginaire ! Oui impossible chimère, car je te libérerai de ton donjon, de cet enfer que tu ne mérites pas, que ton amour pour moi ne mérite pas !

Mon amour, je n'attends qu'un signe, qu'un simple mot pour accourir vers toi, pour t'aider à revoir le jour, la vie, l'amour...

Éliane, cette lettre te parviendra par l'intermédiaire d'Estelle ou de ta mère. D'ici à ce que je reçoive une réponse, je ferai tout mon possible pour préparer ton retour à la vie, pour que nous chantions comme les oiseaux la liberté de notre bonheur.

De celui qui t'aime, qui seul sur le rocher de notre premier baiser, pense à toi et aux jours meilleurs qui nous attendent.

William

P.S. J'ai encore fait un rêve concernant ta famille... Un grand malheur va s'abattre au moulin de ton père... je pense le revoir pour le prévenir... qui sait, peut-être cette fois-ci voudra-t-il m'écouter...

Pensif, le jeune prêtre se dirige vers le lieu de sa deuxième visite de la journée, la maison des Desbiens. Cette fois, non seulement l'accueil devrait être plus chaleureux, mais aussi la discussion.

Quel homme désagréable que Théodore Therrien et que dire de son père? Aucun moyen de connaître les valeurs de ces deux hommes sauf qu'ils aiment bien signifier que ce sont eux les vrais fondateurs de ce coin de pays. De cette rencontre, Daniel retient une parole du vieux Therrien: « Notre famille a toujours collaboré avec les curés en place, comme ceux-ci d'ailleurs »! Vraiment, des gens imbus d'eux-mêmes, des êtres pour qui la charité n'est que pour eux, des soi-disant catholiques qui ne connaissent pas ce que veut dire l'expression «amour de son prochain» et encore moins la vraie parole de Dieu. Vaut mieux ne pas connaître, ne pas fréquenter ces personnages qui se croient au-dessus de tout le monde et qui semblent croire que tout leur est permis, que les autres sont à leur service et qui pensent que vingt dollars à la dîme va racheter leurs péchés, leurs fautes.

Comme un habitué de la maison, Daniel arrête la calèche devant la porte donnant sur l'arrière de la maison des Desbiens. Il pose les pieds sur le sol, s'immobilise comme pour contempler le paysage tout autour de lui, mais ce n'est pas le cas. Il repense aux paroles presque inaudibles de Camille en fermant la porte derrière lui : « Daniel, je ne peux pas te parler ici, mais si tu vas chez nos voisins, demande au jeune William, il connaît bien notre situation, surtout celle d'Éliane. »

Le jeune prêtre pénètre dans la maison et procède aux règles de convenance d'une visite paroissiale. Comme prévu, la famille Desbiens sait faire les choses. Après une bonne demi-heure de discussion, il demande :

– J'aimerais parler à William en privé. Est-ce possible ?

– Pas de problème, on vous laisse le salon, répond Henri qui, d'un signe de la main, entraîne les autres vers la cuisine.

Quelque peu étonné de la demande du prêtre, William reste impassible, en attente d'une quelconque explication au sujet de cet entretien.

– Tu dois certainement te demander pourquoi je veux te parler.

– Ouais, ça m'étonne un peu !

– C'est normal, surtout que le moment peut sembler mal choisi. Mais je ne peux faire autrement, sinon te faire venir au presbytère. Écoute j'aimerais que notre conversation reste entre nous deux.

– Pas de problème, monsieur le curé, répond William d'un ton qui exprime un certain malaise.

Daniel s'en aperçoit, mais il poursuit tout de même :

– J'arrive de chez les Therrien. Pas la plus agréable des rencontres, je peux te le dire ! J'aurais apprécié pouvoir parler avec la jeune institutrice, une fille de ton âge, je crois, mais impossible, avec ce climat tendu et ces gens qui ne parlent que d'eux. Non aucun moyen ! Selon ce que l'on m'a dit, tu n'es pas sans savoir ce qui se passe chez vos voisins.

Puis s'approchant du jeune garçon comme pour mettre plus de poids sur celui-ci, il ajoute :

– J'aimerais que tu me dises ce qui se passe chez ces gens !

Étonné par l'approche du curé, William reste prudent. Doit-il parler, confier à cet homme le secret d'Éliane, son secret, leur secret ? Peut-il faire confiance à ce prêtre, au moment même où il s'apprête à passer à l'action afin de libérer celle qu'il aime ? Mu par un instinct protecteur, il demande :

– Mais, pourquoi moi je saurais quelque chose sur ces gens ?

– Je sais que tu peux m'aider. Avant de partir, madame Therrien m'a dit tout bas que tu connaissais leur situation et celle de leur fille. Tu dois me dire ce que tu sais...

– Mais je ne sais pas grand-chose !

– Voyons mon garçon, pourquoi madame Therrien m'aurait-elle dit de te parler ? Je suis sûr qu'elle attend de l'aide, pour prendre le risque de me faire ce message... tu ne penses pas ?, déclare Daniel qui se montre de plus en plus insistant.

– Ouais ! vous avez peut-être raison... mais avant de vous dire ce que je sais, je veux que vous me promettiez de tout faire en votre pouvoir pour aider Éliane...

– Éliane ! C'est la jeune institutrice, je crois... c'est bien celle qui est au cœur du problème !

William reconnaît qu'il a déjà trop parlé. Homme d'une intelligence vive, le curé ne reculera plus, mais avant de commencer son récit, il revient sur sa demande :

– Vous m'assurez de votre aide ?

Gardien de la parole du Créateur, gardien de ses paroissiens comme un berger avec ses brebis, Daniel ne peut refuser son aide. En tant que représentant du Dieu qui propage l'amour de son prochain, la justice, l'entraide, le respect de la vie, il doit soutenir chacune de ses brebis, qu'elles soient grandes, petites, de sexe masculin ou féminin, jeunes ou adultes...

– Si je trouve que ce que tu me dis est injuste ou inacceptable, je te promets de tout faire en mon possible pour t'aider. O.K. ?

– O.K. ! Ça va ! Mais vous ne m'oubliez pas, sinon soyez assuré que je vous le rappellerai...

William fait une courte pause, se cramponne confortablement au sofa et commence son récit : « ... Tout a commencé le jour même de notre arrivée ici, quand à la gare, j'ai... ».

.·.

Encore six mois de travail en perspective pour achever le deuxième étage et le sous-sol afin que la nouvelle école puisse ouvrir. D'ici là, l'ancienne école servira à accueillir les élèves pendant que deux classes seront organisées au premier étage du nouvel édifice. C'est à ce même étage que l'on retrouve les locaux réservés à la directrice et à sa communauté. Une chapelle pour la prière quotidiennte, une cuisine moderne, un salon de lecture, quatre chambres, petites mais fonctionnelles et une grande salle de toilette dotée d'un bain, enfin, de quoi réjouir toutes les religieuses du Canton.

De la même couleur que la longue robe de toile de la religieuse, les souliers de cuir dotés de talons qui permettent de gagner près de deux pouces en hauteur frappent le plancher de tuile de la cuisine. La nouvelle institutrice, mère Joseph-de-Marie, adjointe à la directrice, sœur Sainte-André, apporte une bonne nouvelle :

– J'ai enfin parlé avec mademoiselle Therrien. Elle devrait venir vous rencontrer demain dans la journée. Elle téléphonera afin de confirmer l'heure de sa venue aussitôt qu'elle aura parlé avec son père.

– Son père ! Elle serait mieux de faire vite, car j'ai presque le goût de la remplacer. Un mois que l'on essaie de lui parler... Vous avez fait combien d'appels ma sœur ?

– Au moins une bonne douzaine et chaque fois, on me disait qu'elle n'était pas là ou qu'elle était occupée, répond timidement sœur Joseph-de-Marie.

– Quand même curieux pour quelqu'un qui, à la fin de l'année scolaire, m'a mentionné qu'elle avait aimé son expérience et qu'elle aimerait revenir... Bizarre, très bizarre comme comportement... attendre à la dernière minute pour répondre, murmure la directrice.

– Peut-être qu'elle ne pouvait répondre ou qu'on ne lui faisait pas le message de rappeler. Je vous mentionne, mère directrice, que je n'avais jamais téléphoné un dimanche et, pour la première fois, c'est sa mère qui m'a répondu. Auparavant, c'était toujours la même voix d'homme, une voix assez jeune...

– O.K.! Je vois! Avec ce que vous venez de dire, je me demande si le bruit qui court sur mademoiselle Therrien n'est pas vrai... Mais, passons...

••

Non, non hurle de tout son être Éliane. Elle dépose d'un geste rapide ses ustensiles sur la table, se lève et prend la direction du salon. Vous n'avez pas le droit de me faire ça... Un jour, vous le paierez!

Autour de la table garnie, fourchette à la main, couteau prêt à attaquer le beurre, à séparer une patate ou le steak, la cuillère tourbillonnant dans une tasse remplie de café, les yeux perdus dans l'éclat du moment, tous les membres de la famille Therrien restent muets, ébahis par l'indignation et la rage de la jeune Éliane.

Tremblante de colère, les yeux pleins d'eau, le cerveau bouillant à déborder des mots qui ne pourront que lui causer des ennuis et même nuire à sa fille, Camille jette un regard sur la chaise vide à côté d'elle. Elle agrippe sa cuillère, saisit le sucrier et verse dans sa tasse de café brûlant une, puis deux cuillères de ces granules blancs qui rehaussent le goût. Calmement, elle s'adosse et observe l'un après l'autre les membres de sa famille qui ne sont pour elle maintenant que des étrangers sauf celui assis à ses côtés, Gaston.

Stimulée par ce qu'elle voit, comparable au tonnerre qui frappe dans l'orage, elle éclate :

— Vous êtes qui, vous autres pour croire que vous pouvez gérer la vie de tout le monde... Vous vous prenez pour qui? Dieu? Non mais, qui êtes-vous? Même Dieu ne dicte pas la vie, il nous la donne...

Puis regardant directement son mari, elle enchaîne :

— Je t'avais déjà averti de laisser ma fille en paix... Toi, le grand gérant soutenu par son assemblée de faux apôtres qui cherchent tous à devenir le portrait de leur idole. Une idole de méchanceté, de vanité, de rancune, d'animosité contre tout, même contre ceux qui viennent de sa propre chair.

Camille fait une pause comme à la recherche des forces qui lui permettront de terminer et sans avoir perdu de son emportement, elle ajoute :

— Non, mais dans quel siècle vis-tu! Croire que l'on peut enfermer quelqu'un, le mettre dans une petite boîte pour le faire ressortir comme et quand on veut, en faire un petit singe qui nous obéit au doigt et à l'œil! Non, mais tu crois, toi, Théodore Therrien, que tu peux défendre à ta fille d'enseigner, de faire ce à quoi elle a consacré tant d'efforts, de l'empêcher d'aimer... comme on le faisait dans mon temps!

Elle s'arrête, prend une grande respiration et presque en hurlant de rage :

— Vous les monstres de cette maison aux mille malheurs, jamais! Non jamais!... Vous devrez me faire taire, me terrasser pour y parvenir... jamais.

Cette surprenante libération après plus de vingt années de soumission a pour effet non seulement d'assommer, mais aussi d'alourdir le climat, rendant l'atmosphère de la pièce presque irrespirable pour celui ou celle qui s'y imprègne d'une vérité qu'il ne peut nier pendant que l'imprévisible Camille termine en lançant :

— Écoutez bien monsieur le bourreau et ses acolytes, demain matin, j'amène Éliane chez la directrice. Elle va enseigner et vous n'avez pas un mot, pas un seul mot à dire...

— Tu crois, répond aussitôt Théodore qui, en roi de la maisonnée sort de sa torpeur... Tu crois que tu peux nous imposer tes boniments de bonne femme...

Sans hésiter Camille lui relance

— Boniments de bonne femme! Eh bien! Ces boniments, tu devras les prendre, car je n'en démorderai pas, ton régime de terreur, c'est fini.

Lentement, très lentement, l'homme aux mains énormes, à la stature de géant, se lève, regarde son épouse, pose ses mains sur la table et penché par en avant vers elle, lui dit d'un ton qui est sans appel:

— Là, c'est assez! Tu la fermes ou je fais le nécessaire pour que tu te taises!

Puis comme s'il était nécessaire de bien clarifier la situation pour les autres, il ajoute:

— Ici, c'est encore moi qui mène, du moins jusqu'à ce que je meure... en attendant, toi, la femme, tu la fermes et tu fais ce que je te dis. Tu as compris! Pis, en ce qui concerne ta fameuse fille, elle fera comme j'ai décidé... Une année de repos à la maison, ça la fera réfléchir pendant que mon père et moi on lui cherche un mari, si on peut trouver avec toutes ses étourderies de femelle en chaleur...

∴

«Communiquer! Communiquer avec elle! C'est bien facile à dire mais le réaliser c'est autre chose...», pense Estelle à la recherche d'un moyen pour répondre à la demande de William de remettre une enveloppe à Éliane. Faire affaire avec sa mère, voilà un bon départ, surtout que les propos de William semblent confirmer le soutien de celle-ci.

Mais comment lui parler, lui demander son aide, sans avoir tous les membres de sa famille sur le dos? Au cours du dernier mois, par deux fois elle s'est présentée à la gare pour un colis et, à chaque occasion, il y avait Théodore. Ouais! De là à croire que les sorties de la mère d'Éliane sont étroitement surveillées, il n'y a pas une grande marge!

Soudain, l'éclair surgit: «Je fais venir madame Therrien en disant que j'ai reçu un colis pour elle. Dans celui-ci, je glisse une enveloppe pour lui expliquer le pourquoi de mon geste ainsi que le mot de William... et voilà, le tour est joué. Même si quelqu'un l'accompagne, il ne verra rien. »

Fière de sa trouvaille, elle file directement vers le téléphone et soulève l'acoustique pour entendre pour la enième fois:

— Bonjour, vous voulez parler à...

Depuis que le téléphone est devenu une réalité dans son coin de pays, Estelle qui recourt quotidiennement à ce merveilleux instrument ne peut tout simplement plus supporter la répartitrice, la vieille Aurore Labonté. Directe, la voix aiguë et un peu criarde, elle pousse à l'extrême la tolérance de la jeune fille.

— Le numéro des Therrien, madame!

— Un instant... Vous pouvez parler maintenant...

— Bonjour, ici Estelle Gervais, commis à la gare, puis-je parler à madame Therrien.

— Estelle Gervais! La fille du gardien, demande une voix d'homme, une voix de personne âgée.

— Oui, c'est bien ça... Je parle à monsieur Therrien?

— Pas à Théodore, mais à son père!

— Ah! Monsieur, madame Therrien, la femme de monsieur Théodore est-elle là? J'aimerais lui parler pour un paquet que nous avons reçu à la gare à son nom, reprend Estelle qui se veut insistante.

— Ah! Un paquet à la gare... O.K., d'accord je vous la passe.

Estelle n'a pas long à attendre...

— Oui, vous voulez?

— Bonjour, madame Therrien, c'est Estelle, l'amie d'Éliane; il faudrait que vous passiez à la gare: il y a un paquet pour vous.

– Un paquet, mais je n'ai rien commandé!

Peu surprise de la réponse de la mère d'Éliane, Estelle sait qu'elle doit insister. Prudente, connaissant l'habitude de la vieille Aurore d'écouter les conversations... elle reprend:

– Peut-être! Mais il y a bien un paquet adressé à votre nom. Ça provient de Montréal.

– Vous êtes sûre?

– Oui, madame..., répond sans hésitation Éliane en enchaînant: Vous passerez? Demain peut-être?

– Demain... Demain, c'est bien vendredi. O.K. dans l'avant-midi après l'épicerie.

– Je vous attends demain en avant-midi. Au revoir, madame.

– Au revoir, mademoiselle Gervais.

．·．

Raphaël ne comprend pas! Ce rire démoniaque, ce regard méprisant, ce menton fuyant et cette bouche déballant des paroles si désobligeantes sur eux. Non, incompréhensible, insaisissable comme comportement envers ceux qui veulent l'aider, l'avertir d'un effroyable danger. Non! Cet homme ne mérite pas l'effort de William.

– Mais, monsieur Therrien, je voulais...

Planté juste à côté de la calèche, devant William, Théodore n'a pas le goût de laisser le jeune homme imposer sa loi sur son domaine; il lui coupe la parole et lui fait connaître clairement sa position.

– Là tu ne dis plus rien! Écoute le jeune, je pensais que t'avais compris, mais ça n'a pas l'air d'être le cas... Pourtant, il me semble que j'avais été clair l'autre jour! Ouvre grand tes oreilles, car c'est la dernière fois que je te le dis. Je ne veux plus, tu as compris, je ne veux plus te voir toi pis ta gang mettre un pied icitte, c'est t'y clair? Dehors les chiens pas de médaille...

Puis comme s'il venait de perdre toute retenue, que la folie remplissait tout son être, il s'écrie en gesticulant...

– Toi, oui, toi pis ta gang, il fallait que vous veniez vous installer par icitte... Avant votre arrivée, tout allait numéro un dans le coin, maintenant c'est plus pareil! C'est comme si vous nous aviez jeté un sort! Des sorciers, de vrais sorciers. Envoye, toi pis ta gang dehors... Ne venez plus jamais icitte, sinon vous allez avoir affaire à moi..., et violemment, Théodore frappe de sa main droite une fesse du cheval en hurlant:

– Dehors! Dehors bande de maudits sorciers!

Du coup, le boulonnais se cramponne et s'élance en traînant la calèche avec ses deux passagers pendant que, sur la galerie, Camille qui vient d'assister à la scène se dit en elle-même: « Un vrai fou, il n'y a plus rien à faire avec lui! Mon Dieu! Mon Dieu, aidez-nous... que va-t-il nous arriver? »

20

Deux familles, deux avenirs

Deux jours et deux nuits que la pluie intense digne d'un déluge s'abat sur la région du Saguenay, accompagnée d'un vent qui balaie d'est en ouest; ces premiers jours du mois de septembre, saison des récoltes, ne sont pas sans inquiéter les agriculteurs. Deux jours, assez pour rendre les champs et les accès routiers impraticables, voir les endommager pour une longue période.

Beaucoup plus préoccupé par l'avenir de sa relation avec Éliane que par la température, confortablement installé dans son lit, William dort d'un sommeil agité.

Cela fait déjà près d'une semaine qu'il a remis sa lettre à Estelle et aucune nouvelle! Demain samedi, si rien ne se passe, il ira aux informations, car cela ne peut plus durer ainsi. Il doit passer à l'action pense-t-il en lui-même laissant le sommeil, porte d'entrée vers un de ces fabuleux songes, le gagner. Peut être qu'en cette nuit de pleine lune, l'un de ses rêves l'éclairera, lui apportera une solution... tout comme si celui-ci pouvait maintenant les provoquer... et pourtant...

.˙.

« Que le néant, je ne discerne que le néant. Bien agrippé à un poteau de cèdre, tout est blanc autour de moi, devant, sur les côtés et en arrière.

Comment me diriger dans cet espace, ce lieu? Où aller? Oui! Où aller à travers cet épais brouillard, ce nuage tellement dense que le moindre mouvement d'une de mes ailes demande un effort démesuré.

Devant cette silhouette, une femme, il me semble que je la connais... Elle s'avance, me sourit et me tend la main, moi, le grand duc, l'oiseau nocturne au regard mélancolique.

Comment puis-je lui répondre, saisir sa main? Avec mes ailes, mes aigrettes, mes pattes...

— Viens, lève-toi! Viens, dit la femme aux longs cheveux noirs.

— Me lever, marcher, moi, un oiseau... Il faut me souvenir de ce visage, de ces yeux, de cette femme. Je la connais, elle ne m'est pas inconnue... j'en suis sûr!

— Approche, lève-toi! N'aie pas peur, tu n'as plus besoin de ton corps d'oiseau. Viens!

Dans l'instant même, comme par enchantement, mon corps, mon corps d'oiseau est transformé en un corps d'homme! Oui, en un corps d'homme!

Je me lève, les jambes tremblantes, conscient que je dois apprivoiser ce corps. La belle dame aux yeux perçants me prend par la main et, toute souriante, me conduit à travers le lourd et profond brouillard de coton blanc. J'ai déjà aperçu cette dame, mais où?

Obéissant à la moindre pression de cette main, à la paume chaude et aux doigts longs, je me laisse conduire, pénétrant de plus en plus profondément dans cette blancheur.

— Suis-moi, répète la dame que je reconnais maintenant comme étant celle d'un passé où mon esprit savait voyager.

Lentement ou rapidement, je ne saurais le dire, ne sachant mesurer le temps, mes jambes se dénouent, mon tronc se meut sans trop de problèmes, mes bras et mes mains s'adaptent à mes commandements. Mon nouveau corps fait partie intégrante de mon moi qui accompagne cette dame, dont le nom échappe toujours à ma mémoire.

Toujours cette brume qui nous entoure, qui m'incite à ne pas lâcher cette douce main de crainte de me perdre, de me retrouver seul.

— Du calme, me lance la dame, ce guide qui a clairement lu mon agitation et ma nervosité face à ce que dissimule cette blancheur.

Nous marchons, moi, perdu dans cet univers, tandis qu'elle semble se trouver en pays de connaissance. C'est pourquoi je lui demande :

–   Où allons-nous ?

–   Sois patient, nous arrivons. Patience !

–   Mais...

À la façon d'un rideau que l'on tire et qui laisse apparaître sa scène et ses acteurs, nous pénétrons bientôt dans un espace aux dimensions indéfinissables.

La première chose qui attire mon attention est ce feu ardent. Un feu à l'allure de feu de camp, avec ce monticule de bois dressé à la façon d'un abri dans lequel les flammes s'élèvent à partir d'un nid de pierres qui en restreint l'étendue.

Nous continuons à avancer main dans la main, à foncer vers ce feu lorsque, dans sa lueur, apparaît un groupe d'individus assis en demi-cercle. Mes yeux balaient rapidement l'espace à la recherche d'indices ou d'informations concernant ce groupe composé de jeunes et de moins jeunes. Attentive à mon comportement, la mystérieuse dame, dit simplement en prononçant mon prénom pour la première fois :

–   Voyons, William, reste calme !

–   Mais ces drôles de gens nous regardent ! Pourquoi ?

–   Ces drôles de gens ! Ce sont mes amis et tes amis... Nous sommes dans la maison du Grand Manitou. Ces gens, tout comme moi, y habitent.

–   Mais c'est impossible, être avec le Grand Manitou, c'est être mort ! Et je ne suis pas mort ! Du moins, je ne le crois pas !

–   Tu as raison sur ce point. La mort n'est pas encore venue te chercher, mais rien n'empêche ta visite ici dans la maison du Grand Manitou où sont les tiens. Sache que tu es des nôtres ! Tu es l'ensemble de nos pensées, de notre capacité de voir en avant. Regarde qui est là, regarde bien...

La dame lâche ma main pour rejoindre le groupe et prendre place à l'intérieur au côté d'un homme dont les traits ne sont pas sans me rappeler de nombreux souvenirs.

Moment imaginaire, incroyable vision : l'homme assis à côté de la dame, c'est mon grand-père Augustin. Il est là, habillé de blanc tout comme l'ensemble du groupe, la barbe d'un blanc identique à ses longs cheveux qui descendent jusqu'aux épaules. Je m'avance vers lui, me penche et demande :

–   Grand-père, est-ce bien toi ?

–   Bien sûr, et la dame qui t'a accompagné, c'est ma mère « Perle » répond le vieillard, souriant de toutes ses dents blanches.

–   Mais c'est impossible, tu es mort ! Elle est morte !

Le vieillard se lève en m'entraînant avec lui, pose une main sur mon épaule et me dit :

–   William, ici nous sommes dans la maison du Grand Manitou. Comme moi, tous ces gens, à l'exception de toi, ont quitté pour toujours notre peuple de la terre. Regarde bien ces gens de ta race.

Sur ce, nous nous dirigeons vers l'extrême droite, là où débute le cérémonial des présentations.

–   William, je te présente les premiers d'entre nous ; le grand chef Serpent qui aboie ; Loup Agile ; Lune qui brille ; Œil du Jour ; Aigle Sauvage ; Corbeau dans le Vent le père de ma mère Perle qui se trouve assise à ma droite et, à ma gauche, ma fille, mon bébé Esther. Si tu as bien observé, à chaque endroit où chacun de nous est assis, il y a une étoile. L'étoile de la force...

–   Une étoile semblable à celle que tu possèdes, que chacun d'entre nous, porte, lance Perle qui se joint à la conversation.

Puis elle ajoute :

–   Tout à côté de ma petite-fille, il y a deux autres étoiles dont l'une est pour toi.

–   Pour moi ! Mais grand-père, toi et la dame « Perle » vous m'avez dit que je n'étais pas mort !

–   Tu n'es pas mort... chaque étoile s'inscrit à la naissance de l'un des nôtres et désigne sa place dans l'autre monde, répond le vieil homme.

– Ah! Mais, il y en a deux de libres. La mienne et l'autre, c'est pour qui?

– Pour un semblable, un autre qui, tout comme chacun de nous ici, possède ce don qui fait notre force, notre capacité d'aider, de rendre la vie plus facile à nos semblables.

Augustin fait une pause, s'approche de Perle et, main dans la main, il murmure:

– William, tu sais maintenant! Tu sais que, tout comme nous, tu possèdes ce don merveilleux de voir l'avenir. Si aujourd'hui tu es là avec tes ancêtres, ce n'est pas seulement pour les connaître, mais pour que le premier d'entre nous te livre un message que nous tous espérons t'aidera à grandir et à voler non dans la peau du grand duc, mais dans la tienne, celle de l'homme que tu es. Auparavant, moi et Perle allons reprendre nos places.

Dans un espace de temps qui semble être en suspend, drapé dans un tissu blanc, avec chapeau de cérémonial de plumes blanches pendant de la tête à ses pieds, le grand chef «Serpent qui aboie» se lève et, de sa voix grave et solennelle, il s'adresse directement à William:

– Toi, descendant longue lignée, famille Nepetta. Toi, enfant du sang, notre sang. Toi, étoile des étoiles. Toi, aujourd'hui homme capable de devenir. Devenir qui peut foncer seul mais toi prendre compagne, bâtir nouvelle entrée de notre lignée, de notre famille. Lignée qui sera sommation des étoiles. Comme toi, es!

À cet instant, tout bouge, tout bascule autour de moi dans un énorme tourbillon de blancheur, telle une tornade qui entraîne le moindre des objets pour ne laisser après son passage qu'un grand vide...

∴

Pour la première fois, le don que possède William est lourd à porter. Dès qu'il met le pied hors de son lit, une lourdeur inhabituelle l'habite. Cette étrange annonciation, ce bouleversant rêve, tel un cours d'eau qui déborde de son lit, envahit son corps et son esprit ne le désertant pas de la matinée.

Démontrant normalement de l'intérêt aux commentaires et aux nouvelles courant le long de la table à manger du midi, il reste muet, comme les poteaux de bois d'une galerie. Il n'est pas dans son état habituel, même Germaine avec ses propos provocateurs ne réussit pas à le faire réagir. « Il est sûrement malade », pense cette dernière.

Le repas terminé, Flora s'approche discrètement de son fils et lui murmure à l'oreille :

– William, ton père et moi aimerions te parler avant ton départ aux champs.

– Je monte dans ma chambre et je vous rejoins au salon, répond ce dernier, sans démontrer quelque signe d'étonnement ou de surprise.

– Non pas là, ton père et moi allons te rejoindre dans ta chambre... attends-nous !

Cette fois, le jeune homme est ébranlé, la demande de ses parents le bouleverse. Le seul mot qu'il trouve à dire :

– Hein !

Prudente, Flora veut éviter les grandes discussions et répond à voix basse :

– Va ! On te rejoint dans quelques instants...

Cinq minutes plus tard, assis sur le lit de plumes, le père, la mère et l'aîné de la famille partagent un moment précieux.

Beaucoup plus habile à communiquer que son mari, Flora prend sur elle d'entamer la conversation

– Estelle Gervais est passée ce matin. Elle voulait te voir et comme tu n'étais pas là, elle m'a remise une lettre sous la promesse de te la remettre en privé, aujourd'hui même. Il paraît que c'est très important.

Sans plus, Flora sort de la poche de sa jupe d'un gris respectueux de l'âme de son beau-père, une enveloppe qu'elle remet à son fils, puis ajoute :

– William, depuis les premiers jours de notre arrivée, ton père et moi connaissons le secret de ton cœur pour la jolie institutrice d'à côté. Nous sommes ici pour te dire que nous sommes prêts à tout faire pour ton bonheur et, par le fait même, pour celle que tu aimes. Il est vrai que tu es jeune, vingt ans, l'amour à ton âge peut paraître fou aux yeux des hommes et des femmes qui ne le vivent pas, mais ton père et moi, nous respectons ton choix, même si celui-ci est plein d'embûches... Que ce soit une Therrien, une Picard, une Tremblay, rien ne change notre soutien pour ton bonheur.

Adoptant un ton reflétant l'importance du moment et des paroles qui viennent d'être prononcées, Henri s'élance à son tour;

– Nous avons, ta mère et moi, observé le grand changement qui te trouble depuis notre arrivée et, surtout, depuis le décès de ton grand-père. Nous ne voulons pas nuire à ta destinée, à ce don que tu nous a révélé au grand jour, que l'on ne peut nier et que toi-même ne peux plus maintenant ignorer, à l'étoile de ton destin. Mon fils, nous sommes ici pour t'aider. Si tu as besoin de nous, nous ferons tout en notre possible pour te soutenir...

L'enveloppe dans les mains qu'il retourne sans arrêt, William écoute les paroles de sa mère et de son père avec la sensation que, dans les dernières heures, tout son univers qu'il croyait fixe, se meut maintenant à une telle vitesse qu'il ne sait s'il pourra suivre.

Ce rêve, cette déclaration de ses parents, cette enveloppe au contenu qu'il anticipe déjà sans l'avoir lu, comment suivre... lui, le descendant de cette grande famille amérindienne... quoi faire? Foncer, aller en avant! N'est-ce pas la volonté exprimée par son grand-père ainsi que celle de cette grande dame, Perle! Oui, foncer, vaincre les obstacles, les contourner...

– Maman, Papa, que diriez-vous si je décidais de partir d'ici, lance William.

Intrigué par une telle avenue, Henri demande à son fils:

– Partir d'ici! Pourquoi?

– Il faut que je sauve Éliane du destin que son père lui réserve. Je l'aime et elle m'aime. Comment vivre notre amour dans ce lieu, dans cet endroit en étant pourchassé, interdit par un être qui ne peut et ne pourra jamais aimer qui que ce soit, sinon lui-même.

À ces mots, Flora sent son pouls accélérer comme toutes les mères de la planète qui aiment leur enfant et le voient prêt à s'envoler. Elle lui prend la main pour lui démontrer son appui et lui dit:

– Je comprends tes appréhensions mais n'y a-t-il pas d'autres solutions? Tu es jeune et peut-être que tu...

– Maman, je l'aime cette fille... je sais que je dois être avec elle et qu'ensemble nous serons heureux. Toi et papa, vous venez de dire que vous avez observé en moi un grand changement depuis notre arrivée et surtout après le décès de mon grand-père Augustin. Vous dites que vous ne voulez pas nuire à ma destinée, à mon étoile, que vous êtes là pour m'aider et que vous feriez tout en votre possible pour me soutenir.

Il s'arrête pour reprendre haleine et poursuit:

– Je dois aller de l'avant, aider Éliane, je l'aime! Vous m'aimez et savez ce qu'est l'amour... Si Éliane et moi devons partir, je partirai, non sans chagrin, mais en sachant que vous connaissez tout l'amour que je porte à vous et à ma famille. Quand j'étais jeune, je savais que je savais, mais je ne savais pas pourquoi je savais! Mais aujourd'hui je sais pourquoi!

Flora et Henri n'ont pas aussitôt quitté la pièce que William ouvre l'enveloppe sur laquelle on a inscrit à l'encre noire «Pour William Desbiens». Il y découvre une feuille repliée ainsi qu'une autre enveloppe.

Il déplie la feuille signée de la main d'Estelle, qui lui signale que cette lettre lui parvient grâce à la mère d'Éliane qui a joué adroitement son rôle de facteur en réalisant l'aller-retour du courrier entre les deux amoureux. Elle termine en insistant sur le fait qu'elle sera toujours là pour les aider.

William hésite à décacheter l'enveloppe sur laquelle Éliane a inscrit tout simplement « Wil ». Il la taponne longuement, la retourne dans tous les sens et, enfin, l'ouvre.

« Déjà une semaine de passée », soupire William en commençant à lire cette lettre tant espérée.

Canton le 30 août 1925

Wil,

Je t'écris cette lettre dans l'espoir que tu la recevras le plus tôt possible. Dans ma prison dont le territoire se limite aux deux étages de ma maison, le temps s'écoule avec une telle lenteur que j'en suis rendue à croire qu'il vaudrait mieux que je meure que de continuer à subir les privations que l'on m'impose.

Impossibilité de sortir de la maison, de répondre au téléphone et de voir des amis; surveillance continuelle de ma sœur, de mon frère aîné ou de mes grands-parents et surtout obéissance aux choix de celui qui se dit mon père. Comment, à mon âge, accepter cet état, ces interdits dignes des années du Moyen Âge? Oui comment ? Se révolter, se sauver, fuir ?

Suis-je une fille si méchante, si dévergondée, si écervelée pour mériter tous ces interdits, pour m'enfermer vingt-quatre heures par jour, pour briser mon rêve d'enseignante, pour aller jusqu'à me dicter qui je dois marier.

Wil, il faut m'aider à retrouver le chemin du bonheur, à regagner le bleu du ciel et ses étoiles.

J'attends de tes nouvelles mon amour... je suis décidée à fuir ce donjon, à te suivre, quant tu le voudras...

Ton amour,
Éliane

Le cœur débordant d'amour, les pensées folles du désir de revoir Éliane, William veut rapidement passer à l'action. Il doit planifier leur départ dans le plus bref délai possible. Comment faire ? Seul, pourra-t-il libérer son amour ? De l'aide, il a besoin d'aide! Oui! Il aura besoin d'aide, surtout avec cette bande de malades...

Demander à qui? Pourquoi pas demander à sa mère et à son père. Mais en premier à Raphaël et ensuite à Estelle.

．．

L'homme s'avance, frappe à la porte et, comme si on l'attendait, elle s'ouvre spontanément.

— J'aimerais voir monsieur le curé, demande le visiteur sur un ton rempli de désarroi.

— Attendez un moment, monsieur Desbiens, je vais aller voir s'il peut vous recevoir, répond la dame qui a reconnu l'ami du curé.

L'odeur du pain qui lève monte aux narines de Henri. Il n'est pas un accoutumé des lieux, mais il lui semble percevoir un changement depuis sa dernière visite. Peut-être que le départ du curé Lampion y est pour quelque chose.

— Viens par ici, lance Daniel du cadre de la porte qui donne sur le petit salon. mademoiselle Simard nous apporte du café frais.

Quelques minutes plus tard, café à la main, bien calé dans son sofa, le jeune curé remarque chez son ami Henri un air désemparé. Il se souvient que tout jeune, il ne livrait que rarement ses sentiments, il fallait comme les vieux disent dans le Canton, « lui sortir les mots de la bouche ».

— Tu as l'air nerveux, qu'est-ce qui t'amène ici en plein lundi matin ?

Comme quelqu'un qui cherche une ouverture pour se glisser à l'intérieur d'un lieu inaccessible, Henri plonge :

— Je voulais te parler de mon garçon William et de la fille des Therrien, l'institutrice, mais tu promets de garder pour toi ce que je vais te raconter.

— Va, j'écoute... pas de problème, ici c'est comme au confessionnal.

Henri prend une grande respiration et s'élance :

— Daniel, tu connais sûrement la rumeur du Canton selon laquelle la fille des Therrien n'a plus le droit de sortir de chez elle. Imagine-toi, à son âge, enfermée dans la maison! Même qu'on raconte que son père n'a pas voulu qu'elle renouvelle son contrat d'institutrice. Vraiment incroyable! Moi qui pensais qu'aujourd'hui c'était plus possible d'entendre des choses pareilles! Je crois bien que je suis un peu trop naïf!

Puis baissant la voix, il dit:

— Écoute, on relate différentes raisons sur ce qui aurait causé ce drame, mais la vraie cause de tout ça, c'est l'amour... Mon garçon William et la fille des Therrien s'aiment... D'après ce que je sais, un des membres de la famille Therrien les aurait surpris. Tu peux voir la scène! Moi, j'aime mieux pas penser à ce que le père de la petite a dû faire... Sa fille en amour avec un des mécréants Desbiens, ses pires ennemis, le diable en personne...

Perturbé par ses propres propos, Henri s'arrête, il boit une gorgée de café, avant de reprendre:

— Daniel, c'est vrai que tu es le curé de la place, mais en souvenir de notre amitié, il faut que tu nous aides. J'ai confiance en toi... N'oublie pas que tu es le seul à connaître mon secret! Daniel! Je ne veux pas qu'il arrive aux deux jeunes ce que moi et Camille avons vécu. Pour moi ça va, je reçois beaucoup d'amour de ma femme, de mes enfants, j'ai du bonheur, mais pour Camille ce n'est pas le cas, la pauvre... Non, pas ça, pour sa fille!

Malgré ses deux mains qui s'entrecroisent, signe habituel chez Daniel de sa préoccupation devant une situation, celui-ci ne bronche pas et conserve un silence qui surprend Henri. Plus tard lorsque ce dernier se rappellera de ces événements, il s'étonnera d'avoir pensé à ce moment-là que son ami n'était en fait qu'un curé qui, comme la grande majorité d'entre eux, n'est qu'un homme qui ne connaît pas l'amour de l'autre sexe, ni ce qu'est la famille, la vie avec une femme qui nous aime, que l'on aime et les enfants qui nous apportent chaque jour qui se lève la joie du futur.

Tourné vers son copain, Daniel porte les deux pouces de ses mains jointes sous son menton et, comme quelqu'un qui se sert d'un sifflet, il murmure entre ses doigts:

– Mon cher ami, j'avais deviné ce qui se passait entre ton fils et la fille de Camille! C'est d'ailleurs elle qui m'a mis sur la piste lors de ma visite paroissiale... Passons! Henri, je comprends ce qui se passe en toi, mais que peut-on faire? Pour ton gars et la jeune fille, c'est bien malheureux ce qui leur arrive, mais... Tiens, cette semaine, j'ai essayé de communiquer avec Théodore pour qu'il insiste auprès de sa fille afin de revenir sur sa décision de ne pas renouveler son contrat d'institutrice... la mère supérieure voulait qu'elle revienne... remplacer une institutrice ce n'est pas facile de nos jours... Il ne m'a même pas retourné mon appel. Henri, tu connais le bonhomme... mais si tu as une idée!

Henri profite de l'occasion et ne laisse pas Daniel finir sa phrase.

– Justement, j'ai quelque chose à te soumettre. J'aimerais parler à Camille en privé et pour ça j'ai besoin de ton aide. Trouve-toi une raison, je ne sais pas, lui parler du mouvement des femmes de Sainte-Anne, des fermières si tu veux! Mais tu trouveras j'en suis sûr... Demande-lui de venir ici au presbytère. Tu n'auras qu'à m'avertir et je serai là.

Puis il s'approche de lui et continue:

– Tu es capables de faire ça, le reste je m'en occupe. Il n'y a aucun danger pour toi!

– Ouais! Le mercredi après-midi, la servante, mademoiselle Simard, est absente. Ça pourrait faire l'affaire? Je vais voir!... Toi pis tes plans tordus, comme quand on était jeune, s'exclame Daniel souriant de toutes ses dents d'un blanc qui dénote l'importance qu'il accorde à leur entretien.

– Merci, mon ami!

∵

Deux jours plus tard dans la même pièce, Henri se retrouve face à une Camille troublée par sa présence. Suit un échange de bonjours nerveux mais polis:

– J'voulais absolument te parler... tu pardonneras à Daniel, c'est moi qui ai tout manigancé, précise un Henri heureux de voir assise devant lui la femme qu'il a tant aimée.

– C'est toute une surprise de te voir. Je me demandais aussi pourquoi le curé voulait me rencontrer, moi qui n'ai jamais été une grande pieuse. Me parler du mouvement des dames de Sainte-Anne. Je ne comprenais pas, confie Camille le visage radieux.

Cachant adroitement sa nervosité ou plutôt sa grande fébrilité devant cet homme qu'elle n'a jamais oublié, qu'on lui a volé, elle questionne :

– Pourquoi voulais-tu me voir ?

– Eh bien, on ne perdra pas de temps en balivernes : je vais aller droit au but. Camille, tu sais que ta fille et mon garçon vivent des moments pénibles, particulièrement ta fille. Moi, je veux les aider et j'ai besoin de ton aide. Il ne faut surtout pas que ce que nous avons vécu se répète.

Ces paroles font l'effet d'un couteau sur une plaie non encore cicatrisée. Camille sent les larmes lui monter aux yeux.

– Tu as raison Henri... Quand je me vois aujourd'hui avec ce désaxé qui n'écoute que lui ou ses parents, qui se permet de faire la loi jusqu'à empêcher ma fille d'enseigner, de grandir en tant que femme, je ne peux que vouloir me révolter. Toutes ces raisons m'ont incitée à accepter de faire le messager pour ma fille et ton fils par l'intermédiaire d'Estelle, la fille de la gare... tu sais de qui je parle ?

– Oui !

– Henri, si tu savais ce que j'ai dû subir chaque fois que je me suis opposée à mon monstrueux mari !... Maintenant, j'en suis arrivée à croire que ce qu'il fait endurer à Éliane, ce n'est que pour se venger de moi.

Le mari de la douce et attachante Flora observe attentivement Camille, cette femme qu'il a aimée et qu'il aime encore aujourd'hui non plus comme une amante, mais comme une femme qu'il admire, qu'il estime digne de sa confiance et de son amitié. En effet, malgré les années passées loin d'elle, les liens qui les unissaient ne se sont pas effacés et cela, Henri le ressent et les propos de Camille le rassurent dans cette conviction. Cette femme a beaucoup souffert et, à l'instar de sa fille, elle aussi devrait être libérée de son tortionnaire.

— Tu as peut-être raison... , bredouille Henri. Mais il ne faut pas lâcher! Si pour nous, le temps passé ne peut être retrouvé, pense à nos enfants! L'avenir s'ouvre devant eux, un avenir à construire, à garnir d'un bonheur qui exige tout simplement de les laisser vivre selon leur désir et la grandeur de leur amour.

Il s'approche de Camille, de ce corps qui dégage un parfum qui, encore aujourd'hui, l'ensorcelle :

— Camille, je sais que ce bonheur tu ne l'as pas reçu, mais je te supplie de faire tout en ton pouvoir pour assurer ton aide à nos enfants. En souvenir de notre amour, puis-je compter sur toi ?, demande Henri.

— Henri! tu n'as rien perdu de ton charme. Sais-tu que ton fils te ressemble? Tout comme ma fille me ressemble! Je me souviens que le jour de votre arrivée au Canton, moi et ma fille nous étions là, à la gare vous observant... elle, pour tomber amoureuse, et moi, pour pleurer sur mon amour passé... je n'ai pas oublié ce moment et je crois que je vais mourir avec! Henri, tu peux compter sur moi... j'aiderai ma fille et ton fils à vivre ce que l'on nous a volé et je t'assure que celui qui se mettra dans leur chemin paiera cher son imprudence !

— Merci Camille, je n'en attendais pas moins de toi, de ton grand cœur. Dès mon retour, je rencontrerai mon fils pour connaître ses plans et, de ton côté, tu peux faire de même avec ta fille... On se donne des nouvelles par l'amie de ta fille...

Quelques minutes plus tard, Camille quitte la résidence du curé avec une impression de légèreté, une sensation qu'elle n'a pas ressentie depuis des mois, des années, depuis très, très longtemps ! «Merci mon Dieu, merci

Henri», pense-t-elle en se disant que cette rencontre avec son amoureux de jeunesse, tels des complices qui échangent des informations, cimente une relation lointaine mais combien merveilleuse.

Par la fenêtre du petit salon, Henri observe le départ de Camille, de cette femme qui, par sa simple présence, l'ébranle. Il la regarde monter dans la calèche en se disant que bien que meurtrie par la vie, elle conserve tout son charme, une grâce qui renverse... et avec sa main gauche, il se gratte l'intérieur du coude droit, porteur de cette marque indélébile qu'il cache de tout regard. La même marque que son fils aîné porte au bas du cou et que sa femme, Flora, considère comme une tache de naissance singulière aux Desbiens, comme un porte-bonheur.

.˙.

Au fond du premier champ voisinant l'étable, le troupeau de vaches avance paisiblement mené par William et Raphaël. Semblables à deux vieux amis, les deux hommes marchent l'un près de l'autre, discutant d'un sujet qui occupe toutes leurs pensées

— Je connais un coin où vous pourrez être en paix pour le reste de votre vie. Impossible de vous trouver, sauf si vous le voulez...

— C'est loin d'ici?, demande William tout en gardant son regard sur le troupeau.

— Pas tellement... une journée de chemin de fer.

— Décris-moi un peu l'endroit...

— C'est un peu comme par ici. Des montagnes, un cours d'eau, des lacs, de bonnes terres, sauf qu'il n'y a pas beaucoup de Blancs, surtout les miens établis par-ci, par-là.

— Et si ça ne plaît pas à Éliane, tu connais un autre endroit?

— Pour ça, il n'y a pas de problème. Mais je suis sûr que vous allez aimer ça. Il y a déjà une petite maison que l'on agrandira, si tu veux. Pas loin, il y a un moulin à bois, tu y trouveras facilement du travail... je connais le patron, un gars de la réserve, je travaillais pour lui avant de venir par ici...

L'enthousiasme de l'Indien rassure William qui enchaîne :

— Si nous décidons de partir, tu nous conduiras à cet endroit ?

Incroyable moment pour Raphaël, pour celui qui voit dans cet être, dans ce jeune homme qu'est William, la continuité, l'incarnation des anciens. Brûlant d'anxiété, rayonnant de bonheur à la simple pensée que le descendant de Perle accepte sa proposition, il répond :

— Pour ça, aucun problème... je vais t'aider à faire sortir ta copine de sa maison. En plus, j'irai moi-même prendre les billets du train pour m'assurer que votre départ se fasse discrètement...

.·.

Huit heures sonnent à l'horloge lorsque Flora et Henri pénètrent dans la chambre de William. La première pensée de Flora est pour la jeune Éliane. Sitôt entrée, elle demande :

— Puis, as-tu eu des nouvelles ?

— Non, pas de nouveau à part la lettre d'hier qui confirme ce que je craignais. Son père ne la laisse pas sortir en dehors de la maison, même pas pour aller à l'office du dimanche. De plus, il lui a interdit d'enseigner. Un vrai tyran !

— Que comptes-tu faire ?

Voilà la question, la véritable question, qui bouscule, renverse et fait grandir. Doit-il tout dire, dévoiler son plan, causer du chagrin à ceux qui comptent sur lui pour la ferme, pour la relève ? Que vont-ils penser ? Ses parents, sa mère, son père, sa sœur, son frère, sa tante, il les aime tant ! Mais cette fille aux yeux si profonds, à la bouche si ardente, aux cheveux si longs et si noirs qui vous enveloppent de leur chaleur envoûtante, aux pensées et aux mots qui vous donnent tant de force et d'espoir...

– Demain matin, je rencontre Estelle pour qu'elle fasse parvenir un message à Éliane. Nous allons, Raphaël et moi, l'aider à sortir de sa prison. Ensuite, nous partirons dans un endroit où personne ne pourra nous retrouver.

– Personne! Et nous, tu vas nous laisser comme ça, sans nous dire où vous serez, s'exclame Flora, la larme à l'œil.

– Voyons, Maman, ne t'en fais pas! J'ai tout prévu afin que nous ne perdions pas contact. Sauf que pour les premiers temps, nous devrons limiter nos communications, du moins, jusqu'à ce qu'Éliane soit majeure. En attendant, Estelle et Raphaël serviront de relais. Tout est déjà arrangé. Tu sais bien, Maman, qu'avec cette bande de détraqués, la prudence est de mise!

D'un mouvement spontané, Flora enlace son fils, tandis que son larmoiement se transforme en torrent.

Muet jusque-là, Henri, dont l'intérieur du coude propage une rage de démangeaison, sort de son mutisme :

– Je te trouve bien courageux mon garçon de t'aventurer dans une telle décision. Je me souviens que lorsque je suis parti d'ici, je n'avais pas nécessairement réfléchi sur tout. Mais, comme je vois, tu as sûrement pensé aux conséquences et aux précautions à prendre. Rappelle-toi que tu peux compter sur toute notre famille pour vous aider. Pour commencer, ta tante et ta mère vont voir à tes bagages et, dès que tu nous feras signe, on te les fera parvenir à l'endroit que tu nous indiqueras. En ce qui concerne l'argent, j'ai un bon montant d'argent qui te revient, je m'en occupe dès demain.

– Merci pa, merci man... je vous aime tant!

∴

Le temps presse, la toile se referme lentement mais indubitablement autour de sa fille ainsi qu'autour d'elle. Ce matin, après le téléphone d'Estelle lui demandant de passer au guichet de la gare pour un colis, Théodore, Jacques et ses beaux-parents lui ont clairement signalé leur curiosité face aux nombreux téléphones de la jeune Estelle Gervais.

– C'est nouveau ces téléphones de la fille du gardien de la gare pour avertir de l'arrivée d'un colis, a fait remarqué son beau-père.

– C'est normal, le téléphone n'est installé que depuis le début de l'été, a-t-elle répondu.

– Peut-être, mais il me semble que tu reçois beaucoup de colis de ce temps-ci, ajoute son mari.

– Ça, je suis sûr que c'est un truc pour donner des nouvelles d'Éliane, pour essayer de mettre du monde de son bord, lance son fils Jacques.

Cet être deviendra, avec le temps, aussi cruel et haineux que son père, pense-t-elle avant de lui répondre d'un ton ferme :

– Si c'était le cas, mon fils, ce ne serait pas de tes affaires. D'ailleurs, concernant ta sœur Éliane, au lieu de piétiner sur elle, tu devrais réfléchir sur sa situation et te dire qu'il ne peut y avoir que des êtres d'une méchanceté démesurée pour traiter des gens de cette façon. Il me semble...

Théodore ne lui laisse pas le temps de finir. Tel un immense poteau, il se plante devant elle et, de sa voix puissante, la semonce :

– Je t'avais déjà dit de ne plus parler de cette façon... là, c'est la dernière fois. Tes réflexions de bonne femme, je veux pus jamais les entendre... tu as compris! Si jamais tu recommences, ce qui arrive à ta fille peut aussi t'arriver. S'il me faut vous donner à toutes les deux une médecine de cheval pour vous dompter, je le ferai !

Il n'y a pas de mots assez forts pour décrire l'état d'âme de Camille. Une femme diminuée et asservie, voilà le résultat de son silence, de la donation de ses parents. «Henri a bien raison de me pousser à la révolte, du moins à une révolte silencieuse, mais efficace. Jamais ! Non jamais Éliane ne doit subir le sort que lui réservent les Therrien.

Oui! Tout faire pour l'aider à vivre sa propre vie... Même l'obliger à partir avant qu'un grand malheur n'arrive...»

.·.

«Mon Dieu! Oh, mon Dieu, donnez-moi la sagesse, le courage de prendre la bonne décision, de faire ce qu'il faut faire?»

En ce mardi après-midi, tout va beaucoup trop vite pour Éliane! Quoi faire? D'abord la demande de William dans la lettre remise par sa mère. Mercredi entre l'angélus du matin et celui du soir, étend un tissu rouge à l'extérieur de ta fenêtre, signe de ton approbation à notre départ que j'organiserai dans les jours qui suivront. Le plus tôt possible... Et sa mère qui l'incite à fuir devant la folie grandissante de son père...

.·.

L'ardeur du soleil du midi présage d'une amélioration de la température après un mois d'août frais et pluvieux. Un mois de septembre chaud, quel bienfait! Une coupe efficace des récoltes avec un séchage et des pertes minimes; peu de dommages pour les équipements et surtout moins de fatigue pour les chevaux.

À la ferme des Desbiens, la taille du foin est terminée depuis déjà une semaine et Raphaël s'en réjouit, car il pourra plus facilement se consacrer à la demande de William: «Surveiller l'apparition d'un tissu rouge à l'une des fenêtres de la maison des Therrien.»

Par deux fois en cette matinée du mercredi, il s'installe à la limite du boisé donnant sur la façade de la maison pour ensuite se déplacer afin d'avoir une vue sur la cour arrière et, à chaque occasion, il n'a aperçu aucun tissu de quelque couleur que ce soit aux multiples fenêtres de la maison.

De retour à son poste d'observation en début d'après-midi, il constate qu'au deuxième étage de la devanture, un petit voile rouge pend à la base de l'une des ouvertures.

Raphaël ne part pas immédiatement, confortablement accroupi sur le tapis vert du sol, il attend, alerte, de voir si l'on retirera le petit voile de couleur rouge. Au bout d'une heure, rien n'a bougé. Il se lève afin de regagner l'étable où l'attend impatiemment le jeune William.

Aussitôt Raphaël parti, un homme à l'allure jeune, cigarette au bec apparaît dans la cour avant. Il tourne en rond sur le pavé de terre dure, savourant ce moment que lui procure l'introduction de l'air enfumé de nicotine de sa cigarette dans ses poumons. Cela fait deux mois qu'il fume, que son père, ce fumeur de pipe, comme son grand-père, lui a accordé le droit de fumer; un droit strictement réservé aux hommes, à ces êtres qui apportent pain et beurre sur la table!

Jacques regarde la façade de la maison de son ancêtre qui sera sienne un jour et porte à sa bouche le dernier pouce de ce délectable poison qui commence déjà à jaunir l'extrémité de ses doigts, lorsque son attention est attirée par un objet inaccoutumé. Dans l'une des fenêtres avant de leur maison pend un chiffon de couleur rouge. Qui d'autre que celui qui connaît l'importance ou la signification de ce tissu de couleur vive pourrait y porter attention, sauf évidemment un gardien des lieux à l'esprit agile ou curieux. Pensif le jeune homme marche vers la cour arrière et s'interroge: «... Pourquoi ce tissu rouge à la fenêtre de ma sœur?» Il ne se souvient pas de l'avoir distingué auparavant, pas ce matin, ni les jours précédents. Et si celui-ci servait de signal! Un avertissement sur quelque chose qui se prépare. Et pour qui? Évidemment pour Éliane, d'ailleurs celui-ci pend sous sa fenêtre... Méfiance, méfiance, voilà le mot d'ordre... Éliane complote assurément quelque chose... et à bien y penser, les allers-retours de sa mère à la gare ne sont pas sans intérêt... Estelle Gervais n'est-elle pas la grande amie d'Éliane?

.•.

Avec ses six pieds et ses deux cents livres de muscles, Ernest Truchon ne passe jamais inaperçu, ce qui du reste lui sert énormément en tant que contremaître des moulins à scie et à farine de Théodore Therrien. Partout dans le Canton, on reconnaît à cet homme ses qualités de travailleur infatigable et de grand cœur toujours prêt à aider ceux qui sont dans le besoin.

Fidèle client du petit bar de l'hôtel Picard, il dédaigne rarement son petit remontant de huit heures du soir qu'il déguste couramment avec ses cousins et amis d'enfance Pierre et Léon Tremblay. Si vous lui demandez pourquoi cette habitude, il vous dira : « Un bon bourbon rouge qui vous réchauffe le gosier, qui vous inonde d'une doucereuse senteur et vous rend l'esprit léger, on ne s'en passe pas. »

Une fois de plus, en cette soirée de septembre et de sa dernière quinzaine, la discussion entre les trois amis déborde et s'envenime énergiquement :

— On travaille pour un sale qui ne cherche qu'à s'en mettre plein les poches.

— Voyons, les gars, c'est grâce à lui qu'on a du travail, réplique Ernest à ses cousins.

— Du travail, t'appelles ça du travail... une piastre de moins par jour que dans les autres moulins, ça fait des sous ça. Et qui tu penses les empoche?, demande Pierre, portrait d'Ernest, avec six pouces de hauteur et cinquante livres en moins.

— O.K., une piastre de moins, mais on travaille à côté de chez nous... On n'est pas obligés de partir pendant un ou deux mois, loin de la famille...

— Moi, je pense que le bonhomme Therrien devrait nous donner plus... pis pas l'an prochain, dès maintenant, affirme vigoureusement Léon, le plus jeune des trois hommes. Je vais me marier l'été prochain, une piastre par jour j'en aurai besoin. Pas vous autres? Ouais, c'est vrai toi Ernest, j'oubliais que tu es le contremaître!

Offusqué par ces dernières paroles, Ernest n'hésite pas à répondre :

– Voyons, contremaître ou pas, je suis comme vous autres... avec trois bouches à nourrir et une autre de plus bientôt, l'argent, j'en ai besoin...

– Comme ça tu n'empêcheras pas les hommes de contester?, s'informe Pierre presque en murmurant.

– C'est quoi ça? Voulez-vous me dire ce qui se prépare?, demande nerveusement Ernest à son cousin.

– Baissez le ton les gars, rétorque Pierre en faisant signe de la main de haut en bas.

– Ah, c'est rien! Avec la circulation des cultivateurs qui amènent les récoltes pour la section du moulin qui sert à la farine, je ne crois pas que les gars vont passer à l'action..., chuchote Léon.

∴

« Départ, samedi matin par le train de six heures. Te rendre dans le champ derrière l'étable près du boisé pour cinq heures, il y aura quelqu'un qui t'attendra. » Déjà mercredi et Estelle doit faire parvenir ce message à son amie Éliane. Comment? Le téléphone, oui le téléphone! Parler à la mère d'Éliane.

Quatre heures, cela ne paraîtra pas trop suspect. Elle décroche l'appareil et après une quinzaine de secondes la voix aiguë de la répartitrice se fait entendre:

– Vous voulez parler à qui?

– À madame Therrien, s'il-vous-plaît.

– Encore! Vous avez vraiment de bonnes relations, décroche la fouineuse et sournoise demoiselle...

– Mademoiselle, réplique Estelle, bouillante de colère, ceci ne vous concerne aucunement. Vous savez, si vous continuez vos ragots, je vais me plaindre à qui de droit. Passez-moi la maison des Therrien!

L'effet est immédiat et l'invraisemblable répartitrice annonce sur un ton des plus polis:

– Vous avez la maison des Therrien, mademoiselle Gervais.

Un homme à la voix dure et puissante répond :

— Oui, vous voulez parler à qui ?

— Bonjour, ici Estelle Gervais de la gare, puis-je parler à madame ?

— Mon épouse est souffrante au lit, répond Théodore.

— Peut-être pourrais-je lui parler demain matin, questionne la jeune fille.

— Je ne pense pas, ça va lui prendre quelques jours avant de se remettre debout.

— Ah ! C'est grave ce qu'il lui arrive !

— Ouais, ressayez dans trois ou quatre jours.

Il raccroche aussitôt, laissant Estelle en plan.

Cette dernière comprend que tout ne tourne pas rond à la maison d'Éliane. L'alarme semble avoir sonné, car maintenant non seulement la fille ne peut plus répondre, mais aussi la mère. Il faut agir rapidement et surtout avec finesse... le temps presse...

Elle court à sa chambre, prend la dernière robe que sa mère lui a achetée et revient au comptoir. La robe de coton est d'un bleu superbe ; Estelle la plie à la façon des vendeuses des grands magasins et y glisse un papier sur lequel elle a transcrit les dernières instructions de William. Prestement, la jeune fille ficelle un colis qu'elle adresse au nom de madame Théodore Therrien. Puis, elle découpe sur une vieille enveloppe, un oblitéré qui provient de Montréal et, adroitement, le colle sur le papier d'emballage tout en dissimulant à l'aide des diverses estampilles disponibles, toutes traces de manigance.

Demain en matinée, elle livrera le colis en précisant que mise au courant de la maladie de madame Therrien, elle profite de sa venue à la ferme des Simard pour lui épargner un voyage à la gare.

∴

Dix heures viennent de sonner au moment où Éliane contemple sur son lit le colis que lui a remis sa mère en se disant en elle-même : « Vraiment astucieuse cette Estelle.

420

Dire qu'elle voulait prendre de mes nouvelles en livrant un colis. Pauvre elle, tout ce trouble pour tomber sur mon père. Au moins, il a pris le colis et l'a remis à ma mère. »

Soupesant le petit paquet, elle se livre au jeu de la devinette. Quoi faire quand on passe ses journées entre quatre murs, sinon apprendre à jouer avec son esprit, un des seuls grands bonheurs qu'il vous reste?

« À l'intérieur ? Un chandail, une robe... un chemisier... non une robe. Couleur? Noire, bleue, blanche, verte... oui, verte. Tissus maintenant? Coton, laine, soie... sûrement coton...» Pour mieux savourer le moment, Éliane déballe lentement le colis et découvre la robe qui est bien en tissu de coton mais de couleur bleu. Afin de mieux la voir, elle la soulève par les épaules et fait glisser sans le vouloir le message d'Estelle sur son lit. « Ah ! Ça c'est bien Estelle », pense-t-elle en constatant que la robe n'est pas faite pour elle. «Aller jusqu'à me refiler une de ses robes pour essayer de me voir ! »

Elle dépose la robe sur le lit, s'allonge tout à côté et se laisse gagner par le sommeil. Puis paisiblement dans la grange, son amoureux à ses côtés... elle rêve... rêve...

∴

Des gouttes de sueur salée plein le visage, les cheveux mouillés, les deux hommes prennent un moment de répit.

– Vraiment chaud pour un mois de septembre, lance Pierre à son frère Léon.

– Ouais ! Au moins, on va économiser le bois de chauffage. Je me souviens que v'là deux ans, ma femme chauffait en fin août, répond ce dernier la cigarette à la bouche.

– As-tu vu le bonhomme Therrien, ce matin ?

– Non ! Mais son portrait se promène dans les parages, s'exclame en ricanant Léon.

– Jacques, le maudit blanc-bec! Un jour, j'y réserve une bonne claque... y perd rien pour attendre lui pis sa face de cochon...

– Toujours là pour nous espionner, pour rapporter à son père, réplique Pierre sur un ton qui ne laisse aucun doute sur ses sentiments à l'égard de l'aîné de la famille Therrien.

– Parle pas trop fort, il peut nous entendre. Tu sais qu'y s'cache partout, marmonne Léon.

– Tu as raison, mais attends demain. J'ai hâte de voir la face du bonhomme pis du fils quand ils vont voir notre feu d'artifice...

. : .

Debout tout près du lit sur lequel sa fille toute recroquevillée dort semblable à un oiseau blessé, Camille lui murmure doucement :

– Éliane, Éliane réveille-toi, c'est bientôt l'heure du dîner.

Ayant le sommeil peu profond, Éliane se réveille en bredouillant :

– Il est quelle heure?

– Presque midi...

– Hein! Voyons j'ai dormi bien longtemps!, s'exclame la jeune fille.

Fixant la robe étendue à côté de sa fille, Camille la soulève ;

– Ouais! Ce n'est vraiment pas ta grandeur!

Ensuite, mue par son instinct, elle va au miroir et met les épaules de la robe à la hauteur des siennes comme pour les faire épouser.

– Elle est vraiment belle cette robe. J'aime la couleur, elle me va... dommage qu'elle ne soit pas à moi...

Observant sa mère, Éliane se lève et s'assoit sur le bord de son lit. Au même instant, elle effleure de sa main gauche un morceau de papier qu'elle saisit distraitement, puis s'avance près de sa mère et lui lance :

– Tu es bien belle maman... Avec cette robe on croirait que tu as mon âge.

Le sourire aux lèvres, Camille réplique :

– Voyons, je n'ai plus vingt ans... mais toi si... Dis moi, il n'y avait pas de message avec le colis ?

– Je n'en ai pas vu ! Il n'y avait pas d'enveloppe...

– Et ce papier que tu tiens dans ta main, c'est quoi ?, demande Camille qui dans le reflet du miroir a aperçu sa fille s'avancer un papier à la main...

.˙.

« ... Pour cinq heures, en arrière de l'étable près du boisé.» Il me faut être prudente, car à cet heure, Jacques et Gaston entreprennent la traite des laitières. Si je sors avant eux, aucun problème. Je me réveille à quatre heures et je pars... maintenant, j'amène quoi ?

Isolée dans sa chambre en ce vendredi matin, dernière journée avant son départ de cette prison, de ce supplice imposé pas son despote de père et soutenu par ses semblables, Éliane spécule sur l'avenir. La bonne humeur lui est revenue, mais elle doit bien se garder de le montrer ! Oui, avec cet étau qui s'est resserré dans les derniers jours, ce frère qui ne cesse de l'observer, de la poursuivre. Si, dans leur folie, quelqu'un allait jusqu'à coucher dans le passage, à l'attendre devant sa chambre... Non! Je divague... Mais, si jamais, que faire ?

Mes bagages ! «Apporte seulement le plus utile», a dit ma mère... «Oh! Merci, Maman... merci de ton aide... Pour toutes tes souffrances, pour le futur que tu devras subir ! Je reviendrai... Oui, je reviendrai te chercher...» se dit-elle, les joues baignées de larmes...

.˙.

Trois heures de l'après-midi, le soleil plante ses chauds rayons de septembre. «Des salaires, des salaires», hurle le groupe d'hommes rassemblés depuis une demi-heure devant le moulin à scie, bloquant du même coup l'accès au moulin à farine. En tête, les deux frères Tremblay.

– Du calme les gars, voyons du calme, retournez au travail, je viens juste de parler avec le patron, crie Ernest aux hommes.

Nerveusement, celui-ci s'approche des deux meneurs, ses cousins. Rapidement, on l'encercle tel une bête que la meute traque en clamant leur éternel slogan.

– C'est le patron qu'on veut voir, crie Léon à Ernest en faisant signe aux hommes de se taire.

– Il ne viendra pas... il vous fait dire de retourner immédiatement au travail.

– Ça, on verra! Avant, on exige une réponse à notre demande. Répond!

– Oui répond, renchérit Pierre, un bâton dans les mains.

De plus en plus nerveux au contact des hommes en colère, Ernest hésite, conscient que sa réponse peut mener à des actes incontrôlables.

– Écoutez, les gars. Le patron n'est pas tellement d'accord avec votre demande, mais si vous...

– Tu n'as pas besoin de finir, on a compris. Maudit bonhomme! Maudit voleur! Il va nous payer ça, rugit Léon en coupant la parole à son cousin.

La manifestation qui, jusque-là, pouvait se comparer à une réunion d'hommes manifestant leur opposition, tels des oiselets demandant leur pitance, prend une allure que personne n'a prévue. Hurlant, criant des injures, des propos que pas un de ces hommes ne voudrait que leurs enfants entendent, le groupe, après avoir bousculé Ernest, fonce sur le moulin. À l'intérieur, le groupe se divise en de multiples cellules courant dans tous les sens en saccageant, brisant, portes, meubles et outils sur leur pas. Cinq, dix, quinze minutes se sont écoulées quand :

– Au feu, au feu... il y a le feu dans les cordes de bois... crie Ernest à se déchirer les poumons aux hommes qui, à cet appel, se ressaisissent.

Rapidement, tous sans exception se retrouvent dehors devant le feu, un immense feu, allumé dans tout ce brouhaha par qui et comment ? Impossible de le savoir ! D'ailleurs, quel homme, quelle femme oserait dire : «... J'ai mis le feu à mon gagne-pain, à celui d'une vingtaine de familles ! »

Rondement, les chaînes humaines prennent naissance. À partir de la rivière, les seaux d'eau voyagent à la vitesse des muscles et des mains endoloris pour être déversés sur les flammes qui cherchent à s'étendre à l'ensemble des billots.

Averti par l'un des hommes, Théodore est là, debout à côté de ses deux fils. L'air déconfit, il assiste impuissant à la catastrophe.

– Pa, moi pis Gaston, on va aider les hommes. Il faut sauver le moulin.

– Allez-y ! Mais faites attention, ce bois-là, c'est comme de la paille. Un rien et tu t'enflammes avec...

Derrière, à une centaine de pieds, tous les autres membres de la famille Therrien, sauf la dernière qui est à l'école, gardent le silence, foudroyés par l'ampleur du foyer dont les flammes rougeâtres semblent atteindre le ciel...

Les hommes travaillent sans relâche à protéger le moulin du brasier, aspergeant les murs de bois du bâtiment. Quel soulagement lorsque vers la fin de l'après-midi, le feu ne semble plus menacer.

C'est alors que Jacques s'approche de Pierre, le plus jeune des deux meneurs, et lui lance :

– Tu vois ce que vous et votre ramassis de vauriens avez fait. Vous vouliez un dollar de plus par jour ? Eh bien, maintenant vous n'aurez plus rien !

– Je ne sais pas qui a mis le feu, mais ce n'est pas nous autres, rétorque Pierre.

– Pas vous autres ! Voyons, vous êtes tous une bande de malades, rajoute Jacques en le poussant de sa main fermée.

– Touche-moi encore, pis tu vas en manger toute une, maudit baveux de fils à papa!

Et, vlan! Paf! Paf! les deux hommes, coups de poings par-ci, par-là, se battent, se bousculent et s'entraînent à quelques pieds du brasier encore chaud, sous les yeux ébahis des hommes et des femmes.

De plus belle, vlan! Paf! Paf! et l'impensable... Accroché l'un à l'autre, les deux hommes basculent dans les cendres brûlantes...

∴

Triste sort que réserve la vie à l'homme ou à la femme qui, par méchanceté, s'acharne sur ses semblables. Voilà l'histoire de Jacques, pourrait sermonner un curé à ses paroissiens.

Appelé d'urgence au chevet des deux pugilistes, le vieux Médore Girard ne peut que constater l'évidence: brûlure irrévocable au visage et tout le long du corps, déformation aux deux mains sont le résultat de cette bagarre.

– En espérant que l'infection ne gagne pas les plaies, je n'ai pas grand médicament pour ce genre de blessure, sinon des calmants. On peut toujours le transporter par train à l'hôpital de Chicoutimi. Mais, dans son état, vaut peut-être mieux attendre quelques jours... au moins jusqu'à demain soir et, là, on verra.

– En attendant, peut-on ramener le jeune Tremblay chez lui?, demande Théodore.

– Pas de trouble pour lui. Ses brûlures sont beaucoup moins importantes que celles de ton fils. Dans son cas, on va espérer que Dieu nous vienne en aide...

∴

Seule à la table de la cuisine, café fumant sous le nez, la belle Éliane est pensive. «Ce malheureux événement va-t-il changer la façon de voir de son père envers elle? Doit-elle passer aux actes? Fuir! Laisser seule sa mère avec tout le trouble de la longue et improbable guérison de son frère? Oui l'homme qu'elle aime, est-ce qu'elle le rejoint ou si elle laisse triompher son père! Folle, oui folle... Un avenir semblable à celui de sa mère, un mari qui la dominera, qui lui prendra les belles années de sa vie et qui l'ensemencera de sa graine sans son amour, sans qu'elle le désire... Vivre auprès d'un homme qui l'aime, qu'elle aime, connaître la joie d'enfanter des enfants désirés et même revenir sauver sa mère... Folle, folle... Oh! mon amour! Oh! William que faire?...» Et déjà la noirceur de la nuit a commencé à faire son œuvre...

.•.

Alertes, l'Indien et le jeune garçon attendent l'arrivée d'Éliane. Bientôt cinq heures cinq du matin et elle n'est pas encore là. Cachés sous un des plus beaux pins du boisé, ils ne bougent pas, égrenant les minutes de plus en plus pressantes.

Incrédule, William regarde Raphaël en pensant que dans la prochaine heure, le train partira et peut-être pour toujours l'espoir de vivre son grand amour. Pourtant, les paroles de Perle et de son grand-père: «Impossible, non, impossible!»

William regarde la montre que lui a léguée son grand-père: cinq heures dix et pas d'Éliane...

.•.

ÉPILOGUE

En plein cœur de la forêt, à plus d'un mille de la route la plus proche, fusil à la main, l'homme approche du lac. Alimenté par un cours d'eau, plutôt une rivière qu'un ruisseau, si l'on tient compte de sa profondeur et de sa largeur, le petit lac d'un mille sur deux, au fond rocheux et sablonneux, regorge de poissons. Situé entre deux montagnes, à l'abri des vents dominants, le gibier y foisonne, ce qui agrémente le menu des quelques familles qui résident dans les alentours.

L'homme, un grand noir, aux cheveux tombant sur les épaules à la mode des habitants de ce coin de pays, travaille à la scierie du village situé en amont de la rivière, à plus de deux milles du lac. Tous les jours, il refait le même trajet, en sifflotant ses airs favoris et en se rappelant les heureux moments de sa vie.

Aujourd'hui l'homme marche lentement, se réjouissant à l'idée que demain sera une journée très spéciale : dès six heures du matin, il montera dans le train pour revoir ses parents. Quatre longues années à attendre, à ne pas les accompagner dans le passage du temps qui ne revient jamais, à se demander comment les siens se débrouillent. Il est vrai que quelques lettres ont circulé grâce à ses amis, mais toucher, voir, étreindre ceux qu'on aime, ceux qui nous ont donné la vie, ne peut être remplacé par de simples mots sur une feuille de papier. Demain, quel jour heureux ce sera !

L'homme avance et là, à quelques pieds devant lui, se dresse sa demeure. Murs en bois rond, toit de tôle grise et cheminée en pierres du pays, ce n'est peut-être pas la plus jolie des demeures, mais combien chaude et remplie d'amour à donner et à recevoir.

Devant la porte d'entrée, l'homme fait une pause et jette un coup d'œil admiratif sur le paysage dominé par le lac dans lequel plongent les chauds rayons du soleil. Il pousse la porte de bouleau, se dirige vers l'armoire de la cuisine et y dépose son fusil tout au fond avant de ressortir.

Prudemment, il marche vers le lac et s'accroupit derrière un bosquet. Les yeux brillants de plaisir, il observe brûlant de désir la jeune femme aux longues tresses noires dont le joli visage resplendit de bonheur. Vêtue d'une robe jaune contrastante avec le couvert de l'herbe verte du sol sur laquelle elle est assise, elle ne bouge pas, semblable à une statue qui laisse à l'observateur le loisir de mieux la désirer.

Silencieusement, il quitte sa position et approche de la jeune femme. Il s'accroupit prestement derrière elle et pose ses mains sur ses épaules. Instantanément, la jeune femme sursaute et lâche un cri. Elle se détourne et lui dit :

— Ah! Toi pis tes jeux... un jour, tu vas me faire mourir de peur.

Tendrement, elle l'attire vers elle et pose un baiser sur les lèvres de l'homme qui entend l'appel :

— Papa! Papa!

À genoux, il observe les yeux remplis de bonheur les quatre petites jambes courir à la rencontre de leur père. Rendu à sa hauteur, il agrippe délicatement les deux jeunes, une fille et un garçon. Tendrement ceux-ci le collent et spontanément il couvre leurs jolies têtes identiques de baisers!